DLACZEGO

mężczyźni nie słuchają, a kobiety nie umieją czytać map

Allan i Barbara Pease

DLACZEGO

mężczyźni nie słuchają, a kobiety nie umieją czytać map

Przekład:
Małgorzata Samborska

REBIS

DOM WYDAWNICZY REBIS
Poznań 2004

Tytuł oryginału
Why Men Don't Listen and Women Can't Read Maps

Copyright © Allan Pease 1998, 1999
All rights reserved

Copyright © for the Polish edition by REBIS Publishing House Ltd.,
Poznań 2003

Redaktor tego wydania
Joanna Rewińska

Projekt i opracowanie graficzne okładki
Zbigniew Mielnik

Wydanie II poprawione (dodruk)

Wydanie I ukazało się w 2001 r. nakładem
Bertelsmann Media Sp. z o.o., Diogenes

ISBN 83-7301-434-9

Dom Wydawniczy REBIS Sp. z o.o.
ul. Żmigrodzka 41/49, 60-171 Poznań
tel. 867-47-08, 867-81-40; fax 867-37-74
e-mail: rebis@rebis.com.pl
www.rebis.com.pl

Skład ZAPIS
Gdańsk, tel./fax (0-58) 347-64-44

SPIS TREŚCI

Podziękowania **13**

Wstęp **15**
  Dlaczego tak trudno było nam napisać tę książkę

Rozdział 1. Ten sam gatunek, różne światy **21**
  Różne specjalności
  Argument „stereotypu"
  A może to spisek mężczyzn?
  Jakie jest nasze (autorów) stanowisko
  Natura kontra wychowanie
  Twój przewodnik po człowieku
  Jak do tego doszliśmy
  Nie spodziewaliśmy się, że tak będzie
  Dlaczego mama i tata nie mogą pomóc
  Nadal jesteśmy zwierzętami

Rozdział 2. Mówiąc logicznie **35**
  Kobiety jako radar
  To wszystko oczy
  Oczy z tyłu głowy?
  Dlaczego kobiety tyle widzą
  Podejrzana sprawa zaginionego masła
  Mężczyźni a oglądanie się za innymi
  Zobaczyć to uwierzyć
  Dlaczego mężczyźni powinni prowadzić w nocy
  Dlaczego kobiety mają szósty zmysł
  Dlaczego mężczyźni nie potrafią okłamać kobiet
  Wszystko słyszymy
  Ona też lepiej słyszy
  Kobiety czytają między wierszami
  Mężczyźni „słyszą" kierunek

Dlaczego chłopcy nie słuchają
Mężczyźni nie dostrzegają szczegółów
Magia dotyku
Kobiety lepiej czują dotyk
Dlaczego mężczyźni są tacy gruboskórni
Apetyt na życie
Coś w powietrzu
Z archiwum X
Dlaczego mężczyzn uważa się za niewrażliwych

Rozdział 3. Wszystko tkwi w naszej głowie 59
Dlaczego jesteśmy bystrzejsi od innych?
Jak nasz umysł broni terytorium
Mózg a sukces
Co i gdzie jest w mózgu
Od czego się zaczęły badania mózgu
Jak przeprowadza się analizę mózgu
Dlaczego kobiety są „lepiej połączone"
Dlaczego mężczyźni potrafią robić „tylko jedną rzecz naraz"
Test szczoteczki do zębów
Dlaczego jesteśmy tacy, jacy jesteśmy
„Programowanie" płodu
Test zaprogramowania mózgu
Jak obliczyć wyniki testu
Analiza wyników
Strefa wspólna
Ostatnie słowo

Rozdział 4. Rozmowa i słuchanie 85
Strategia „niebieskie czy złote pantofle"
Dlaczego mężczyźni nie mówią poprawnie
Chłopcy a szkoła
Dlaczego kobiety mówią tak doskonale
Dlaczego kobiety muszą mówić
Hormonalny łącznik
Kobiety uwielbiają mówić
Mężczyźni rozmawiają ze sobą po cichu
Wady rozmawiania tylko ze sobą
Kobiety myślą na głos
Wady myślenia na głos
Kobiety mówią, a mężczyźni uważają, że nie dają im spokoju

Dlaczego związki się rozpadają
Jak mężczyźni mówią
Wiele wątków w rozmowie kobiet
Co wykazują badania mózgu
Strategia prowadzenia rozmowy z mężczyzną
Dlaczego mężczyźni uwielbiają górnolotne słowa
Kobiety używają słów jako nagrody
Kobiety nie mówią wprost
Mężczyźni mówią wprost
Co można na to poradzić?
Jak skłonić mężczyznę do działania
Kobiety mówią pod wpływem emocji, mężczyźni są dosłowni
Jak kobiety słuchają
Mężczyźni słuchają jak posągi
Jak wykorzystać „pomruki"
Jak nakłonić mężczyznę do słuchania
Głos małej dziewczynki

Rozdział 5. Wyobraźnia przestrzenna, mapy, cele i parkowanie równoległe **117**
Jak mapa prawie doprowadziła do rozwodu
Myślenie seksistowskie
Ścigający obiad w akcji
Dlaczego mężczyźni wiedzą, dokąd iść
Dlaczego chłopcy przesiadują w salonach gier wideo
Mózg chłopca rozwija się inaczej
Diana i jej meble
Sprawdzian wyobraźni przestrzennej
Jak kobiety mogą odnajdywać kierunek
A jeśli nie potrafisz znaleźć północy?
Latająca mapa
Mapa do góry nogami
Ostatni test
Jak unikać kłótni
Jak się kłócić podczas jazdy samochodem
Jak sprzedawać coś kobiecie
Kłopoty z parkowaniem równoległym
Jak kobiety wprowadzano w błąd
Wyobraźnia przestrzenna w oświacie
Zawody wymagające wyobraźni przestrzennej
Bilard i fizyka jądrowa

Przemysł komputerowy
Matematyka i księgowi
Wszystkim po równo
Chłopcy oraz ich zabawki
Jak czują kobiety
Czy możesz poprawić swoje zdolności postrzegania przestrzennego
Kilka pożytecznych strategii
Podsumowanie

Rozdział 6. Myśli, postawy, emocje oraz inne obszary klęsk żywiołowych 147
Różne sposoby postrzegania
Chłopcy lubią rzeczy, dziewczynki ludzi
Chłopcy rywalizują, dziewczęta współpracują
O czym mówimy
Pragnienia współczesnych mężczyzn i kobiet
Emocje w mózgu
Kobiety cenią związki między ludźmi, mężczyźni pracę
Dlaczego mężczyźni robią różne rzeczy
Dlaczego kobiety i mężczyźni odchodzą od siebie
Dlaczego mężczyźni nie cierpią się mylić
Dlaczego mężczyźni ukrywają emocje
Dlaczego mężczyźni lubią towarzystwo kolegów
Dlaczego mężczyźni nie cierpią rad
Dlaczego mężczyźni proponują rozwiązania
Dlaczego zestresowane kobiety mówią
Dlaczego zdenerwowani mężczyźni nie mówią
Używanie wyobraźni przestrzennej do rozwiązywania problemów
Dlaczego mężczyźni zmieniają kanały w telewizorze
Jak nakłonić chłopców do mówienia
Kiedy oboje żyją w stresie...
Całkowite odcięcie
Jak mężczyźni zrażają kobiety
Dlaczego mężczyźni nie radzą sobie ze wzruszonymi kobietami
Gra płaczu
Kolacja poza domem
Zakupy – jej radość, jego męka
Jak prawić kobiecie szczere komplementy?

Rozdział 7. Koktajl chemiczny 173
Jak hormony nas kontrolują?

Substancje chemiczne w miłości od pierwszego wejrzenia
Chemia hormonalna
Dlaczego blondynki są bardziej płodne?
PMS i popęd płciowy
Chemiczna otchłań rozpaczy kobiety
Testosteron – nagroda czy przekleństwo
Przypadek latających talerzy
Dlaczego mężczyźni są agresywni
Dlaczego mężczyźni tak ciężko pracują
Testosteron i wyobraźnia przestrzenna
Dlaczego kobiety nienawidzą parkowania równoległego
Matematyka i hormony
Polowanie współczesnego człowieka
Dlaczego mężczyźni mają brzuszki, a kobiety wydatne pośladki

Rozdział 8. Chłopcy są chłopcami, ale nie zawsze **193**
Geje, lesbijki i transseksualiści
Homoseksualizm w historii
To genetyka czy wybór?
Dlaczego wini się ojców
Gejowski karnawał w Sydney
Czy „wybór" można zmienić
Przypadek bliźniąt jednojajowych-gejów
To tkwi w ich genach
„Gen gejów"
Odciski palców geja
Rodziny gejów
Jak stworzyć szczura geja
Dlaczego rodzi się gej
Jak lesbijki stały się lesbijkami
Mózg transseksualny
Czy jesteśmy niewolnikami naszej biologii
Dlaczego geje i lesbijki sprawiają wrażenie, że mają obsesję na punkcie
seksu
Dlaczego czasem trudno odróżnić geja
Dlaczego jeszcze trudniej odróżnić lesbijkę

Rozdział 9. Mężczyźni, kobiety i seks **213**
Jak zaczął się seks
Gdzie jest w mózgu ośrodek seksu
Dlaczego mężczyźni nie potrafią się opanować

Dlaczego kobiety są wierne
Mężczyźni to kuchenki gazowe, a kobiety piecyki elektryczne
Dlaczego kłócimy się o seks
Popęd płciowy a stres
Jak często się kochamy
Seks a mózg
Jak seks dobroczynnie wpływa na zdrowie
Monogamia i poligamia
Dlaczego mężczyźni są rozpustni
Efekt koguta
Dlaczego mężczyźni chcą, aby kobiety ubierały się jak ladacznice
(ale nigdy publicznie)
Dlaczego mężczyźni robią to w trzy minuty
Gra o jaja
Jądra mają swój rozum
Mężczyźni a oglądanie się za innymi
Co powinni zrobić mężczyźni
Czego naprawdę pragniemy w stałym związku
Dlaczego mężczyźni chcą tylko jednego
Dlaczego seks nagle zamiera
Czego mężczyźni oczekują od seksu
Czego kobiety oczekują od seksu
Dlaczego mężczyźni nic nie mówią podczas uprawiania seksu
Cel orgazmu
Co nas podnieca?
Dlaczego mężczyźni są tak surowo traktowani
Mit o afrodyzjaku
Mężczyźni i ich pornografia
Czy istnieją kobiety – maniaczki seksualne
Przy zapalonym czy przy zgaszonym świetle

Rozdział 10. Małżeństwo, miłość i romans **249**
Dlaczego kobiety potrzebują monogamii
Dlaczego mężczyźni unikają zobowiązań
Gdzie w mózgu znajduje się ośrodek miłości
Miłość – dlaczego mężczyźni się zakochują, a kobiety odkochują
Dlaczego mężczyźni nie potrafią powiedzieć: „kocham cię"
Jak mężczyźni oddzielają miłość od seksu
Kiedy kobiety uprawiają miłość, mężczyźni uprawiają seks
Dlaczego wspaniali partnerzy wyglądają atrakcyjnie
Czy przeciwieństwa się przyciągają

Przyciągają się fizyczne przeciwieństwa
Kluczem jest proporcja bioder do talii
Mężczyźni i romantyczność
Kilka skutecznych rad dla mężczyzn w sprawie romantyczności
Dlaczego mężczyźni przestają dotykać i mówić
Dlaczego mężczyźni miętoszą, a kobiety nie
Czy istnieje miłość wiosną
Jak dzięki myśleniu nabrać ochoty na seks
Powrót do zauroczenia
Jak znaleźć odpowiedniego partnera

Rozdział 11. Ku innej przyszłości **271**
Czego mężczyźni i kobiety naprawdę chcą
Wybór zawodu
Sfeminizowanie interesów
Czy to wszystko jest poprawne politycznie
Nasza biologia wiele się nie zmieniła
I na koniec...

Bibliografia **281**

PODZIĘKOWANIA

Pragniemy podziękować następującym osobom, które bezpośrednio, pośrednio, a czasem nieświadomie miały wpływ na treść tej książki: Rayowi i Ruth Pease'om, Billowi i Beat Sutterom, Alison i Mike'owi Tilleyom, Jaci Elliot, Stelli Brocklesby, Pauli i Natashy Thompson, Golowi i Jill Haste, dr. Desmondowi Morrisowi, prof. Detlefowi Linke, Carole Tonkinson, prof. Alanowi Garnerowi, Broni Szczygiel, Johnowi i Sue Macintoshom, Kevinowi Austinowi, dr. Johnowi Tickellowi, dr Rosie King, dr. Barry'emu Kitchenowi, Dianie Ritchie, Cadbury Schwepps, Amandzie Gore, Esther Rantzen, Melissie, Cameron i Jasmine Pease'om, Adamowi Sellarsowi, Gary'emu Skinnerowi, Mike'owi i Carol Hedgerom, Christine Maher, Rayowi Martinowi, dr. Rudiemu Braschowi, Michealowi Kelly'emu, prof. Stephenowi Dainowi, Christine Craigie, dr. Themi Garagounas, prof. Dennisowi Brunhamowi, prof. Barbarze Gillham, Bryanowi Cockerillowi, Leanne Wilson, Geoffowi Arnoldowi, Lisie Tierney, Robyn McCormick, Kerri-Anne Kennerley, Geoffowi Birchowi, Jonathanowi Normanowi, Marie Ricot, Julie Fenton, Nickowi Symonsowi, Peterowi i Hilary Westwoodom, Richardowi i Lindzie Dennym, Angeli i Sheili Watson-Challis, Simonowi Howardowi, Simonowi Timothy Lee, Tomowi Kenyon-Slaneyowi, Tony'emu i Patricii Earle'om, Darleyowi Andersenowi, Sue Irvine, Leanne Christie, Anicie i Dave'owi Kite'om, Barry'emu Toepherowi, Bertowi Newtonowi, Brendanowi Walshowi, Carrie Siipola, Debbie Tawse, Celii Barnes, Christinie Peters, Hannelore Federspiel, Davidowi i Jan Goodwinom, Eunice i Kenowi Wordenom, Frankowi i Cavill Boggsom, Grahamowi i Tracey Duftym, Grahamowi Shieldsowi, Grantowi Sextonowi, Kaz Lyons, Barry'emu Markoffowi, Peterowi Rosettiemu, Maxowi Hitchinsowi, Debbie Mehrtens, Jackowi i Valerie Collinsom, Allison i Johnowi Allansonom, Johnowi Hepworthowi, Pru Watts,

Michaelowi i Sue Rabbitom, Michaelowi i Sue Burnettom, Michaelowi i Kaye Goldringom, Mike'owi Schoettlerowi, Peterowi i Jill Gosperom, Rachel Jones, Ros i Simonowi Townsendom, Sussan Hawryluk, Sue Williams, Terry'emu i Tammy Butlerom, W. Mitchell, Walterowi Dickmanowi, Bea Pullar, Alanowi Collinsonowi, Russelowi Jefferyemu, Sandrze i Loren Watts, Katrinie Flynn, Luke'owi Causby'emu, Peterowi Draperowi, Scottowi Gilmourowi, Janet Gilmour, Lisie Petrich, Geoffowi Watherburnowi, Dawn Eccles-Simkins, Davidowi Orchardowi, Donnowi Guthrie, Chrisowi Stewartowi, Howardowi Gibbsowi, Sue McIlwraith, Julesowi Di Maio, Nathanowi Haynesowi, Michaelowi Kelly'emu i Gary'emu Larsonowi.

WSTĘP

Niedzielna wycieczka

Było słoneczne popołudnie, kiedy Bob i Sue wyruszyli z trzema nastoletnimi córkami na spokojną niedzielną wycieczkę na plażę. Bob siedział za kierownicą, a Sue obok niego. Odwracała się co chwilę, żeby się włączyć do ożywionej dyskusji, którą toczyły dziewczynki. Bob miał wrażenie, że wszystkie mówią jednocześnie, tworząc szczelną zaporę hałasu, co jego zdaniem było pozbawione sensu. W końcu wyczerpała się jego cierpliwość.

– Mogłybyście się zamknąć! – wrzasnął.

Zapadła pełna oburzenia cisza.

– Dlaczego? – spytała w końcu Sue.

– Ponieważ próbuję prowadzić – odparł z rozpaczą w głosie.

Dziewczęta spojrzały na siebie zdziwione.

– Próbuje prowadzić? – wyszeptały do siebie.

Nie dostrzegały żadnego związku między ich rozmową a jego zdolnością do prowadzenia pojazdu. On z kolei nie potrafił pojąć, dlaczego wszystkie mówią naraz, często na różne tematy. Na dodatek wyglądało na to, że w ogóle się nie słuchają.

Czemu nie mogą siedzieć cicho i nie pozwolą mu się skoncentrować na drodze? Przez ich gadanie omal nie przegapił ostatniego zjazdu z autostrady!

Zasadniczy problem jest prosty: mężczyźni i kobiety różnią się od siebie. Nie są ani lepsi, ani gorsi, tylko inni.

Uczeni, antropolodzy i socjolodzy, wiedzieli o tym od dawna, ale jednocześnie z żalem zdawali sobie doskonale sprawę z tego, że ogłoszenie tej informacji w Świecie Poprawnym Politycznie uczyniłoby z nich społecznych pariasów. Dzisiejsze społeczeństwo bardzo pragnie wierzyć, że mężczyźni i kobiety mają te same umiejętności, zdolności i możliwości, właśnie wtedy gdy nauka zaczyna udowadniać, jak wiele ich od siebie różni.

Dokąd nas to prowadzi? Jako społeczeństwo znaleźliśmy się na wyjątkowo grząskim gruncie. Jeśli zrozumiemy różnice między mężczyznami a kobietami, wtedy możemy zacząć budować związki oparte na naszych mocnych stronach, a nie słabościach. W tej książce staramy się przedstawić ogromny rozwój wiedzy o ewolucji człowieka i pokazać, jak tę wiedzę można wykorzystać w związkach kobiet i mężczyzn. Wnioski, które wyciągamy, będą dla niektórych kontrowersyjne, obrazoburcze, niepokojące. Pozwolą nam jednak lepiej zrozumieć dziwne sytuacje, które zdarzają się między kobietami a mężczyznami. Gdyby tylko Bob i Sue przed wyruszeniem w drogę przeczytali tę książkę...

Dlaczego tak trudno było nam napisać tę książkę

Pisanie zabrało nam trzy lata. Przejechaliśmy ponad 400 000 kilometrów w poszukiwaniu materiałów. Czytaliśmy rozprawy naukowe, rozmawialiśmy z ekspertami, prowadziliśmy seminaria w Australii, Nowej Zelandii, Singapurze, Tajlandii, Hongkongu, Malezji, Anglii, Szkocji, Irlandii, Włoszech, Grecji, Niemczech, Holandii, Hiszpanii, Turcji, Stanach Zjednoczonych, RPA, Botswanie, Zimbabwe, Zambii, Namibii i Angoli.

Jednym z najtrudniejszych zadań było nakłonienie organizacji publicznych i prywatnych do wyrażenia opinii na ten temat. Oto przykład. Niecały 1% pilotów linii pasażerskich to kobiety. Kiedy próbowaliśmy o tym rozmawiać z członkami dyrekcji linii lotniczych, wielu z nich było zbyt przerażonych, by wyrazić swoją opinię. Obawiali się, że zostaną oskarżeni o seksizm lub antyfeminizm. Uciekali się do wyrażenia: „Bez komentarza". Niektóre organizacje groziły nam sądem, jeżeli ich nazwy zostaną wymienione w książce. Kobiety na wyższych stanowiskach na ogół chętniej współpracowały. Kiedy jednak się orientowały, o co chodzi, przyjmowały postawę obronną lub traktowały nasze badania jako atak na feminizm. Niektóre z opinii autorytetów, dyrektorów i profesorów uniwersytetów, uzyskaliśmy jako „poufne" w mrocznych pokojach za zamkniętymi drzwiami, pod warunkiem że nie zostaną wymienieni z nazwiska ani oni, ani ich organizacje. Wielu przedstawiało dwie opinie. Jedną, poprawną politycznie, na pokaz, i drugą „prawdziwą", której „nie należy cytować".

Czytelniku, czasem się zdenerwujesz podczas lektury, ale książka ta cię zaskoczy i zafascynuje. Oparliśmy się na dowodach naukowych, wykorzystaliśmy też codzienne rozmowy. Opisaliśmy stereotypy i sytuacje od zabawnych po rozbrajające. Chcieliśmy mieć pewność, że dobrze ci się będzie czytało. Pragnęliśmy ci pomóc, abyś dowiedział się więcej o sobie i o płci przeciwnej, po to by twoje z nią kontakty i związki przyniosły spełnienie, radość i satysfakcję.

Książkę tę dedykujemy tym wszystkim, którzy kiedyś o drugiej nad ranem, wyrywając włosy z głowy, pytali swoich partnerów: „Ale d l a-c z e g o nie możesz zrozumieć?" Związki się rozpadają, ponieważ mężczyźni nie rozumieją, dlaczego kobieta nie może być bardziej podobna do mężczyzny, a kobiety oczekują, że ich mężczyźni będą zachowywać się tak jak one. Ta książka nie tylko pozwoli ci, czytelniku, lepiej zrozumieć płeć przeciwną, ale także poznać siebie. W rezultacie będziesz wiódł szczęśliwsze, zdrowsze i spokojniejsze życie.

Barbara i Allan Pease

Rozdział 1

TEN SAM GATUNEK, RÓŻNE ŚWIATY

Ewolucja wspaniałej istoty

Mężczyźni i kobiety różnią się od siebie. Nie są lepsi ani gorsi, ale inni. Łączy ich jedynie przynależność do tego samego gatunku. Żyją w różnych światach, według innych kodeksów wartości. Wszyscy o tym wiedzą, ale bardzo niewiele osób, a zwłaszcza mężczyzn, ma tyle odwagi, aby to przyznać.

Prawda jest widoczna gołym okiem. Wystarczy popatrzeć na dowody. Na Zachodzie około 50% małżeństw kończy się rozwodem. Rozpada się większość związków. Mężczyźni i kobiety bez względu na kulturę, wyznanie i rasę bez przerwy się kłócą z powodu postawy partnera, jego zachowania, opinii i przekonań.

Niektóre sprawy są oczywiste. Kiedy mężczyzna idzie do toalety, robi to wyłącznie w jednym celu. Kobiety traktują toaletę jako miejsce spotkań towarzyskich lub sesji terapeutycznych. Czasem wchodzą do toalety dwie zupełnie obce sobie osoby, a wychodzą z niej najlepsze przyjaciółki. W każdym obudziłyby się podejrzenia, gdyby mężczyzna zawołał nagle: „Hej, Frank, idę do toalety, pójdziesz ze mną?"

Mężczyźni rządzą pilotami do telewizora i bez przerwy zmieniają kanały, natomiast kobietom nie przeszkadza oglądanie reklam. Gdy sytuacja jest napięta, mężczyźni piją alkohol lub napadają na sąsiednie kraje, kobiety się objadają czekoladą albo idą na zakupy.

Kobiety krytykują mężczyzn, że są nieczuli, niewrażliwi, nie słuchają. Mężczyznom brakuje ciepła i zdolności współczucia. Nie chcą rozmawiać. Nie okazują miłości, nie są wystarczająco oddani związkowi. Wolą uprawiać seks, niż się kochać, i zostawiają podniesioną klapę od sedesu.

Mężczyźni krytykują kobiety za prowadzenie samochodu, za to, że nie potrafią odczytać drogowskazów na ulicach, odwracają mapy do góry nogami, gadają bez wyciągania wniosków, zbyt rzadko inicjują seks i zostawiają opuszczoną deskę sedesową. Mężczyźni sprawiają wrażenie, że nigdy nie potrafią niczego znaleźć, ale płyty kompaktowe układają w porządku alfabetycznym. Kobiety zawsze odnajdują zagubiony komplet kluczyków do samochodu, ale rzadko najkrótszą drogę do miejsca przeznaczenia. Mężczyźni uważają, że są rozsądniejsi. Kobiety natomiast wiedzą, że są rozsądniejsze.

Ilu mężczyzn potrzeba do wymiany rolki papieru? Liczba nieznana, ponieważ nigdy się to nie zdarzyło.

Mężczyzn zdumiewa fakt, że kobieta potrafi wejść do pokoju pełnego ludzi i natychmiast wygłosić jakąś uwagę na temat każdego z nich. Kobiety nie mogą uwierzyć, że mężczyźni są aż tak mało spostrzegawczy. Mężczyzn zaskakuje to, że kobieta nie zauważa czerwonego światełka migającego na desce rozdzielczej, ale za to z odległości pięćdziesięciu metrów dostrzega brudną skarpetkę ukrytą w ciemnym rogu pokoju. Kobiety są zaskoczone, że mężczyźni potrafią bez trudu zaparkować równolegle samochód w ciasnym miejscu, używając jedynie wstecznego lusterka, natomiast nigdy nie potrafią odnaleźć punktu G.

Jeżeli kobieta, prowadząc samochód, zgubi drogę, zatrzyma się i zapyta o kierunek. Dla mężczyzny to oznaka słabości. Będzie krążył godzinami w kółko, mrucząc do siebie: „Znalazłem nową drogę dojazdu”, „Jestem już blisko” i „Hej, poznaję tę stację benzynową!”

Różne specjalności

Ewolucja u kobiet i mężczyzn przebiegała inaczej, bo tak być musiało. Mężczyźni polowali, a kobiety zbierały. Mężczyźni bronili, kobiety karmiły. W rezultacie ich ciała i mózgi ewoluowały w całkiem różny sposób.

Ich ciała i umysły zmieniały się fizycznie, aby się dostosować do wypełniania szczególnych zadań. Mężczyźni dorastali wyżsi i silniejsi od większości kobiet, a ich mózg rozwijał się w sposób odpowiadający ich zadaniom. Kobiety były zadowolone, gdy mężczyźni „pracowali” poza domem. Podtrzymywały ogień w jaskini i ich mózg się zmieniał, żeby mogły to robić.

Przez miliony lat budowa mózgów kobiet i mężczyzn nieprzerwanie się zmieniała. Teraz wiemy, że obie płcie inaczej przetwarzają informacje. Myślą inaczej. W różne rzeczy wierzą. Inaczej postrzegają i się zachowują, mają inne priorytety. Udawanie, że jest inaczej, to najprostsza droga do złamanego serca, zagubienia i rozczarowania w życiu.

Argument „stereotypu"

Pod koniec lat osiemdziesiątych nastąpiła prawdziwa eksplozja badań dotyczących różnic między kobietami a mężczyznami oraz sposobu funkcjonowania mózgu kobiecego i męskiego. Wtedy po raz pierwszy najnowocześniejsze skomputeryzowane urządzenia służące do badania mózgu umożliwiły zobaczenie pracy mózgu „na żywo", a dzięki temu – spojrzenie na rozległy krajobraz ludzkiego umysłu, co dostarczyło wielu odpowiedzi na pytania dotyczące różnic między kobietą a mężczyzną. Badania omówione w tej książce zostały wybrane ze studiów medycznych, psychologicznych i socjologicznych. Wskazują jedno – nie wszystko jest równe. Mężczyźni i kobiety różnią się od siebie. Przez większą część dwudziestego wieku różnice te wyjaśniano uwarunkowaniami społecznymi. To znaczy, że jesteśmy tacy, jacy jesteśmy, ze względu na postawę naszych rodziców i nauczycieli, a ich postawa była z kolei odbiciem postawy społeczeństwa. Małe dziewczynki ubierano na różowo i obdarowywano lalkami, chłopcy nosili ubranka niebieskie. Dostawali w prezencie żołnierzyki i podkoszulki z nazwą drużyny piłkarskiej. Dziewczęta tulono i dotykano, a chłopców walono w plecy i nie pozwalano im płakać. Jeszcze do niedawna uważano, że umysł dziecka tuż po urodzeniu jest czystą tablicą, na której nauczyciele mogą zapisywać swoje wybory i preferencje. Dane biologiczne dostępne obecnie ukazują zupełnie inny obraz. Teraz wiemy lepiej, dlaczego myślimy tak, jak myślimy. Okazuje się, że to hormony i uwarunkowania mózgu są w dużej mierze odpowiedzialne za nasze postawy, wybory i zachowanie. Oznacza to, że gdyby chłopcy i dziewczęta dorastali na bezludnej wyspie, bez zorganizowanego społeczeństwa lub rodziców, dziewczynki nadal chciałyby się przytulać i dotykać, przyjaźnić i bawić lalkami, a chłopcy by rywalizowali fizycznie i psychicznie między sobą oraz tworzyliby grupy o wyraźnie określonej hierarchii.

*Zaprogramowanie naszego mózgu w łonie matki
oraz działanie hormonów określa nasz sposób
myślenia i zachowania.*

Jak widać, sposób zaprogramowania naszego mózgu i hormony krążące w naszym ciele to dwa czynniki, które na długo przed naszym urodzeniem dyktują, jak będziemy myśleć i się zachowywać. Nasz instynkt po prostu zależy od genów wpływających na to, jak ciało zareaguje w określonych warunkach.

A może to spisek mężczyzn?

Na początku lat sześćdziesiątych kilka grup nacisku próbowało nas przekonać, żebyśmy zapomnieli o biologicznym dziedzictwie. Twierdziły, że rządy, religie i systemy oświaty powstały w wyniku spisku mężczyzn, który ma na celu podporządkowanie kobiet i niedopuszczenie do ich rozwoju. Zapłodnienie kobiet było sposobem na ich skuteczniejszą kontrolę.

Na pewno z perspektywy historycznej wszystko na to wskazywało. Należy jednak postawić pytanie: skoro kobiety i mężczyźni są identyczni, jak twierdzą te grupy nacisku, jak mężczyznom udało się zdobyć taką dominację na całym świecie? Badania funkcjonowania mózgu dostarczają odpowiedzi. Nie jesteśmy identyczni. Mężczyźni i kobiety powinni mieć równe prawo do ćwiczenia umiejętności, natomiast na pewno nie są tacy sami pod względem zdolności wrodzonych. Czy mężczyźni i kobiety są sobie równi, to sprawa polityki lub moralności. Zasadnicze różnice to kwestia naukowa.

*Czy mężczyźni i kobiety są sobie równi, to sprawa polityki
lub moralności. Zasadnicze różnice to kwestia naukowa.*

Przeciwnicy koncepcji wpływu biologii na nasze zachowanie często jej się opierają kierowani najlepszymi intencjami. Są wrogami seksizmu. Często jednak nie pojmują różnicy między terminami „równy" oraz „identyczny", a są to zupełnie różne pojęcia. Nauka potwierdza, że kobiety i mężczyźni całkowicie się od siebie różnią, zarówno fizycznie, jak i psychicznie. Nie są tacy sami.

Zagłębiliśmy się w badania wybitnych paleontologów, etnologów, psychologów, biologów i neurologów. Obecnie różnice w budowie mózgu kobiety i mężczyzny są wyraźne. Kwestia ta wykracza poza spekulacje, przesądy czy uzasadnione wątpliwości.

Porównując omówione w tej książce różnice między mężczyznami a kobietami, ktoś mógłby powiedzieć: „Mnie to nie dotyczy. Ja tak nie postępuję!" Być może. Opisujemy jednak przeciętnych mężczyzn i przeciętne kobiety oraz to, jak większość kobiet i mężczyzn zachowuje się przez większość czasu, w większości sytuacji i przez większą część historii. „Przeciętny" oznacza, że w zatłoczonym pomieszczeniu na ogół można zauważyć, że mężczyźni są ciężsi i wyżsi od kobiet. W rzeczywistości 7% mężczyzn jest wyższych, a średnio 8% tęższych. Najwyższa lub najtęższa osoba w danym pomieszczeniu może być kobietą, ale ogółem mężczyźni są wyżsi i tężsi od kobiet. W *Księdze rekordów Guinnessa* najwyżsi i najtężsi zawsze byli mężczyźni. Najwyższym człowiekiem w historii był Robert Pershing. Miał 2,79 metra wysokości. A najwyższym człowiekiem w 1998 roku był Alan Channa z Pakistanu, który ma 2,31 metra wzrostu. W książkach historycznych zamieszczono wiele opowieści o „Wielkich Johnach" i „Malutkich Suzie". Nie jest to przejaw seksizmu, tylko fakt.

Jakie jest nasze (autorów) stanowisko

Podczas lektury wiele osób może odczuć zadowolenie z siebie lub gniew. Te osoby w mniejszym lub większym stopniu padły ofiarą idealistycznej filozofii, która twierdzi, że kobiety i mężczyźni są tacy sami. Od razu wyjaśnimy nasze stanowisko. Napisaliśmy tę książkę, aby pomóc wam nawiązać lub poprawić związki z obiema płciami. Jesteśmy przekonani, że kobiety i mężczyźni powinni mieć równe szanse w podążaniu ścieżką kariery w każdej dziedzinie, którą wybiorą. Wierzymy również, że identycznie wykwalifikowane osoby powinny otrzymywać takie samo wynagrodzenie za tę samą pracę.

Różnica nie jest przeciwieństwem równości. Równość oznacza wolność wyboru robienia rzeczy, które chcemy robić, a różnica, że jako mężczyźni i kobiety możemy nie chcieć robić tego samego.

Naszym celem jest obiektywne spojrzenie na stosunki kobiet i mężczyzn, wyjaśnienie wynikających stąd zmian, znaczeń i konsekwencji, a także opracowanie technik i strategii osiągania szczęśliwszego i bardziej spełnionego życia. Nie będziemy się zasłaniać domysłami czy podpierać ogólnikami poprawnymi politycznie. Jeżeli coś wygląda jak kaczka, wydaje odgłosy kaczki, chodzi jak kaczka i zebraliśmy dość dowodów na to, by udowodnić, że jest kaczką, tak właśnie ją nazwiemy.

Zebrane dowody wskazują, że płci mają wrodzoną s k ł o n n o ś ć do różnego zachowania. Nie sugerujemy, że któraś z płci musi czy powinna zachowywać się w określony sposób.

Natura kontra wychowanie

Melissa urodziła bliźnięta: dziewczynkę i chłopca. Jasmine została owinięta w różowy kocyk, a Adam w niebieski. Krewni przynieśli w prezencie miękkie pluszowe zabawki dla Jasmine, a dla Adama małą piłkę futbolową i bluzę dresową z nazwą drużyny. Do Jasmine każdy gaworzył, zdrabniał i mówił łagodnym tonem. Mówił, jaka jest śliczna i wspaniała, ale na ogół tylko kobiety brały ją na ręce i tuliły do siebie. Podczas wizyty mężczyzn goście koncentrowali się głównie na Adamie. Mówili wyraźnie, głośniej, naciskali mu palcami brzuszek, podrzucali go i zastanawiali się nad jego przyszłością w drużynie futbolowej.

To dobrze znany scenariusz. Prowokuje jednak pytanie. Czy takie zachowanie dorosłych wynika z biologii, a może jest wyuczone i przenoszone z pokolenia na pokolenie? To natura czy wychowanie?

Przez większą część dwudziestego wieku psychologowie i socjologowie wierzyli, że zachowanie i wybory są wyuczone, stanowią skutek wpływu uwarunkowań społecznych i środowiska. Wiemy natomiast, że wychowywanie to zjawisko wyuczone. Przybrane matki, bez względu na to, czy są kobietami, czy małpami, doskonale sobie radzą z opieką nad młodymi. Z drugiej strony uczeni przekonywali, że są za to odpowiedzialne biologia, chemia i hormony. Od 1990 roku zebrano przekonujące dowody na to, że rodzimy się z „wbudowanym" oprogramowaniem mózgu. Fakt, iż mężczyźni byli myśliwymi, a kobiety karmicielkami, nawet dziś określa nasze zachowania, przekonania i wybory. Badania na Uniwersytecie Harvarda wskazują, że nie tylko zachowujemy się inaczej wobec niemowląt: dziewczynek i chłopców. Używamy również innych słów. Do dziewczynki powiemy łagodnym tonem: „Jesteś taka słodka", „Piękne maleństwo", „Prześliczna dziewuszka", a mówiąc do chłopca, podniesiemy głos i zawołamy: „Hej, wielkoludzie!" albo „Ale jesteś silny".

Kupowanie dziewczynkom lalki Barbie, a chłopcom żołnierzyków nie tworzy podstaw ich zachowania, tylko je utrwala. Podobnie, badania z Harvardu stwierdziły różne zachowanie dorosłych wobec niemowląt, dziewczynek i chłopców, przy czym jedynie podkreśliły istniejące już różnice. Kiedy wpuścisz kaczkę do stawu, zaczyna pływać. Zajrzyj pod wodę, zauważysz błonę pławną. Poddasz analizie jej mózg, spostrzeżesz, że podczas procesu ewolucji pojawił się „wzorzec pływania". Staw jest właśnie tam, gdzie przypadkiem znalazła się kaczka, i to nie staw jest przyczyną takiego zachowania.

Badania wykazują, że bardziej jesteśmy produktem biologii niż ofiarą społecznych stereotypów. Jesteśmy różni, ponieważ nasze mózgi są inaczej zaprogramowane. To sprawia, że inaczej postrzegamy świat, cenimy inne wartości i mamy inne priorytety. Ani lepsze, ani gorsze, tylko inne.

Twój przewodnik po człowieku

Ta książka przypomina przewodnik używany podczas pobytu w obcym kraju. Zawiera miejscowe zwroty i dialekt, sygnały mowy ciała i informacje, dlaczego mieszkańcy są tacy, jacy są.

Większość turystów wybiera się za granicę bez wcześniejszego przygotowania. Onieśmiela lub złości ich to, że mieszkańcy nie znają angielskiego ani nie podają hamburgerów i frytek. Aby cieszyć się i skorzystać ze spotkania z inną kulturą, najpierw musisz zrozumieć jej historię i ewolucję. Zatem aby doświadczyć bezpośredniego kontaktu i właściwie go docenić, powinieneś się nauczyć podstawowych zwrotów i poznać tryb życia mieszkańców. Dzięki temu nie będziesz wyglądać, mówić i zachowywać się jak turysta, czyli osoba, która tyle samo zyskałaby, gdyby została w domu i jedynie r o z m y ś l a ł a o dalekich podróżach.

Ta książka pokaże ci, jak się cieszyć i korzystać ze znajomości płci przeciwnej. Najpierw jednak musisz zrozumieć jej historię i ewolucję.

....

Podczas wizyty w zamku Windsorów w Anglii słyszano, jak pewien amerykański turysta powiedział: „Bardzo piękny zamek, ale dlaczego zbudowali go tak blisko lotniska?"

....

Ta książka podaje fakty i rozprawia się z rzeczywistością. Opowiada o prawdziwych ludziach, autentycznych badaniach, wydarzeniach i rozmowach. Nie musisz się przejmować dendrytami, neuropeptydami, rezonansem magnetycznym i dopaminą w badaniach mózgu. My musieliśmy, ale teraz staramy się wszystko wyjaśnić tak przystępnie, żeby dało się to przeczytać. Mamy do czynienia ze stosunkowo młodą nauką, zwaną socjobiologią, która się zajmuje wyjaśnianiem zachowania z uwzględnieniem wpływu genów i procesu ewolucji.

Znajdą się w tej książce liczne koncepcje, techniki i strategie, a choć czasem sprawiają wrażenie oczywistych lub zdroworozsądkowych, wszystkie mają naukowe podstawy. Odrzucamy techniki, praktyki i opinie, które nie zostały sprawdzone przez naukę.

Mamy do czynienia ze współczesną nagą małpą. Małpa, która kontroluje świat megakomputerami i potrafi wylądować na Marsie, ale której pochodzenie można prześledzić wstecz aż do ryby. Minęły miliony lat naszego rozwoju jako gatunku, a mimo to dzisiejszy technologiczny, poprawny politycznie świat w ogóle nie uwzględnia naszej biologii albo zna ją bardzo słabo.

Dopiero prawie po stu milionach lat powstało społeczeństwo na tyle wykształcone, by wynieść człowieka na Księżyc, ale kiedy już tam trafił, nadal musiał chodzić do toalety, jak jego prymitywni przodkowie. Istnieją różnice kulturowe, ale nasze biologiczne potrzeby i popędy są takie same. Udowodnimy, że różne wzorce zachowań są dziedziczone, czyli przekazywane z pokolenia na pokolenie. Tam praktycznie nie ma różnic kulturowych.

Teraz popatrzmy, jak ewoluował nasz umysł.

Jak do tego doszliśmy

Bardzo dawno temu kobiety i mężczyźni żyli szczęśliwie razem i pracowali w harmonii. Mężczyzna codziennie się zapuszczał w niebezpieczny, wrogi świat i ryzykował życie, aby przynieść swojej kobiecie i wspólnym dzieciom pożywienie. Bronił ich przed dzikimi zwierzętami i wrogami. Mężczyzna wykształcił w sobie umiejętność odnajdywania kierunku, dzięki czemu umiał znaleźć pożywienie i przynieść je do domu, oraz celność oka, więc trafiał w ruchomy „obiad". Opis jego pracy brzmiał bardzo prosto: „poszukiwacz obiadu" i tylko tego od niego oczekiwano.

Natomiast kobieta czuła się doceniona, ponieważ jej mężczyzna ryzykował życie w trosce o dobro rodziny. Jego sukces jako człowieka mierzono zdolnościami zabijania i przynoszenia łupu, a ona z kolei doceniała ten wysiłek. Los rodziny zależał od tego, czy mężczyzna się sprawdzi jako „poszukiwacz obiadu" i obrońca, ale nic więcej. Nigdy nie było potrzeby, żeby on „analizował ich związek". Nie oczekiwano od niego, by wyrzucał śmieci czy pomagał w przewijaniu niemowlęcia.

Rola kobiety również była dokładnie określona. Miała rodzić dzieci. To ukierunkowało przebieg jej ewolucji i specjalizację umiejętności, tak by mogła wykonać to zadanie. Musiała umieć kontrolować najbliższe otoczenie i szukać oznak niebezpieczeństwa. Korzystając z punktów orientacyjnych, powinna umieć znaleźć kierunek na krótkich dystansach. A także mieć doskonale wykształconą zdolność wyczuwania drobnych zmian w zachowaniu i wyglądzie dzieci i dorosłych. Wszystko było proste. On „poszukiwał obiadu", ona „broniła gniazda".

Spędzała dni na opiece nad dziećmi, zbieraniu owoców, warzyw i orzechów oraz kontaktach z innymi kobietami w grupie. Nie musiała się troszczyć większymi dostawami pożywienia czy walką z wrogami, a jej sukces mierzono umiejętnością podtrzymywania życia rodzinnego. Mężczyzna doceniał zajmowanie się domem i umiejętności opieki nad dziećmi.

Jej zdolność rodzenia była uważana za magiczną, nawet świętą, ponieważ tylko ona jedna przechowywała tajemnicę dawania życia. Nigdy nie oczekiwano, że będzie polowała, walczyła z wrogami czy zmieniała żarówki.

Przetrwanie było trudne, ale związek łatwy. W ten właśnie sposób życie toczyło się setki tysięcy lat. Pod koniec dnia łowcy wracali ze zdobyczą. Łup dzielono równo i wszyscy jedli razem we wspólnej jaskini. Każdy łowca wymieniał część swojej zdobyczy z kobietą na jej owoce i warzywa.

Po posiłku mężczyźni siadali wokół ogniska, wpatrywali się w płomienie, grali, opowiadali historyjki lub dowcipy. Była to prehistoryczna wersja przełączania przez mężczyznę kanałów telewizyjnych lub zagłębienia się w lekturę gazety. Mężczyźni byli wyczerpani po polowaniu i zbierali siły, aby nazajutrz znowu wyruszyć na łowy. Kobiety nieprzerwanie zajmowały się dziećmi i pilnowały, aby mężczyźni byli dostatecznie nakarmieni i wypoczęci. Nawzajem doceniali swoje wysiłki. Mężczyzn nie uznawano za leniwych, a kobiety za ich udręczone służące.

Te proste rytuały i zachowania nadal istnieją wśród starych cywilizacji w takich miejscach jak Borneo, Afryka czy Indonezja, u niektórych aborygenów, Maorysów na Nowej Zelandii i wśród Inuitów Kanady i Grenlandii. W tych kulturach każdy zna i rozumie swoją rolę. Mężczyźni cenią kobiety, a kobiety mężczyzn. Uważają, że obie strony wnoszą wkład w przetrwanie i dobrobyt rodziny. Natomiast kobiety i mężczyźni mieszkający w krajach cywilizowanych odrzucili stare zasady. Na ich miejsce pojawił się chaos, niezrozumienie i brak szczęścia.

Nie spodziewaliśmy się, że tak będzie

Przetrwanie rodziny już nie zależy wyłącznie od mężczyzny. Nikt też nie oczekuje od kobiety, że zostanie w domu jako wychowawczyni i gospodyni. Po raz pierwszy w historii naszego gatunku większość kobiet i mężczyzn jest zdezorientowana co do zakresu obowiązków. Czytelniku i czytelniczko tej książki, należycie do pierwszego pokolenia istot ludzkich zmuszonego do zmierzenia się z takimi okolicznościami, z którymi nigdy nie mieli do czynienia wasi ojcowie i matki. Po raz pierwszy w historii szukamy u naszych partnerów miłości, namiętności i spełnienia, ponieważ przetrwanie nie stanowi kwestii podstawowej. Nowoczesna struktura społeczna zazwyczaj zapewnia podstawowy poziom utrzymania dzięki funduszom emerytalnym, opiece społecznej, prawom ochrony konsumenta i różnym instytucjom rządowym. Zatem co to są za nowe zasady i gdzie ich się można nauczyć? Ta książka stanowi próbę dostarczenia niektórych odpowiedzi.

Dlaczego mama i tata nie mogą pomóc

Jeżeli urodziłeś się przed rokiem 1960, to dorastałeś, obserwując rodziców zachowujących się wobec siebie zgodnie z dawnymi zasadami przetrwania kobiet i mężczyzn. Twoi rodzice odtwarzali wzory zachowań, których nauczyli się od swoich rodziców, ci z kolei naśladowali swoich rodziców, i tak dalej aż do jaskiniowców z ich dokładnie określonymi rolami.

Obecnie role całkowicie się zmieniły, a rodzice nie wiedzą, jak pomóc. Około 50% małżeństw kończy się rozwodem, a biorąc pod uwagę konkubinaty i związki gejowskie, prawdziwy procent rozstań wynosi ponad 70. Powinniśmy się nauczyć nowych zasad, żeby się dowiedzieć, jak być szczęśliwym i przetrwać bez uszczerbku emocjonalnego aż do wieku dwudziestego pierwszego.

Nadal jesteśmy zwierzętami

Większość osób nie może zaakceptować siebie jako jeszcze jednego zwierzęcia. Nie potrafi się pogodzić z faktem, że 96% tego, co można znaleźć w ich ciałach, istnieje również u świni czy konia. Czyni nas odmiennymi jedynie zdolność myślenia i planowania przyszłości. Inne zwierzęta tylko reagują na sytuacje na podstawie genetycznie zaprogramowanego mózgu oraz powtarzania zachowań. Nie potrafią myśleć, mogą jedynie reagować.

Większość ludzi akceptuje fakt, że zwierzęta mają instynkt, który określa ich zachowanie. Łatwo to zauważyć – ptaki śpiewają, żaby kumkają, psy podnoszą nogę, a koty czyhają na zdobycz. Nie są to jednak zachowania zaplanowane. Dlatego tak wiele osób nie dostrzega związku między zachowaniem zwierząt a własnym. Nawet ignorują fakt, że ich pierwsze odruchy były instynktowne – płacz i ssanie.

Bez względu na to, jakie wzory zachowań odziedziczymy, istnieje duże prawdopodobieństwo, że przekażemy je naszym dzieciom. Zrobimy to w ten sam sposób jak wszystkie zwierzęta. Kiedy nabywasz nowej umiejętności, przekazujesz ją genetycznie swoim dzieciom. Dzięki temu uczeni mogą rozmnażać pokolenia sprytnych szczurów lub głupich szczurów z grupy podzielonej ze względu na zdolność pokonywania labiryntu. Kiedy wreszcie pogodzimy się z faktem, że jesteśmy zwierzętami, których odruchy formowały się przez miliony lat ewolucji,

W ten sposób, synu, oznacza swoje terytorium, aby nie dopuścić na nie innych psów. To zachowanie instynktowne jest powszechne u zwierząt niższych, które nie myślą.

wtedy o wiele łatwiej będzie nam zrozumieć nasze podstawowe potrzeby i pragnienia, a także zaakceptować siebie i innych. Tędy wiedzie droga do prawdziwego szczęścia.

Rozdział 2

MÓWIĄC LOGICZNIE

Mężczyźni nie potrafią nic znaleźć w lodówkach i szafkach

Zabawa już się rozkręciła, gdy przyjechali John i Sue. W pewnym momencie Sue spojrzała Johnowi prosto w oczy i wyszeptała: „Spójrz na tę parę pod oknem"... John odwrócił głowę, żeby jej się przyjrzeć. „Nie patrz! – wysyczała. – Nic nie umiesz ukryć". Nie potrafiła zrozumieć, dlaczego John musiał tak niedyskretnie odwrócić głowę, a John nie wierzył, że Sue, nie robiąc tego, dostrzegła w pokoju tamtych ludzi.

W tym rozdziale przedstawimy wyniki badań dotyczące różnic w postrzeganiu przez kobiety i przez mężczyzn oraz ich wpływ na nasze związki.

Kobiety jako radar

Kobieta uważa za oczywiste, że wie, kiedy inna kobieta jest zdenerwowana lub urażona. Natomiast mężczyzna musi być naocznym świadkiem łez, ataku histerii lub dostać w twarz, zanim do niego wreszcie dotrze, że się coś dzieje. Podobnie jak u większości ssaków, kobiety są wyposażone w o wiele wrażliwsze zmysły niż mężczyźni. Były rodzicielkami i obrończyniami gniazda. Potrzebowały umiejętności wyczuwania u innych subtelnych zmian nastroju i postawy. To, co powszechnie nazywa się kobiecą intuicją, jest właściwie umiejętnością kobiety spostrzegania drobnych szczegółów i zmian w zachowaniu lub wyglądzie innych. Właśnie to przez stulecia zdumiewało niewiernych mężczyzn, których zawsze przyłapywano na zdradzie.

Jeden z naszych delegatów na seminarium powiedział, że nie może uwierzyć, jak bystry wzrok ma jego żona, kiedy on próbuje coś ukryć, dodał jednak, że małżonka zupełnie ślepnie, kiedy cofa samochód do garażu. Ocena odległości między zderzakiem a ścianą garażu zależy od orientacji w przestrzeni, której ośrodek znajduje się w prawej przedniej półkuli. Uczciwie trzeba przyznać, że nie jest najsilniejszą stroną kobiet. Omówimy to w rozdziale piątym.

„Żona dostrzega jasny włos na mojej marynarce z odległości pięćdziesięciu metrów, ale wjeżdża na drzwi do garażu za każdym razem, kiedy parkuje samochód".

Obrończynie gniazda strzegły rodziny, musiały zatem nauczyć się wychwytywać najdrobniejsze zmiany w zachowaniu potomstwa. Zmiany, które mogły sygnalizować głód, ranę, gniew lub przygnębienie. Mężczyźni poszukujący zdobyczy nigdy nie przebywali w jaskini aż tak długo, aby przyswoić sobie odczytywanie niewerbalnych sygnałów lub porozumiewanie z innymi. Neuropsycholog, profesor Ruben Gur z University of Pennsylvania, wykorzystał prześwietlenia mózgu, aby wykazać, że gdy mózg mężczyzny znajduje się w stanie spoczynku, wyłącza się co najmniej 70% jego elektrycznej aktywności. Zdjęcia mózgów kobiet w tym samym stanie wykazywały 90-procentową aktywność, co potwierdzało, że kobiety bez przerwy przyjmują i analizują informacje pochodzące ze środowiska. Kobieta zna przyjaciół swoich dzieci, marzenia pociech, nadzieje, romanse, skrywane lęki. Wie, o czym myślą, co czują, i zazwyczaj, jaką psotę planują. Mężczyźni niejasno zdają sobie sprawę, że w domu mieszkają jacyś mali ludzie.

To wszystko oczy

Oko stanowi przedłużenie mózgu ukrytego wewnątrz czaszki. Siatkówka znajduje się z tyłu gałki ocznej i zawiera około 125 milionów komórek fotoreceptorowych zwanych pręcikami oraz około 6,5 miliona czopków. Pręciki, aktywne w przyćmionym świetle, umożliwiają postrzeganie kształtu i ruchu. Czopki odpowiadają za widzenie w jasnym świetle, rozróżnianie szczegółów i widzenie barw. To chromosom X jest odpowiedzialny za istnienie tych komórek „zajmujących się" kolorem.

Kobiety mają dwa chromosomy X, co daje im większe zróżnicowanie czopków. Tę różnicę łatwo stwierdzić. Na ogół kobieta opisuje barwy bardziej szczegółowo. Mężczyzna użyje podstawowych określeń, jak czerwony, niebieski czy zielony, natomiast kobieta będzie mówiła o kremowym, akwamarynie, liliowym czy zgniłozielonym.

Oczy ludzkie mają wyraźne białka, których brakuje innym naczelnym. Umożliwiają one ruch oka i skierowanie spojrzenia, a to jest podstawą porozumiewania się twarzą w twarz. Kobiety mają większe białka niż mężczyźni, ponieważ porozumiewanie się z bliska stanowi zasadniczą część nawiązywania przez nie kontaktu. Większe białka zapewniają też szerszy zakres sygnałów wzrokowych przesyłanych i otrzymywanych przez odczytanie ruchu oczu.

Ten typ porozumiewania wzrokowego nie jest niezbędny u innych gatunków zwierząt, dlatego mają albo bardzo małe białko, albo wcale go nie mają. Na ogół zwierzęta polegają na mowie ciała jako na głównej formie nawiązywania kontaktu.

Oczy z tyłu głowy?

Niezupełnie, ale prawie. Kobiety nie tylko mają więcej czopków w siatkówce, mają również szersze widzenie obwodowe. U obrończyni gniazda dzięki „oprogramowaniu" mózgu widzenie układa się w stożek o kącie 45°. U wielu kobiet widzenie obwodowe obejmuje niemal 180°. Oczy mężczyzn są większe niż kobiet, a ich mózg ustawia je do pewnego typu „widzenia tunelowego" na duże odległości. To oznacza, że widzą wyraźnie i dokładnie wszystko, co znajdzie się daleko, na wprost nich, zupełnie jakby patrzyli przez lornetkę.

W przeszłości myśliwy musiał dostrzec z daleka zwierzynę i ruszyć za nią w pogoń.

Kobiety mają szersze widzenie obwodowe, za to mężczyźni lepiej widzą na odległość.

Mężczyzna ewoluował, jakby miał klapki na oczach, po to tylko, żeby nic nie odrywało jego uwagi od celu. Tymczasem kobieta potrze-

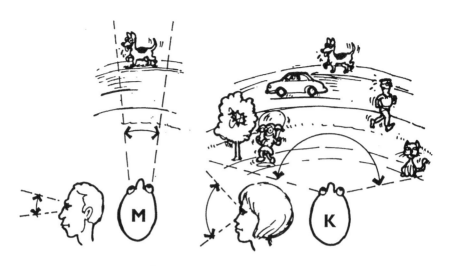

Pole widzenia mężczyzny i kobiety

bowała oczu, które umożliwiłyby jej szersze widzenie, aby mogła pilnować, czy na przykład drapieżniki nie podkradają się do gniazda. Oto dlaczego współcześni mężczyźni bez trudu znajdą drogę do odległej piwiarni, ale nic nie potrafią znaleźć w lodówkach, szafach i szufladach.

W roku 1997 w Wielkiej Brytanii na drogach zginęło lub zostało rannych 4132 dzieci – pieszych, z których 2460 to chłopcy, a 1492 dziewczynki. W Australii jest ponad dwukrotnie więcej pieszych, czyli ponad dwukrotnie więcej zabitych i rannych chłopców niż dziewczynek. Chłopcy bardziej ryzykują, przechodząc przez jezdnię, niż dziewczynki, a to w połączeniu z gorszym widzeniem obwodowym zwiększa liczbę ofiar.

Dlaczego kobiety tyle widzą

W każdej sekundzie o siatkówkę oka uderzają miliardy fotonów światła. To zbyt wiele, aby mózg mógł sobie z tym poradzić. Dlatego wybiera jedynie te informacje, które są niezbędne do przetrwania. Na przykład, gdy do twojego mózgu dotrą wszystkie kolory nieba, wybiera tylko ten, który powinien zobaczyć – niebieski. Mózg ogranicza nasze widzenie, dzięki czemu możemy się skoncentrować na konkretnej rzeczy. Jeżeli szukamy igły na dywanie, mamy bardziej skupione i zawężone pole widzenia. Mózg mężczyzny, kiedyś zaprogramowany do polowania, ma znacznie węższe pole widzenia. Mózg kobiety rozszyfrowuje informacje uzyskane z szerszego widzenia obwodowego ze względu na to, że kiedyś było jej to potrzebne jako obrończyni gniazda.

Podejrzana sprawa zaginionego masła

Każda kobieta na świecie przeprowadziła następującą rozmowę z mężczyzną stojącym na wprost szeroko otwartej lodówki.

David: Gdzie jest masło?
Jane: W lodówce.
David: Zaglądam do środka, ale nie widzę żadnego masła.
Jane: Jest na pewno, schowałam je tam dziesięć minut temu.
David: Nie. Musiałaś położyć je gdzie indziej. W lodówce na pewno nie ma masła.

Słysząc to, Jane wkracza do kuchni, wsuwa rękę do lodówki i niczym iluzjonista z kapelusza wyciąga opakowanie masła. Niedoświadczeni mężczyźni sądzą, że to była sztuczka, i oskarżają kobiety o ukrywanie przed nimi różnych rzeczy w szufladach i szafach. Skarpetek, butów, bielizny, dżemu, masła, kluczyków samochodowych, portfeli. Tymczasem one są na miejscu, tylko mężczyźni po prostu ich nie widzą. Dzięki szerszemu łukowi widzenia obwodowego kobieta lepiej widzi zawartość lodówki czy szafy, nawet nie poruszając głową. Mężczyźni, którzy szukają „zaginionych" przedmiotów, kręcą głową z góry na dół i z prawa na lewo.

Te różnice w polu widzenia wywierają istotny wpływ na nasze życie. Statystyki wypadków samochodowych wykazują, że istnieje mniejsze prawdopodobieństwo, iż pojazd kobiety zostanie uderzony w bok na skrzyżowaniu niż wtedy, gdy chodzi o mężczyzn. Szersze pole widzenia obwodowego pozwala kobiecie na spostrzeżenie pojazdu zbliżającego się z boku. Za to bardziej prawdopodobne jest, że zostanie uderzona z przodu lub od tyłu podczas próby parkowania równoległego, wymagającego wykorzystania gorzej wykształconych umiejętności przestrzennych.

Nie możemy dalej się tak spotykać, złotko.
Pewnego dnia Sam może zdejmie klapki.

Życie kobiety stanie się mniej nerwowe, kiedy zrozumie ona problemy, jakie mają mężczyźni przy patrzeniu z bliska. Kiedy kobieta mówi mężczyźnie: „Jest w szafie!", on będzie mniej się denerwował, jeżeli jej uwierzy, i będzie kontynuował poszukiwania.

Mężczyźni a oglądanie się za innymi

Szersze pole widzenia obwodowego jest powodem, dla którego kobiety rzadko bywają przyłapywane na zerkaniu na obcych mężczyzn.

Prawie każdego mężczyznę oskarżono kiedyś o gapienie się na przedstawicielkę płci przeciwnej, ale niewiele kobiet usłyszało podobną uwagę z ust mężczyzny. Seksuolodzy twierdzą, że kobiety patrzą na ciała mężczyzn równie często, a może nawet częściej niż mężczyźni na kobiece. Mimo to kobiety dzięki lepszemu widzeniu obwodowemu rzadziej bywają na tym przyłapywane.

Zobaczyć to uwierzyć

Większość osób nie potrafi w coś uwierzyć, dopóki nie zobaczy dowodu, jednak czy można ufać własnym oczom? Miliony wierzą w UFO, pomimo faktu, że do 92% obserwacji doszło w sobotnie wieczory około jedenastej, czyli po zamknięciu knajp. Nigdy żaden premier ani prezydent nie widział UFO. Nie wylądowały też na terenie uniwersytetu, państwowego laboratorium badawczego lub przed Białym Domem. Nigdy też się nie pojawiły w brzydką pogodę.

Uczony Edward Boring wymyślił następujący sposób, aby wykazać, jak każde z nas postrzega różne rzeczy na tym samym obrazku. Kobiety na ogół zauważają starą kobietę z podbródkiem ukrytym w kołnierzu futra, natomiast mężczyźni dostrzegają lewy profil młodej kobiety, która odwraca głowę.

Rysunek na stronie 44 też dowodzi, że to, co widzisz, niekoniecznie jest tym, co narysowano.

Co widzisz?

rysunek 3

Na owym rysunku twój mózg został oszukany, wydaje się, że dalszy bok stołu jest dłuższy do tego, który znajduje się z przodu. Kobiety zazwyczaj bawi ten przykład, ale mężczyźni żądają dowodów i chwytają linijkę, aby to zmierzyć.

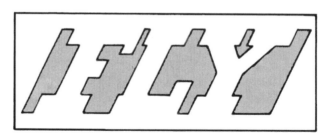

rysunek 4

Na rysunku powyższym mózg skupia się na ciemniejszej barwie i dlatego widzisz zbiór dziwnych kształtów. Kiedy jednak zmienisz sposób patrzenia i skoncentrujesz się na bieli, pojawi się słowo FLY. Istnieje większe prawdopodobieństwo, że kobieta zobaczy słowo FLY. U mężczyzn mózg nie wyjdzie poza kształty geometryczne.

Dlaczego mężczyźni powinni prowadzić w nocy

Kobieta widzi lepiej po ciemku od mężczyzny, zwłaszcza barwy znajdujące się po czerwonej stronie widma. Natomiast oczy mężczyzny lepiej widzą węższe pole i na większe odległości. Dzięki temu mężczyzna o wiele lepiej i dalej widzi w nocy. W połączeniu z wyobraźnią przestrzenną prawej półkuli mózgu mężczyzna dostrzega oraz rozpoznaje ruch innych pojazdów znajdujących się na drodze przed sobą i z tyłu. Większość kobiet przyznaje się do swego rodzaju kurzej ślepoty: niezdolności określenia, z której strony drogi nadjeżdżają samochody. Z takim zadaniem poradzi sobie wzrok łowcy – mężczyzny. Jeżeli wybieracie się w długą trasę, kobieta powinna prowadzić w dzień, a mężczyzna w nocy. Kobiety dostrzegają po ciemku więcej szczegółów, ale tylko z bliższej odległości i w szerszym polu.

Podczas długich tras mężczyźni powinni prowadzić w nocy, a kobiety w dzień.

Oczy mężczyzn łatwiej się męczą, ponieważ są tak zbudowane, aby patrzeć dalej. Mężczyźni muszą więc bez przerwy przestawiać wzrok podczas wpatrywania się w ekran komputera lub czytania gazety. Oczy kobiety są lepiej przystosowane do patrzenia z bliska, dlatego może o wiele dłużej pracować nad drobnymi szczegółami. Poza tym jej mózg jest zaprogramowany do skoordynowanych, skomplikowanych działań na niewielkiej przestrzeni, co oznacza, że przeciętna kobieta doskonale daje sobie radę z igłą lub odczytuje dane na ekranie komputera.

Dlaczego kobiety mają szósty zmysł

Przez stulecia kobiety palono na stosie za posiadanie „nadprzyrodzonych mocy". Do nich zaliczano umiejętność przewidywania zakończenia jakiejś znajomości, wykrywania kłamców, porozumiewania się ze zwierzętami i odkrywania prawdy.

W 1978 roku przeprowadziliśmy w programie telewizyjnym pewien eksperyment, w którym sprawdzaliśmy umiejętność kobiet do odczytywania mowy ciała u niemowląt. W szpitalu położniczym nakręciliśmy zestaw dziesięciosekundowych ujęć płaczących dzieci i poprosiliśmy matki, aby obejrzały film z wyłączonym dźwiękiem. Otrzymywały zatem jedynie informację wzrokową.

Większość matek szybko ustalała, co dolega dziecku: głód, kolka czy zmęczenie. Kiedy ojcowie wykonywali ten sam test, ich wyniki były żałosne. Niecałe 10% ojców potrafiło wychwycić więcej niż dwa uczucia. A nawet podejrzewaliśmy, że większość zgadywała. Wielu ojców z zadowoleniem oznajmiało: „Dziecko chce do matki!" Ojcowie rzadko lub w ogóle nie potrafili rozszyfrować różnic w płaczu dziecka.

Poddaliśmy eksperymentowi również dziadków. Chcieliśmy sprawdzić, czy wiek miał wpływ na wyniki. Większość babć uzyskała 50–70% wyników matek, tymczasem wielu dziadków w ogóle nie rozpoznało swojego wnuka!

Nasze badania dotyczące bliźniąt jednojajowych wykazały, że dziadkowie na ogół nie potrafią rozpoznać bliźniaków, tymczasem większość kobiet z rodziny miało z tym o wiele mniej problemów. Historie znane z filmów o bliźniętach jednojajowych, które oszukują otoczenie z miłości lub dla pieniędzy, mogłyby się wydarzyć w rzeczywistości, gdyby chodziło o dziewczynki.

Mężczyzn łatwiej oszukać. W pokoju, w którym znajduje się pięćdziesiąt par, analiza stosunków w poszczególnych związkach zajmuje przeciętnej kobiecie około dziesięciu minut. Kiedy wchodzi do pokoju, jej nadzwyczajne zdolności umożliwiają szybkie rozpoznanie par zadowolonych ze związku lub skłóconych. Szybko się orientuje, kto o kogo zabiega i które z kobiet są rywalkami albo przyjaciółkami. Kiedy do tego samego pokoju wchodzi mężczyzna, widzimy zupełnie inny obraz. Kontroluje pomieszczenie pod kątem wyjść. Jego dawne zaprogramowanie mózgu ocenia, skąd może nadejść atak i gdzie się znajduje droga ucieczki. Następnie szuka znajomych twarzy lub ewentualnych wrogów. Później sprawdza plan pokoju. Jego logiczny umysł zapamięta rzeczy wymagające naprawy, jak na przykład stłuczoną szybę lub przepaloną żarówkę. Tymczasem kobiety przyjrzały się wszystkim twarzom w pokoju i już wiedzą, kto jest kim i jak się czuje.

Dlaczego mężczyźni nie potrafią okłamać kobiet?

Nasze badania nad mową ciała wykazują, że w trakcie porozumiewania się bezpośredniego, twarzą w twarz, sygnały niewerbalne przekazują od 60–80% treści informacji, tymczasem dźwięki zaledwie 20–30%. Pozostałe 7–10% to słowa. Kobieta jest wyczulona na napływające informacje, wychwytuje je i analizuje. Jej mózg jest zdolny do szybkiej wymiany między półkulami, dzięki czemu skuteczniej łączy i rozszyfrowuje sygnały werbalne, wizualne oraz inne.

Dlatego większość mężczyzn z takim trudem okłamuje kobiety. Natomiast, jak dobrze wie większość kobiet, okłamywanie mężczyzn jest stosunkowo proste, ponieważ nie mają dostatecznej wrażliwości, aby wykryć sprzeczność między sygnałami werbalnymi i niewerbalnymi. Większość kobiet może bezpiecznie udawać orgazm. Mężczyźnie, który zamierza okłamać kobietę, pójdzie o wiele lepiej, jeżeli zrobi to przez telefon, pisemnie lub przy zgaszonym świetle i pod kołdrą.

Kobieta – chodzący radar

Wszystko słyszymy

Kiedy jeszcze mieszkaliśmy w jaskiniach, nasze uszy przypominały uszy psa. Pies wychwytuje ultradźwięki, które dla nas są niesłyszalne. Badania dowodzą, że psie uszy wychwytują dźwięki o częstotliwości do 50 000 herców, a w niektórych przypadkach nawet 100 000 herców. Dziecko może usłyszeć dźwięki o częstotliwości do 30 000 herców, ale pod koniec dorastania ten wynik się pogarsza do 20 000 herców i do 12 000 herców w wieku 60 lat.

Zestawy stereo hi-fi mają pasmo przenoszenia dźwięku do 25 000 herców. Oznacza to, że nowa wieża dla dziadków jest zwykłym marnowaniem pieniędzy. Oni niewiele z tego usłyszą.

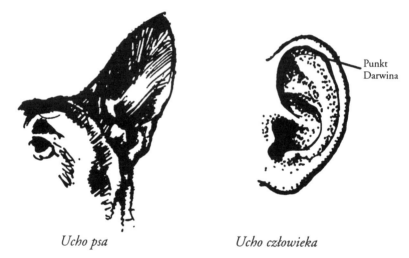

Ucho psa *Ucho człowieka*

W ludzkim uchu znajdują się pozostałości dziewięciu mięśni. Dzięki nim około 20% ludzi potrafi ruszać uszami. Wygląda na to, że nasze uszy się unieruchomiły, ponieważ odwracaliśmy głowy w kierunku dźwięku, a brzegi małżowiny się zaginały, aby tłumić głośne zakłócenia. Karol Darwin stwierdził, że niewielkie zgrubienie wewnątrz górnej części małżowiny jest pozostałością ostrego zakończenia naszych uszu i nazwał je „punktem Darwina".

Ona też lepiej słyszy

Kobiety słyszą lepiej od mężczyzn i doskonale rozróżniają wysokie dźwięki. Mózg kobiety został tak zaprogramowany, aby usłyszała w nocy płacz dziecka, gdy tymczasem ojciec może być całkowicie pogrążony we śnie. Jeżeli gdzieś miauczy mały kociak, kobieta na pewno go usłyszy. Natomiast mężczyzna dzięki swojej wyobraźni przestrzennej może określić, gdzie się znajduje.

....

Cieknący kran doprowadza kobietę do szału, ale mężczyzna śpi dalej.

....

Po ukończeniu jednego tygodnia życia dziewczynka potrafi odróżnić głos matki lub płacz innego dziecka od pozostałych dźwięków w tym samym pomieszczeniu. Chłopcy tego nie potrafią. To mózg kobiety rozróżnia i dzieli dźwięki na kategorie, następnie podejmuje decyzje w zależności od kategorii. Dzięki temu kobieta może słuchać czyjejś wypowiedzi i jednocześnie kontrolować rozmowy obok. To także wyjaśnia, dlaczego mężczyzna nie słyszy rozmowy przy włączonym telewizorze lub przy brzęku talerzy w zlewie. Jeżeli zadzwoni telefon, mężczyzna zażąda zaprzestania rozmów, ściszenia muzyki i wyłączenia telewizora, wtedy będzie mógł odebrać. Kobieta po prostu podnosi słuchawkę.

Kobiety czytają między wierszami

Kobiety mają szczególną zdolność rozróżniania zmian tonu głosu. Dzięki temu słyszą, kiedy następuje zmiana w uczuciach u dzieci i dorosłych. W konsekwencji na każdego mężczyznę, który potrafi śpiewać, nie fałszując przy tym, przypada osiem kobiet, które też to potrafią. To wyjaśnia, dlaczego kobiety podczas kłótni z mężczyznami mówią: „Nie mów do mnie takim tonem". Większość mężczyzn nie ma pojęcia, o co im chodzi.

Badania przeprowadzone na dzieciach wykazały, że dziewczynki dwukrotnie częściej niż chłopcy reagują na głośny dźwięk. Być może właśnie dlatego o wiele łatwiej uspokoić dziewczynki wysokimi, łagodnymi dźwiękami. Matki instynktownie śpiewają dziewczynkom kołysanki, a z chłopcami próbują się bawić. Przewaga kobiecego słuchu ma znaczący wkład w to, co nazywa się kobiecą intuicją. Jest jedną z przyczyn, dla których kobieta potrafi czytać między wierszami. Mężczyźni jednak nie powinni wpadać w rozpacz. Doskonale rozpoznają i naśladują głosy zwierząt, co było ważną umiejętnością dla dawnego łowcy. Niestety, dzisiaj niezbyt często się przydaje.

Mężczyźni „słyszą" kierunek

Kobiety lepiej rozróżniają dźwięki, natomiast mężczyźni mogą wskazać kierunek, z którego one dochodzą. Umieją rozpoznawać i naśladować głosy zwierząt. Dlatego są doskonałymi łowcami dzikiej zwierzyny. Zatem jak dźwięk jest przetwarzany w mózgu na mapę?

Profesor Masakazu Konishi z Kalifornijskiego Instytutu Technologicznego odkrył niektóre odpowiedzi na to pytanie, badając sowy płomykówki. Te ptaki lepiej od człowieka potrafią wskazać kierunek, z którego dochodzi dźwięk. Wystarczy coś zagrać, a odwracają głowy, aby spojrzeć wprost na źródło dźwięku. W obszarze mózgu odpowiedzialnym za słuch Konishi znalazł grupę komórek, które tworzą mapę umożliwiającą dokładne zlokalizowanie dźwięku. Głośniki wysyłały ten sam dźwięk do uszu sowy z różną prędkością. To pozwoliło mózgowi sowy stworzyć trójwymiarową, przestrzenną mapę źródła dźwięku. Sowy odwracają głowę i to daje im szansę zlokalizowania ofiary lub czmychnięcia przed zbliżającym się drapieżnikiem. Wszystko wskazuje na to, że dzięki tej samej zdolności mężczyzna potrafi wskazać źródło dźwięku.

Dlaczego chłopcy nie słuchają

Nauczyciele i rodzice często karcą chłopców za to, że nie słuchają. W okresie dorastania, a zwłaszcza tuż przed pokwitaniem, gwałtownie rozszerzają się kanały słuchowe. Może to spowodować przejściową formę głuchoty. Stwierdzono, że nauczycielki inaczej karcą dziewczęta niż chłopców, jakby intuicyjnie rozumiały różnice w słyszeniu kobiet i mężczyzn.

Jeżeli dziewczynka nie nawiązuje kontaktu wzrokowego z upominającą ją osobą, nauczycielka będzie karciła ją dalej. Jeżeli robi to chłopiec, wiele nauczycielek instynktownie rozumie, że on prawdopodobnie nie słyszy lub nie słucha. Pouczają go wtedy: „Patrz na mnie, kiedy do ciebie mówię". Niestety, chłopcy lepiej widzą, niż słyszą. Oto łatwy przykład. Wystarczy policzyć litery „f" w podanym zdaniu.

....

Florentyna z Filomeną fruwały i fikały fikołki.

....

Więcej chłopców dostrzeże, że jest ich pięć. Gdyby to zdanie przeczytano na głos, dziewczynki poradziłyby sobie lepiej i usłyszałyby prawidłową liczbę liter „f".

Mężczyźni nie dostrzegają szczegółów

Lyn i Chris wracają do domu z przyjęcia. On prowadzi, ona pilotuje. Przed chwilą się pokłócili, ponieważ Lyn kazała mu skręcić w lewo, chociaż w rzeczywistości chodziło jej o skręt w prawo. Po dziewięciu minutach ciszy on zaczyna podejrzewać, że coś się dzieje. „Kochanie, czy wszystko w porządku?", pyta Chris. „Tak, w jak n a j l e p s z y m", odpowiada Lyn.

Położenie nacisku na słowie „najlepszym" potwierdza, że na pewno tak nie jest. Chris wraca myślami do przyjęcia. „Zrobiłem dziś wieczorem coś złego?" – pyta. „Nie chcę o tym rozmawiać", warczy Lyn.

Oznacza to, że jest zagniewana i tak naprawdę b a r d z o chce o tym pomówić. Tymczasem on zupełnie nie rozumie, czym tak ją zdenerwował. „Powiedz mi, co zrobiłem? – prosi. – Nie wiem".

W większości rozmów tego typu, mężczyzna mówi prawdę. Po prostu nie rozumie problemu. „Dobrze – ona na to. – Powiem ci, o co chodzi, chociaż tak głupio udajesz!" Ale on nie udaje. Naprawdę nie ma zielonego pojęcia, co się stało. Ona bierze głęboki oddech. „Ta lalunia obskakiwała cię cały wieczór, dawała ci sygnały «bierz mnie», a ty się jej nie pozbyłeś. Zachęcałeś ją!"

Teraz Chris zupełnie traci orientację. Jaka lalunia? Jakie sygnały? Niczego nie zauważył. Kiedy ta „lalunia" (to wyrażenie kobiet, mężczyźni określiliby ją jako „sexy") z nim rozmawiała, nie zauważył, że wyginała biodra w jego stronę, celowała stopą w jego kierunku, potrząsała włosami, głaskała się po biodrze, masowała uszy, rzucała mu powłóczyste spojrzenia, głaskała nóżkę kieliszka i mówiła głosem małej dziewczynki. On jest łowcą. Dostrzeże zebrę na horyzoncie i powie, z jaką szybkością biegnie. Nie ma zdolności kobiety wychwytywania sygnałów mowy wzroku, głosu i ciała, które przekonuje, że ktoś ma ochotę na seks. Wszystkie kobiety obecne na przyjęciu dostrzegły, co ta „lalunia" robi. Nawet nie musiały odwracać głowy. Został wysłany telepatyczny sygnał „alarm – pojawiła się rywalka". Wychwyciły go pozostałe panie. Większość mężczyzn go nie usłyszała.

Kiedy mężczyzna twierdzi, że nie rozumie oskarżeń, prawdopodobnie tak jest. Męskie mózgi nie są właściwie wyposażone, aby słyszeć lub dostrzegać szczegóły.

Mężczyźni nie dostrzegają szczegółów

Magia dotyku

Dotyk może dawać życie. Wczesne badania przeprowadzone przez Harlowa i Zimmermana wykazały, że brak kontaktu fizycznego u młodych małp doprowadzał je do depresji, choroby i przedwczesnej śmierci. Podobne skutki wykryto u zaniedbywanych dzieci. Studium o niemowlętach w wieku od dziesięciu tygodni do sześciu miesięcy wykazało, że dzieci matek, które je głaskały, cierpiały zdecydowanie rzadziej na przeziębienia, katary, wymioty i biegunki niż dzieci matek, które ich nie dotykały. Inne badania dowiodły, że kobiety cierpiące na nerwicę lub depresję o wiele szybciej wracały do zdrowia, jeśli były często dotykane i przytulane.

Antropolog i pionier badań nad wychowaniem dzieci i przemocy w rodzinie, James Prescott, stwierdził, że w społeczeństwach, w których dzieci rzadko były dotykane z życzliwością, występował najwyższy poziom agresji wśród dorosłych. Dzieci wychowywane przez osoby uczuciowe, zazwyczaj wyrastały na lepszych, zdrowszych i szczęśliwszych dorosłych. Osoby popełniające przestępstwa na tle seksualnym lub molestujące dzieci na ogół w przeszłości były odrzucane przez rodziców, znęcano się nad nimi i zamykano je w domach dziecka. Wiele kultur nie uznających kontaktu fizycznego uwielbia psy i koty, co pozwala im na doświadczanie dotyku podczas głaskania i poklepywania domowych ulubieńców. Okazało się przy tym, że głaskanie zwierząt pomaga w leczeniu depresji oraz innych zaburzeń psychicznych. Wystarczy spojrzeć na Anglików, unikających kontaktu fizycznego, jak kochają swoje zwierzęta. Tak napisała o nich Germaine Greer: „Nawet wciśnięty między swoich braci w metrze, przeciętny Anglik rozpaczliwie udaje, że jest sam".

Kobiety lepiej czują dotyk

Skóra jest największym organem ciała. Jej powierzchnia ma około dwóch metrów kwadratowych. Na niej jest rozmieszczone nierównomiernie 2 800 000 receptorów bólu, 200 000 receptorów zimna oraz 500 000 dotyku i nacisku. Od urodzenia dziewczynki są o wiele wrażliwsze na dotyk niż chłopcy, a u dorosłej kobiety skóra jest co najmniej dziesięciokrotnie wrażliwsza na dotyk i nacisk niż u mężczyzny. W pewnym przekonującym studium stwierdzono, że chłopcy, którzy podczas testów okazali się najbardziej wrażliwi na dotyk, czuli mniej niż najbardziej niewrażliwe dziewczynki. Skóra kobiety jest cieńsza niż męska, ma dodatkową warstwę tłuszczu, zapewniającą ciepło w zimie, oraz większą odporność niż u mężczyzn.

Oksytocyna to hormon, który pobudza potrzebę dotykania i uruchamia receptory dotyku. Nie ma zatem nic dziwnego w tym, że kobiety wyposażone w receptory dziesięciokrotnie wrażliwsze niż u mężczyzn przywiązują tak wielką wagę do przytulania się do swoich mężów, dzieci i przyjaciół. Badania mowy ciała wykazały, że istnieje cztero-, sześciokrotnie większe prawdopodobieństwo, że kobieta pochodząca z Zachodu podczas rozmowy dotknie innej kobiety niż że zrobi to mężczyzna wobec innego mężczyzny. Kobiety używają więcej wyrażeń związanych z dotykiem. Opisując osobę, której się powiodło, mówią, że „ma magiczny dotyk". Ktoś jest „gruboskórny". Kobiety uwielbiają „pozostawać w kontakcie", a nie cierpią tych, którzy „zaleźli im za skórę". Chętnie rozmawiają o „uczuciach", „bliskości" z kimś. Twierdzą, że ktoś jest „niedotykalski". Czasem złości je osoba, która na nie „napiera".

> *Istnieje cztero-, sześciokrotnie większe*
> *prawdopodobieństwo, że kobieta podczas rozmowy*
> *dotknie innej kobiety, niż że zrobi to mężczyzna*
> *wobec innego mężczyzny.*

Badanie osób cierpiących na choroby psychiczne wykazały, że mężczyźni znajdujący się pod presją unikają dotyku i uciekają do własnego świata. Natomiast wśród kobiet poddanych takim samym badaniom ponad połowa inicjowała kontakt z mężczyznami, ale nie po to, by uprawiać seks, lecz w celu uzyskania poczucia bliskości. Istnieje duże prawdopodobieństwo, że kobieta pod wpływem negatywnych emocji lub złości zareaguje słowami: „Nie dotykaj mnie!" To zdanie nie ma dla mężczyzn szczególnego znaczenia. Jaka stąd nauka? Aby zdobyć przychylność kobiety, należy jej często dotykać, ale unikać „natręctwa". Aby wychować zdrowe psychicznie dzieci, trzeba je często przytulać.

Dlaczego mężczyźni są tacy gruboskórni

Mężczyźni mają znacznie grubszą skórę od kobiet. Oto powód, dla którego kobiety mają więcej zmarszczek. Skóra na plecach mężczyzn jest czterokrotnie grubsza niż na brzuchu. To dziedzictwo zwierzęcej, czworonożnej przeszłości. Tak gruba skóra chroniła przed atakiem z tyłu. Wrażliwość skóry w dużej mierze zanika, kiedy chłopiec osiągnie dojrzałość płciową, a jego ciało stanie się gotowe do wytrzymania trudów polowania. W odległej przeszłości gruba skóra przydawała się mężczyźnie podczas biegu przez kolczaste zarośla, podczas mocowania się ze zwierzętami lub walki z wrogami. Nie odczuwał osłabiającego go bólu. Skupiony na wykonywaniu zadania wymagającego użycia siły fizycznej lub podczas aktywności sportowej prawdopodobnie w ogóle nie zdaje sobie sprawy z rany lub kontuzji.

....

W trakcie dorastania chłopiec tak naprawdę
nie traci wrażliwości skóry, tyle że pozostaje ona wrażliwa
w jednym miejscu.

....

Kiedy mężczyzna nie jest skoncentrowany na zadaniu, jego poziom wytrzymałości na ból jest o wiele niższy niż u kobiety. Kiedy mężczyzna jęczy: „Ugotuj mi rosół/podaj mi sok/przynieś termofor/wezwij lekarza i sprawdź, czy mój testament jest w porządku", oznacza to, że jest lekko przeziębiony.

Mężczyźni są również mniej czuli na ból i cierpienie kobiety. Kobieta leży skurczona z bólu, ma temperaturę 39°C i dygocze pod kołdrą, a on pyta: „Wszystko w porządku, kochanie?", ale myśli w duchu: „Jeżeli zwrócę na to uwagę, może będzie się ze mną kochać, w końcu i tak leży w łóżku".

Mężczyźni o wiele bardziej przeżywają oglądanie agresywnych sportów. Gdy podczas walki bokserskiej w telewizji jeden z zawodników po ciosie poniżej pasa zgina się wpół, kobieta powie: „Och, to musiało zaboleć", tymczasem wszyscy mężczyźni jęczą, kulą się i rzeczywiście o d c z u w a j ą ból.

Apetyt na życie

Kobiety mają lepszy zmysł smaku i węchu. Około 10 000 receptorów służy do wykrywania czterech podstawowych smaków: słodkiego i słonego na czubku języka, kwaśnego na brzegach i goryczy z tyłu. Badacze japońscy prowadzą obecnie badania nad piątym smakiem: tłuszczu. Mężczyźni łatwiej rozróżniają smak słony i gorzki, prawdopodobnie dlatego piją piwo. Za to kobiety o wiele lepiej rozróżniają smak słodyczy. Dlatego na całym świecie jest o wiele więcej kobiet niż mężczyzn uzależnionych od czekolady. Kobieta broniła gniazda i zbierała owoce. Musiała spróbować, czy są dostatecznie słodkie i dojrzałe, aby móc rozdać je potomstwu. Dlatego przydawało się dobrze wykształcone podniebienie, służące do rozróżniania słodkiego smaku. Już jest jasne, dlaczego kobiety uwielbiają słodycze i zajmują większość stanowisk kontrolerów żywności.

Coś w powietrzu

Kobiety mają lepszy węch, szczególnie w okresie owulacji. Kobiecy nos potrafi wyczuć feromony i wonie zbliżone do zapachu piżma, które kojarzą się z mężczyzną. Woni tych nie da się wykryć świadomie. Jej mózg potrafi ocenić stan układu odpornościowego mężczyzny. Jeżeli jest zbliżony lub silniejszy od jej układu odpornościowego, wówczas uważa go za atrakcyjnego lub „wywierającego dziwny, magiczny wpływ". Jeżeli jej układ odpornościowy jest silniejszy, uznaje mężczyznę za niezbyt pociągającego.

....

Silny układ odpornościowy może sprawić, że mężczyzna jest uważany za „dziwnie pociągającego".

....

Uczeni wykryli, że mózg kobiety potrafi zanalizować różnice w odporności w ciągu 3 sekund od chwili poznania. Zbliżone układy odpornościowe są uważane za zaletę, ponieważ dają potomstwu większe szanse przeżycia. Jednym z rezultatów badań jest pojawienie się na rynku sporej liczby olejków i wód toaletowych dla panów, które podobno zawierają tajemnicę feromonowego przyciągania i budzą w kobietach dziką żądzę.

Z Archiwum X

Ewolucja, przygotowując nas do wypełniania określonych funkcji, wyposażyła nas w biologiczne umiejętności i zmysły, które są nam potrzebne do przetrwania. To, co kiedyś uważano za czary, moce nadprzyrodzone i kobiecą intuicję, od lat osiemdziesiątych bada się i mierzy. Podczas badania postrzegania zmysłowego stwierdzono wyższość kobiet. Czarownice to kobiety skazane na śmierć przez mężczyzn, którzy nie potrafili zrozumieć różnic biologicznych. Kobiety są po prostu lepsze w wychwytaniu drobnych niuansów w mowie ciała, tonie głosu, intonacji oraz innych bodźców zmysłowych. Współczesne kobiety ze względu na swoje wyjątkowe zdolności nadal bywają prześladowane. Często też pociągają je astrologowie, jasnowidze, znawcy tarota, numerolodzy, czyli ci wszyscy, którzy za pieniądze próbują wyjaśnić, czym jest kobieca intuicja. Kobiece „czujniki" odgrywają dużą rolę we wczesnej dojrzałości dorastających dziewcząt. Większość siedemnastolatek potrafi działać i zachowywać się jak osoby dorosłe, gdy tymczasem chłopcy w tym wieku nadal przytapiają się w basenie i popisują puszczaniem wiatrów.

Dlaczego mężczyzn uważa się za niewrażliwych

Chodzi nie tylko o to, że kobiety mają lepsze zmysły. Raczej o to, że zmysły mężczyzn w porównaniu z kobiecymi są stępione. Ona przebywa w kobiecym świecie lepszego postrzegania i oczekuje, że mężczyzna będzie odczytywał jej sygnały werbalne, niewerbalne i mowę ciała, a także uprzedzał życzenia, tak jak zrobiłaby to inna kobieta. Jest to niemożliwe ze względu na inny przebieg procesu ewolucji, o czym mówiliśmy wcześniej. Kobieta zakłada, że mężczyzna będzie wiedział, czego ona pragnie lub potrzebuje. A kiedy on nie potrafi odczytać sygnałów, oskarża go o brak wrażliwości. „Nigdy o niczym nie masz pojęcia". Mężczyźni na całym świecie wtedy jęczą: „Mam zgadywać jej myśli?" Badania dowodzą, że nie są w tym najlepsi. Pocieszać może fakt, że większość można przeszkolić, a tym samym poprawić ich zdolność odczytywania informacji niewerbalnych i wyrażonych głosem.

W następnym rozdziale znajdziesz niezwykły test, który wskaże seksualną orientację twojego mózgu i wyjaśni ci, dlaczego jesteś taki, jaki jesteś.

Rozdział 3

WSZYSTKO TKWI
W NASZEJ GŁOWIE

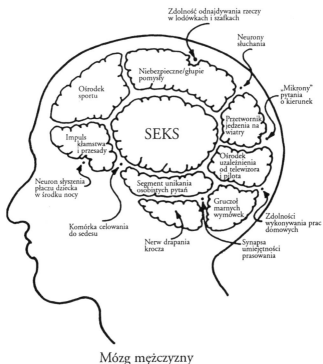

Mózg mężczyzny

Czy to fakt, czy fikcja?

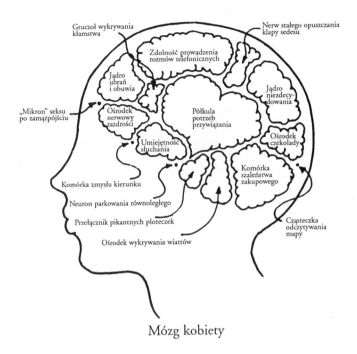

Gruczoł wykrywania kłamstwa

Nerw stałego opuszczania klapy sedesu

Zdolność prowadzenia rozmów telefonicznych

Jądro ubrań i obuwia

Jądro niezdecydowania

„Mikron" seksu po zamążpójściu

Ośrodek nerwowy zazdrości

Półkula potrzeb przywiązania

Ośrodek czekolady

Umiejętność słuchania

Komórka szaleństwa zakupowego

Komórka zmysłu kierunku

Neuron parkowania równoległego

Przełącznik pikantnych ploteczek

Ośrodek wykrywania wiatrów

Cząsteczka odczytywania mapy

Mózg kobiety

Te niefrasobliwe rysunki mózgu kobiecego i męskiego są zabawne, ponieważ zawierają wiele prawdy. Ile? Więcej, niż można z pozoru sądzić. Omówimy rewelacyjne wyniki najnowszych badań mózgu.

Ten rozdział naprawdę otworzy ci oczy. Na końcu znajdziesz prosty, ale istotny test, który wykaże, dlaczego twój mózg zachowuje się tak, a nie inaczej.

Dlaczego jesteśmy bystrzejsi od innych

Na rysunkach na stronie 62 widać dwie uderzające różnice między gorylami, neandertalczykami a człowiekiem współczesnym.

Po pierwsze, nasz mózg jest prawie trzykrotnie większy od mózgu goryla, a o jedną trzecią większy od mózgu naszego prymitywnego przodka. Skamieniałości świadczą o tym, że przez ostatnie pięćdziesiąt tysięcy lat nasz mózg zachował ten sam rozmiar. Doszło natomiast do niewielkich zmian w jego funkcjonowaniu.

Po drugie, nasze czoła są wyraźnie wysunięte, czego nie da się zauważyć u naszych praojców ani u kuzynów – naczelnych. Właśnie tam się znajdują lewy i prawy płat czołowy mózgu, które odpowiadają za wiele naszych wyjątkowych zdolności, jak myślenie, czytanie mapy lub mówienie. Dlatego właśnie stoimy wyżej w rozwoju od wszystkich zwierząt.

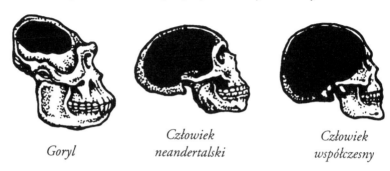

Goryl   Człowiek   Człowiek
          neandertalski   współczesny

Ewolucja wyposażyła mózgi kobiety i mężczyzny w różne możliwości, talenty i zdolności. Mężczyźni polowali. Dlatego potrzebowali obszarów odpowiedzialnych za znajdowanie kierunku na dużych odległościach, do opracowania taktyki podczas polowania oraz doskonalenia umiejętności trafiania do celu. Nie musieli prowadzić rozmów ani wyczuwać potrzeb emocjonalnych innych. Dlatego nie wykształciły się w ich mózgu obszary odpowiedzialne za umiejętności nawiązywania kontaktów międzyludzkich.

Natomiast kobiety musiały rozpoznawać kierunek na małych odległościach. Potrzebowały szerszego zakresu widzenia obwodowego do nadzorowania otoczenia, zdolności wykonywania kilku czynności jednocześnie oraz skutecznych zdolności porozumiewania się z innymi. W konsekwencji w mózgach kobiet i mężczyzn wykształciły się określone obszary odpowiadające za każdą z tych umiejętności. Zgodnie ze współczesnymi normami dawne społeczeństwo było bardzo seksistowskie, ale tę kwestię omówimy później.

Jak nasz umysł broni terytorium

„Trudno zapomnieć o starych nawykach", mówią niektórzy. „Pamięć genetyczna żyje i działa", twierdzą uczeni. Pamięć genetyczna stanowi część naszego instynktownego zachowania. Naturalnie można się spodziewać, że dziesiątki tysięcy lat spędzone w jaskini na nadzorowaniu otoczenia, obronie terytorium i rozwiązywaniu niezliczonych problemów związanych z przetrwaniem musiało odcisnąć piętno na człowieku. Popatrzmy, jak ludzie się zachowują w restauracji. Większość mężczyzn woli siedzieć plecami do ściany i mieć na oku wejście. Dzięki temu czują się swobodnie i bezpiecznie, ale są czujni. Nikt się nie wślizgnie niepostrzeżenie, nawet jeżeli największe zagrożenie stanowi słony rachunek. Kobietom natomiast nie przeszkadza, że siedzą plecami do drzwi, chyba że są same z małymi dziećmi. Wtedy też siadają pod ścianą. W domu mężczyźni również zachowują się instynktownie i zajmą stronę łóżka bliższą drzwi do sypialni. Oto symboliczny akt obrony wejścia do jaskini. Jeżeli małżeństwo przeprowadzi się do nowego domu lub zatrzyma się w hotelu, w którym drzwi znajdują się po stronie łóżka zazwyczaj zajmowanej przez kobietę, mężczyzna będzie niespokojny i może mieć kłopoty z zaśnięciem, nawet nie wiedząc dlaczego. Problem rozwiąże zamiana miejsc, tak aby mógł leżeć najbliżej drzwi.

Mężczyźni żartują, że po ślubie śpią blisko drzwi po to, aby szybko stamtąd uciec. W rzeczywistości jest to instynkt obrońcy.

Kiedy mężczyzna wyjedzie z domu, kobieta zazwyczaj przejmuje rolę obrońcy i śpi po jego stronie łóżka. Nocą kobietę budzi wysoki dźwięk, przypominający płacz dziecka. Mężczyzna, ku irytacji kobiety, będzie nadal głośno chrapać. Ale jego umysł jest tak zaprogramowany, że mężczyzna słyszy odgłosy związane z ruchem i nawet dźwięk pękającej za oknem gałązki natychmiast go obudzi. Od razu będzie gotowy do podjęcia obrony przed zbliżającym się atakiem. Tym razem kobieta będzie spała, chyba że mężczyzna wyjechał i jej mózg przejmuje funkcję mózgu mężczyzny. Usłyszy każdy odgłos lub ruch zagrażający gniazdu.

Mózg a sukces

Grecki filozof, Arystoteles, wierzył, że ośrodkiem myśli jest serce, a mózg jedynie pomaga w chłodzeniu ciała. Dlatego właśnie serce jest przedmiotem tylu wyrażeń dotyczących emocji. Może to się nam wydawać idiotyczne, ale aż do końca XIX wieku wielu specjalistów zgadzało się z Arystotelesem.

W roku 1962 Roger Spery otrzymał Nagrodę Nobla za odkrycie, że dwie półkule kory mózgowej są odpowiedzialne za różne, oddzielne funkcje intelektualne. Nowoczesna technika pozwala nam obecnie zobaczyć, jak działa mózg, choć nadal rozumiemy tylko podstawowe jego funkcje. Wiemy, że prawa półkula, będąca częścią twórczą, kieruje lewą stroną ciała. Tymczasem lewa półkula kontroluje logiczne myślenie, rozumowanie, mowę i prawą stronę ciała. W lewej części mózgu są umieszczone ośrodki języka i słownictwa, przynajmniej u mężczyzn, a prawa strona przechowuje i nadzoruje informację wzrokową.

Leworęczni mają lepiej wykształconą prawą półkulę, twórczą stronę mózgu. Oto przyczyna, dla której jest tak nieproporcjonalnie wielu mańkutów wśród geniuszy sztuki. Wystarczy wymienić: Alberta Einsteina, Leonarda da Vinci, Pabla Picassa, Lewisa Carrolla, Gretę Garbo, Roberta de Niro i Paula McCartneya. Jest więcej leworęcznych kobiet, a 90% ludności świata jest praworęcznych.

....

Testy wykazują, że kobiety są o 3% inteligentniejsze od mężczyzn.

....

Aż do lat sześćdziesiątych większość informacji o ludzkim mózgu pochodziła z badań żołnierzy poległych na polach bitew. Było ich wystarczająco wielu do przeprowadzenia badań. Kłopot natomiast polegał na tym, że większość mózgów należała do mężczyzn i założono, że mózg kobiety działa w ten sam sposób.

Ostatnie badania wykazały, że mózg kobiety funkcjonuje w sposób zdecydowanie różny. W tej różnicy tkwi źródło większości problemów rodzących się w związku dwojga ludzi. Mózg kobiety jest trochę mniejszy, ale badania wykazały, że to nie ma wpływu na jej osiągnięcia. W 1997 roku duński badacz Bert Pakkenberg z oddziału neurologii kopenhaskiego szpitala miejskiego dowiódł, że przeciętnie mężczyzna ma około czterech miliardów komórek mózgu więcej, za to kobiety osiągają o 3% lepsze wyniki w testach na inteligencję.

Co i gdzie jest w mózgu

Oto dotychczasowe dane dotyczące funkcji mózgu:

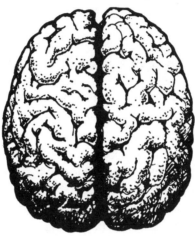

Lewa półkula	*Prawa półkula*
Prawa strona ciała	*Lewa strona ciała*
Matematyka	*Twórcze*
Werbalne	*Artystyczne*
Logiczne	*Wizualne*
Fakty	*Intuicja*
Wyciąganie wniosków	*Pomysły*
Analiza	*Wyobraźnia*
Praktyczne	*Holistyczne*
Porządek	*Melodia piosenek*
Słowa piosenek	*Dostrzeganie*
Liniowe	*„całości obrazu"*
Dostrzeganie	*Przestrzenne*
szczegółów	*Przetwarzanie*
	wielu danych

Nasza wiedza o ludzkim mózgu powiększa się z dnia na dzień, pojawiają się natomiast różne interpretacje wyników badań. Istnieje przy tym kilka punktów, co do których uczeni się zgadzają. Dzięki obrazowaniu metodą rezonansu magnetycznego (MRI), mierzącemu elektryczną aktywność mózgu, można zidentyfikować i ustalić dokładne położenie obszarów odpowiedzialnych za określone funkcje. Kiedy na zdjęciu mózgu można wskazać położenie umiejętności lub funkcji, oznacza to, że badany na ogół dobrze sobie z nią radzi, wykonywanie jej sprawia mu przyjemność i pociągają go zawody i obowiązki pozwalające mu ją wykorzystać.

Na przykład większość mężczyzn ma wyraźnie zaznaczony obszar mózgu odpowiedzialny za wyczuwanie właściwego kierunku, dlatego nie sprawia im to kłopotu. Lubią planować wyprawy i pociągają ich zadania lub czynności pozwalające im wykorzystać takie zdolności jak szybka orientacja w terenie i nawigacja. Kobiety natomiast mają dobrze wykształcone obszary odpowiedzialne za mowę. Są w tym dobre, robią to bez trudu i pociągają je dziedziny, w których elokwencja jest zaletą. Na przykład: psychoterapia, poradnictwo i nauczanie. Jeżeli trudno ustalić położenie w mózgu danej czynności, oznacza to, że badany sobie z nią nie radzi i nie sprawiają mu przyjemności zadania wymagające wykorzystania tej umiejętności. Oto dlaczego równie trudno znaleźć kobietę-nawigatora jak pociechę u mężczyzny psychoterapeuty czy prawidłową wymowę u nauczyciela.

Od czego się zaczęły badania mózgu

Pierwsze udokumentowane testy naukowe dotyczące różnic między płciami przeprowadził, w 1882 roku w Museum of London, Francis Galton. Odkrył, że mężczyźni lepiej słyszą „jasne" dźwięki – piski lub wysokie odgłosy, mają mocniejszy chwyt ręki i są mniej wrażliwi na ból. W Ameryce przeprowadzono podobne badania i stwierdzono, że mężczyźni wolą kolor czerwony od niebieskiego, mają większy zakres słownictwa i wolą rozwiązywać problemy techniczne niż domowe. Natomiast kobiety mają lepszy słuch, używają większej liczby słów i wolą pracować nad pojedynczymi zadaniami i problemami.

Wczesne badania nad określonym umiejscowieniem funkcji mózgu zaczęto od pacjentów z uszkodzeniami kory mózgowej. Ustalono, że mężczyźni, którzy doznali urazu lewej półkuli mózgu, tracili częściowo lub całkowicie zdolność mówienia. Zmniejszał się również zakres słownictwa. Natomiast kobiety po podobnym urazie nie traciły tych zdolności w tym samym stopniu. Oznaczało to, że kobiety mają więcej niż jeden ośrodek mowy.

Badania wykazywały, że istnieje trzy-, czterokrotnie wyższe prawdopodobieństwo, że mężczyzna utraci mowę lub będzie cierpiał na jej zaburzenia, a także o wiele mniejsze szanse, że tę zdolność odzyska. Jeżeli mężczyzna dozna urazu lewej strony głowy, może się stać niemy. Natomiast gdy kobieta zostanie uderzona w to samo miejsce, nadal będzie mówić.

Mężczyzna po uszkodzeniu prawej strony mózgu straci częściowo lub całkowicie wyobraźnię przestrzenną – zdolność myślenia w trzech wymiarach, a także obracania przedmiotów w wyobraźni, by zobaczyć, jak wyglądają pod różnym kątem. Kobieta widzi plan architektoniczny budynku w dwóch wymiarach, natomiast mężczyzna w trzech. Mężczyzna potrafi zobaczyć głębię. Większość mężczyzn potrafi sobie wyobrazić, jak będzie wyglądał skończony budynek. Kobieta po uszkodzeniu mózgu z prawej strony w tym samym miejscu co mężczyzna prawie wcale lub w ogóle nie traci wyobraźni przestrzennej.

Profesor psychologii University of Ontario Doreen Kimura stwierdziła, że zaburzenia mowy występują u mężczyzn, u których nastąpiło uszkodzenie lewej strony mózgu. Podobne zaburzenia są notowane u kobiet tylko w wypadku urazu płata czołowego jednej z półkul mózgowych. Jąkanie jest zaburzeniem mowy, na które cierpią prawie wyłącznie mężczyźni. Na dodatkowych zajęciach z czytania jest trzy- lub czterokrotnie więcej chłopców niż dziewczynek. Ujmując rzecz prosto, mężczyźni mają ograniczone zdolności, jeżeli chodzi o mowę i prowadzenie konwersacji. To stwierdzenie raczej nie zaskoczy kobiet. Podręczniki historii wyraźnie dowodzą, że męski brak umiejętności mówienia sprawia, że od tysięcy lat kobiety wyrywają sobie włosy z głowy.

Jak przeprowadza się analizę mózgu

Na początku lat dziewięćdziesiątych opracowano urządzenia pozwalające oglądać mózg podczas pracy na żywo, niczym na ekranie telewizora. Było to możliwe dzięki emisyjnej tomografii pozytronowej (PET) oraz obrazowaniu metodą rezonansu magnetycznego (MRI). Marcus Raichle, z Washington's University's School of Medicine, zmierzył obszary o podwyższonym metabolizmie. Miało to służyć dokładnemu ustaleniu położenia rejonów wykorzystywanych przy określonych umiejętnościach. Pokazano to na rysunku na następnej stronie.

W 1995 roku na Uniwersytecie Yale zespół uczonych pod kierunkiem Bennetta i Sally Shaywitzów przeprowadził badania, mające ustalić, która część mózgu odpowiada za rymowanie. Zastosowano metodę MRI do wykrywania drobnych zmian w przepływie krwi do różnych rejonów mózgu. Uzyskano potwierdzenie, że mężczyźni do zadań wymagających użycia mowy wykorzystują lewą półkulę, natomiast kobiety obie, lewą i prawą. Wszystkie niezliczone eksperymenty przeprowa-

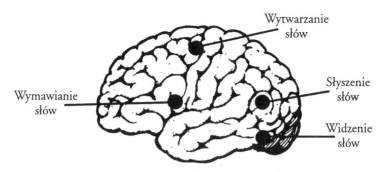

Wytwarzanie
słów

Słyszenie
słów

Widzenie
słów

Wymawianie
słów

Gorące punkty w mózgu określone na podstawie MRI

dzone w latach dziewięćdziesiątych dały ten sam rezultat: mózg kobiety funkcjonuje inaczej niż mózg mężczyzny.

....

Zapytajmy mężczyzn i kobiety, czy ich mózgi działają inaczej. Mężczyźni powiedzą, że uważają, iż tak jest, właściwie czytali o tym przedwczoraj w Internecie. Kobiety stwierdzą, że to oczywiste. Następne pytanie, proszę?

....

Badania również wykazują, że lewa półkula mózgu dziewczynki rozwija się o wiele szybciej niż u chłopca. To oznacza, że będzie mówiła szybciej i lepiej od brata, czytała wcześniej, a także szybciej nauczy się obcego języka. To również wyjaśnia, dlaczego logopedzi najczęściej zajmują się małymi chłopcami.

Natomiast u chłopców szybciej niż u dziewczynek rozwija się prawa półkula. Daje im to lepszą wyobraźnię przestrzenną, logiczne myślenie i postrzeganie. Chłopcy są lepsi w matematyce, budowaniu, układaniu puzzli i rozwiązywaniu problemów. Osiągają w tym mistrzostwo o wiele wcześniej niż dziewczynki.

Można udawać, że różnice między płciami są minimalne lub nieistotne, ale fakty nie usprawiedliwiają tego poglądu. Niestety, obecnie żyjemy w takim społeczeństwie, które się upiera przy twierdzeniu, że jesteśmy tacy sami – mimo masy dowodów wskazujących, że jesteśmy inaczej zaprogramowani, a ewolucja wyposażyła nas w zdecydowanie różne zdolności oraz skłonności.

Dlaczego kobiety są „lepiej połączone"

Lewa i prawa półkula mózgowa są połączone ze sobą wiązką włókien nerwowych, które noszą nazwę ciała modzelowatego. To połączenie umożliwia jednej stronie mózgu porozumiewanie się z drugą oraz wymianę informacji.

Wyobraźmy sobie, że na ramionach mamy dwa komputery połączone przewodem. Ten przewód to ciało modzelowate.

Neurolog Roger Gorski z Uniwersytetu Kalifornijskiego w Los Angeles potwierdził, że w kobiecym mózgu ciało modzelowate jest grubsze. Kobiety mają do 30% więcej połączeń między obiema półkulami. Dowiódł również, że mężczyźni i kobiety wykorzystują różne części mózgu przy wykonywaniu tego samego zadania.

Te odkrycia zostały potwierdzone przez innych uczonych.

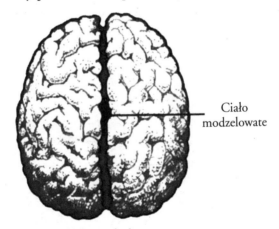

Ciało modzelowate

Ciało modzelowate

Badania wykazały, że żeńskie hormony – estrogeny pobudzają komórki nerwowe do wytwarzania połączeń wewnątrz mózgu oraz między obiema półkulami. Im więcej połączeń, tym mowa jest płynniejsza. To by również wyjaśniało zdolność kobiet do wykonywania wielu różnych nie związanych ze sobą czynności jednocześnie oraz rzucało światło na pochodzenie kobiecej intuicji. Jak już mówiliśmy, kobieta ma o wiele większy zakres „wyposażenia zmysłowego". Zatem to nic dziwnego, że przy tej wielości połączeń włókien nerwowych kobieta o wiele szybciej potrafi na poziomie intuicyjnym wydać dokładny sąd o ludziach i sytuacji.

Dlaczego mężczyźni potrafią robić „tylko jedną rzecz naraz"

Wszystkie dostępne badania to potwierdzają: mózg mężczyzny jest wyspecjalizowany. Podzielony na rejony. Jest tak zbudowany, aby się koncentrował na określonym zadaniu. Większość mężczyzn twierdzi, że może robić „tylko jedną rzecz naraz". Kiedy mężczyzna zatrzymuje samochód, żeby zajrzeć do spisu ulic, co robi od razu z radioodbiornikiem? Ścisza! Kobiety nie potrafią zrozumieć, dlaczego tak się dzieje. One czytają, słuchają i rozmawiają jednocześnie, dlaczego on nie może? Czemu się upiera przy wyłączaniu telewizora, kiedy dzwoni telefon? „Czyta gazetę lub ogląda telewizję, a wtedy nie słyszy, co właśnie do niego powiedziałam". Wszystkie kobiety świata choć raz w życiu skarżyły się na to. Odpowiedź brzmi następująco: Tak został zaprogramowany jego mózg. Na „jedną rzecz naraz". Ma mniej połączeń nerwowych między prawą i lewą półkulą mózgu. A jego mózg jest wyraźniej

Mężczyzna może albo czytać, albo słuchać,
nie potrafi robić tego jednocześnie.

podzielony. Wystarczy wykonać MRI mózgu podczas czytania, by stwierdzić, że mężczyzna praktycznie wtedy głuchnie.

Mózg kobiety jest zaprogramowany do wykonywania wielu zadań jednocześnie. Dlatego kobieta może robić kilka nie związanych ze sobą czynności naraz. Jej mózg nigdy się całkowicie nie wyłącza, zawsze pozostaje aktywny. Kobieta rozmawia przez telefon, gotuje nową potrawę i ogląda telewizję. Albo prowadzi samochód, nakłada makijaż, słucha radia, rozmawiając jednocześnie przez telefoniczny zestaw głośnomówiący. Jeżeli mężczyzna gotuje, korzystając z nowego przepisu, a ty coś do niego mówisz, prawdopodobnie się zezłości, ponieważ nie potrafi jednocześnie wykonywać pisemnych poleceń i słuchać. Kiedy mężczyzna się goli, a ty zaczniesz z nim rozmowę, na pewno się zatnie. Kobiety bardzo często wysłuchują oskarżeń, że mężczyzna minął zjazd z autostrady, ponieważ do niego mówiły. Pewna kobieta przyznała się nam, że gdy zaczyna się złościć na męża, mówi do niego, kiedy on wbija gwoździe.

Kobiety korzystają z obu półkul mózgu, czemu zatem mają kłopoty w rozróżnianiu lewej ręki od prawej? Około 50% nie potrafi natychmiast powiedzieć, która jest która, nie patrząc najpierw na obrączkę lub znamię. Natomiast mężczyznom, wykorzystującym w działaniu jedną z dwóch półkul, o wiele łatwiej przychodzi odróżnienie strony prawej od lewej. W rezultacie na całym świecie kobiety są krytykowane przez mężczyzn, że kazały im skręcić w prawo, kiedy w rzeczywistości chodziło o zjazd w lewo.

Test szczoteczki do zębów

Przeprowadź prosty test – mycie zębów. Większość kobiet umie myć zęby, chodząc i rozmawiając na różne tematy. Potrafią wykonywać szczoteczką do zębów ruch w górę i w dół, jednocześnie polerując stół ruchem okrężnym drugiej ręki. Dla większości mężczyzn jest to zadanie bardzo trudne, czasem wręcz niemożliwe.

Kiedy mężczyźni szorują zęby, ich nastawiony na jedno zadanie mózg sprawia, że koncentrują się wyłącznie na myciu. Stoją wyprostowani przy umywalce, stopy rozsunięte w odległości 30 cm od siebie, poruszają głowami zgodnie z ruchem szczoteczki i na ogół dostosowują ten ruch do szybkości wody lecącej z kranu.

Dlaczego jesteśmy tacy, jacy jesteśmy

Obecnie wychowujemy chłopców i dziewczynki tak, jakby byli identyczni. Tymczasem nauka dowodzi, że ich sposób myślenia radykalnie się różni. Neurolodzy i badacze zajmujący się mózgiem doszli do wniosku, iż to hormony sprawiają, że jesteśmy, kim jesteśmy.

To hormony sprawiają, że jesteśmy, kim jesteśmy.
Jesteśmy efektem działania chemii.

Pod koniec XX wieku upowszechnił się pogląd, że po urodzeniu umysł dziecka jest nie zapisaną tablicą, a dopiero rodzice, nauczyciele i środowisko narzucają nam postawy i wybory. Najnowsze badania mózgu i jego rozwoju ujawniają, że około 6-8 tygodnia od poczęcia mózg jest programowany podobnie jak komputer. Podstawowy „system operacyjny" znajduje się na miejscu i instalowane jest kilka „programów". Zatem kiedy się rodzimy, jesteśmy gotowi do „pracy". Dopiero później można dodać dodatkowe oprzyrządowanie i oprogramowanie.

Badania również wykazują, że podstawowy system operacyjny oraz jego ustawienie nie zostawia zbyt wiele miejsca na zmiany. Środowisko i nauczyciele mogą jedynie wprowadzić nowe dane i zainstalować „kompatybilne" programy. Jeszcze do niedawna nie było poradników, jak to zrobić. Oznacza to, że kiedy się rodzimy, nasze przyszłe wybory i preferencje seksualne są już ustawione. Natura kontra wychowanie? To już zamknięta sprawa. Natura miała przewagę na samym początku. Teraz wiemy, że wychowywanie to wyuczone wzorce zachowań. Dowodzi tego fakt, że przybrane matki są równie skuteczne w opiece nad dziećmi jak matki biologiczne.

„Programowanie" płodu

Większość nas powstała z 46 chromosomów, które są jak genetyczne cegły lub wzorzec. Dwadzieścia trzy pochodzą od matki, dwadzieścia trzy od ojca. Jeżeli dwudziesty trzeci chromosom matki to chromosom

X (ma kształt litery X), a dwudziesty trzeci chromosom ojca też jest chromosomem X, to na świat przychodzi dziecko XX, czyli dziewczynka. Natomiast jeżeli dwudziesty trzeci chromosom ojca to chromosom Y, rodzi się dziecko XY, czyli chłopiec. Podstawowa matryca ludzkiego ciała i mózgu jest żeńska. Wszyscy na początku jesteśmy dziewczynkami. Dlatego mężczyźni mają żeńskie cechy takie jak sutki i gruczoły sutkowe.

Nauka dowodzi, że Ewa była pierwsza!

Płeć pozostaje nieokreślona jeszcze w szóstym, a nieraz w ósmym tygodniu od zapłodnienia. Płód może wykształcić narządy płciowe zarówno męskie, jak i żeńskie.

Niemiecki uczony, dr Gunther Dorner, pionier nauk społecznych, jeden z pierwszych rozwinął teorię, że nasza tożsamość płciowa tworzy się między szóstym a ósmym tygodniem od poczęcia. Jego badania wykazały, że jeżeli płód jest genetycznym chłopcem (XY), rozwija specjalne komórki, które kierują przez organizm duże ilości męskiego hormonu, zwłaszcza testosteronu, tak aby powstały jądra, a mózg został zaprogramowany na męskie cechy i zachowania, w tym widzenie na duże odległości oraz wyobraźnia przestrzenna potrzebna przy rzucaniu, polowaniu i pościgu.

Załóżmy, że męski płód (XY) potrzebuje co najmniej jednej jednostki męskiego hormonu, aby wytworzyć męskie narządy płciowe, i kolejnych trzech jednostek, aby zaprogramować mózg z męskim „systemem operacyjnym", ale z przyczyn, które omówimy później, nie otrzymuje wymaganej dawki. Pierwszą jednostkę wykorzystano do wytworzenia męskich genitaliów, ale mózg otrzymał jedynie dwie jednostki, co oznacza, że płeć mózgu jest w dwóch trzecich męska, a w jednej trzeciej żeńska. W rezultacie urodzi się chłopiec, który dorośnie jako osoba z męskim mózgiem, ale z kobiecymi zdolnościami i wzorami myślenia. Jeżeli męski płód otrzyma jedynie, powiedzmy, dwie jednostki męskiego hormonu, to jedna z nich zostanie zużyta na utworzenie jąder, a mózg otrzyma tylko jedną jednostkę zamiast potrzebnych trzech. Urodzi się dziecko, którego mózg jest w swej strukturze i myśleniu głównie kobiecy, ale ma genetycznie męskie ciało. Po pokwitaniu chłopiec prawdopodobnie będzie homoseksualistą. Omówimy to bardziej szczegółowo w rozdziale 8.

Kiedy płód jest dziewczynką (XX), męskiego hormonu nie ma wcale lub występuje jego niewielka ilość. Wtedy powstają żeńskie narządy płciowe, a matryca mózgu pozostaje kobieca. Mózg jest zaprogramowany przez żeńskie hormony i wykształcają się postawy obrony gniazda, włącznie z ośrodkami rozszyfrowującymi sygnały werbalne i niewerbalne. Kiedy urodzi się dziewczynka, będzie wyglądała jak dziewczynka, a jej zachowanie również będzie kobiece. To skutek kobiecego zaprogramowania mózgu. Czasem żeński płód otrzymuje znaczącą ilość męskiego hormonu. W rezultacie rodzi się dziewczynka z mózgiem w mniejszym lub większym stopniu męskim. Również w rozdziale 8 omówimy, jak to się dzieje.

Ocenia się, że u 80–85% mężczyzn mózg jest zaprogramowany po męsku, a u 15–20% jest do pewnego stopnia sfeminizowany. Wielu z tej drugiej grupy staje się gejami.

....

U 15–20% mężczyzn mózg jest sfeminizowany.
U blisko 10% kobiet zmaskulinizowany.

....

Wszelkie uwagi dotyczące rodzaju żeńskiego w tej książce będą odnosiły się mniej więcej do 90% dziewcząt i kobiet, czyli tych, które mają mózgi zaprogramowane po kobiecemu. U około 10% kobiet mózg jest zaprogramowany do pewnego stopnia po męsku. To skutek otrzymania między szóstym a ósmym tygodniem od poczęcia dawki męskiego hormonu. W ten sposób zyskały one pewne zdolności męskie.

Oto prosty, ale fascynujący test, który wykaże, do jakiego stopnia twój mózg jest zaprogramowany na męski lub kobiecy sposób myślenia. Pytania wybrano z wielu badań nad płcią ludzkiego mózgu, a system oceny opracowała brytyjska genetyczka Anna Moir. W tym teście nie ma odpowiedzi dobrych czy złych. Dzięki niemu może zrozumiesz, dlaczego dokonujesz określonych wyborów i dlaczego myślisz tak, jak myślisz. Pod koniec testu możesz porównać wyniki z rezultatami ze strony 81. Zrób odbitkę testu i daj go do wykonania tym, z którymi mieszkasz lub pracujesz. Wyniki pozwolą wam wiele zrozumieć.

Test zaprogramowania mózgu

Test ma na celu wykazanie płci, męskości lub kobiecości, wzorców two- jego mózgu. Nie ma złych ani dobrych odpowiedzi. Rezultat to po prostu wskazówka co do poziomu męskiego hormonu, który twój mózg otrzymał między szóstym a ósmym tygodniem od poczęcia. To miało i ma wpływ na twoje wybory: wartości, zachowanie, styl, orientację i preferencje.

Zakreśl zdanie, które uznasz za najbardziej prawdziwe.

1. Przy czytaniu mapy lub drogowskazów:
   a. masz trudności i często prosisz o pomoc
   b. obracasz mapę, żeby patrzeć w kierunku, w którym idziesz
   c. nie masz żadnych trudności w czytaniu map i drogowskazów

2. Gotujesz skomplikowane danie przy włączonym radiu, dzwoni zna- jomy. Co robisz?
   a. zostawiasz radio włączone i kontynuujesz gotowanie, rozmawia- jąc przez telefon
   b. wyłączasz radio, rozmawiasz i nadal gotujesz
   c. mówisz, że za chwilę oddzwonisz, gdy tylko skończysz gotować

3. Przyjaciele wybierają się do ciebie z wizytą i proszą o wskazówki, jak dotrzeć do twojego nowego domu. Co robisz?
   a. rysujesz im mapkę z wyraźnie zaznaczoną trasą i im ją wysyłasz lub wzywasz kogoś innego, aby im to wytłumaczył
   b. pytasz, jakie znają punkty orientacyjne, potem próbujesz im wy- tłumaczyć, jak dojechać na miejsce
   c. wyjaśniasz im, jak dojechać: „Wjeżdżasz na autostradę M3 do Newcastle, zawracasz, skręcasz w lewo, dojeżdżasz do drugich świateł..."

4. Kiedy objaśniasz jakiś nowy pomysł lub koncepcję, prawdopo- dobnie:
   a. użyjesz ołówka, papieru i gestów mowy ciała
   b. wyjaśniasz słownie, używając gestów i mowy ciała
   c. wyjaśniasz słownie, wyraźnie i krótko

5. Kiedy wracasz do domu po obejrzeniu wybitnego filmu, wolisz:
   a. wyobrażać sobie sceny z filmu
   b. rozmawiać o scenach i o tym, co powiedziano
   c. cytować wszystko, co powiedziano w filmie

6. W kinie wolisz siedzieć:
   a. z prawej strony sali
   b. gdziekolwiek, wszystko jedno gdzie
   c. z lewej strony sali

7. Znajomy ma urządzenie mechaniczne, które nie działa:
   a. współczujesz i omawiasz z nim, co w związku z tym czuje
   b. polecasz kogoś niezawodnego, kto potrafi to naprawić
   c. próbujesz domyślić się, jak to działa, i naprawić

8. Jesteś w nieznanym miejscu i ktoś cię pyta, gdzie jest północ. Co robisz?
   a. przyznajesz się, że nie wiesz
   b. po pewnym namyśle zgadujesz, gdzie jest
   c. bez trudu wskazujesz północ

9. Znajdujesz miejsce do parkowania, ale jest ciasno. Musisz wjechać w nie tyłem. Co robisz?
   a. wolisz znaleźć inne miejsce
   b. starasz się ostrożnie wpasować
   c. wjeżdżasz tyłem bez trudności

10. Oglądasz telewizję, kiedy dzwoni telefon. Co robisz?
   a. podnosisz słuchawkę przy włączonym telewizorze
   b. ściszasz telewizor i podnosisz słuchawkę
   c. wyłączasz telewizor, każesz wszystkim obecnym umilknąć i wtedy podnosisz słuchawkę

11. Właśnie usłyszałeś/usłyszałaś nową piosenkę ulubionego artysty. Zazwyczaj...
   a. bez trudności potrafisz zaśpiewać fragment piosenki
   b. potrafisz to zaśpiewać nawet później, jeżeli jest to prosta piosenka
   c. trudno ci sobie przypomnieć, jak brzmiała piosenka, ale pamiętasz niektóre słowa

12. Jesteś najlepszy(-a) w przewidywaniu rezultatów, dzięki...
   a. intuicji
   b. podejmujesz decyzję na podstawie dostępnych informacji i przeczuć
   c. korzystasz z faktów, statystyki i danych

13. Nie możesz znaleźć kluczy. Co robisz?
   a. robisz coś innego, aż sobie przypomnisz
   b. robisz coś innego, ale próbujesz sobie przypomnieć, gdzie je położyłeś(-aś)...
   c. w myślach odtwarzasz swoje kroki, aż sobie przypomnisz, gdzie je zostawiłeś(-aś)

14. Jesteś w pokoju hotelowym i słyszysz dochodzący cię z dużej odległości głos syreny. Potrafisz:
   a. wskazać dokładnie miejsce, z którego pochodzi
   b. prawdopodobnie mógłbyś (mogłabyś) je wskazać, jeżeli się skupisz
   c. nie umiesz wskazać miejsca, z którego pochodzi

15. Idziesz na spotkanie towarzyskie i jesteś przedstawiony(-a) siedmiu, ośmiu obcym osobom. Nazajutrz:
   a. potrafisz bez trudu wyobrazić sobie ich twarze
   b. pamiętasz kilka twarzy
   c. bardziej prawdopodobne, że zapamiętasz ich nazwiska

16. Chcesz na wakacje pojechać na wieś, ale twój partner (twoja partnerka) nalega na nadmorski kurort. Aby przekonać go, że twój pomysł jest lepszy:
   a. powiesz mu (jej) słodkim tonem, co czujesz. Uwielbiasz wieś, a dzieci i rodzina zawsze się tam dobrze bawią
   b. powiesz mu (jej), że jeżeli wybierze się na wieś, będziesz mu (jej) wdzięczny(-a) i z przyjemnością następnym razem wybierzesz się nad morze
   c. przedstawisz fakty: wieś jest bliżej, taniej, są tam zorganizowane sporty i wypoczynek

17. **Kiedy planujesz zadania na określony dzień, zazwyczaj:**
    a. robisz listę, abyś mógł zobaczyć, co trzeba zrobić
    b. myślisz o tym, co trzeba zrobić
    c. wyobrażasz sobie ludzi, których zobaczysz, miejsca, które odwiedzisz, i rzeczy, które będziesz robić

18. **Znajomy ma kłopoty osobiste i przyszedł je z tobą omówić:**
    a. współczujesz mu i wykazujesz zrozumienie
    b. mówisz mu, że kłopoty nigdy nie są aż tak poważne, jak wyglądają, i wyjaśniasz mu dlaczego
    c. poddajesz mu pomysły i radzisz, jak rozwiązać problem

19. **Dwoje przyjaciół z różnych małżeństw ma ze sobą w tajemnicy romans. Jakie jest prawdopodobieństwo, że to wykryjesz?**
    a. wykryjesz bardzo wcześnie
    b. mniej więcej w połowie
    c. prawdopodobnie niczego nie zauważysz

20. **Na czym polega życie, twoim zdaniem:**
    a. na posiadaniu przyjaciół i życiu w harmonii z otaczającymi cię ludźmi
    b. przyjaznym zachowaniu wobec innych i jednoczesnym zachowaniu osobistej niezależności
    c. osiąganiu ważnych celów, zdobywaniu szacunku innych i zyskiwaniu prestiżu i wyższego poziomu życia

21. **Gdybyś miał(-a) wybór, wolałbyś/wolałabyś pracować:**
    a. w zespole, w którym ludzie się uzupełniają
    b. wśród innych, ale zachowując własną przestrzeń
    c. w pojedynkę

22. **Co lubisz czytać:**
    a. powieści, beletrystykę
    b. czasopisma i gazety
    c. publicystykę i biografie

23. Kiedy robisz zakupy, masz skłonność:
   a. często kupować pod wpływem impulsu, zwłaszcza na wyprzedażach
   b. masz przygotowany plan ogólny, ale bierzesz, jak leci
   c. czytasz opakowania i porównujesz ceny

24. Wolisz iść do łóżka, obudzić się i zjeść posiłek:
   a. kiedy masz ochotę
   b. zgodnie z planem, ale pora nie musi być ta sama
   c. o tej samej porze każdego dnia

25. Właśnie zmieniłeś(-aś) pracę i poznałeś(-aś) wiele nowych osób z personelu. Jedna z nich dzwoni do ciebie do domu:
   a. z łatwością rozpoznajesz głos
   b. rozpoznajesz w połowie rozmowy
   c. masz trudności z rozpoznaniem głosu

26. Co cię najbardziej denerwuje, kiedy się z kimś kłócisz?
   a. milczenie lub brak reakcji
   b. kiedy nie rozumie twojego punktu widzenia
   c. złośliwe pytania lub komentarze

27. Jak w szkole traktowałeś(-aś) klasówki z ortografii lub pisanie wypracowań?
   a. uważałeś(-aś) za stosunkowo łatwe
   b. nie były zbyt trudne, ale wolałeś(-aś) raczej klasówki z ortografii niż wypracowania
   c. ani w jednym, ani w drugim nie byłeś(-aś) za dobry(-a)

28. Kiedy już przychodzi do tańca lub gimnastyki przy muzyce:
   a. „wyczuwasz" muzykę, kiedy już poznasz kroki
   b. możesz wykonać niektóre ćwiczenia lub tańce, ale gubisz się przy innych
   c. masz trudności w utrzymaniu tempa i rytmu

29. Jak dobry(-a) jesteś w naśladowaniu i rozpoznawaniu głosów zwierząt

    a. niezbyt

    b. może być

    c. bardzo dobry(-a)

30. Pod koniec długiego dnia najchętniej:

    a. rozmawiasz z przyjaciółmi lub rodziną, jak minął

    b. słuchasz opowieści innych o ich dniu

    c. czytasz gazetę, oglądasz telewizję i nic nie mówisz

Jak obliczyć wyniki testu

Najpierw dodaj odpowiedzi A, B i C. Korzystając z poniższej tabelki, policz rezultat końcowy:

Dla mężczyzn

Liczba odpowiedzi A x 15 punktów   =

Liczba odpowiedzi B x 5 punktów   =

Liczba odpowiedzi C x (–5) punktów =

          Razem punktów.... _____

Dla kobiet

Liczba odpowiedzi A x 10 punktów   =

Liczba odpowiedzi B x 5 punktów   =

Liczba odpowiedzi C x (–5) punktów =

          Razem punktów.... _____

Za każde pytanie, na które odpowiedź nie odpowiadała dokładnie twojemu postępowaniu lub które zostawiłeś bez odpowiedzi, dodaj pięć punktów.

Test zaprogramowania mózgu

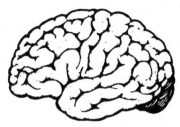

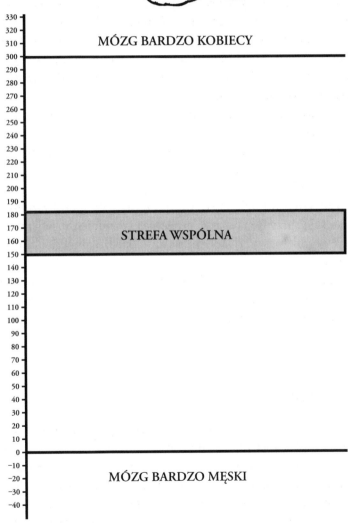

MÓZG BARDZO KOBIECY

STREFA WSPÓLNA

MÓZG BARDZO MĘSKI

Analiza wyników

Większość mężczyzn osiągnie wynik od 0 do 180, a większość kobiet od 150 do 300. Mózgi zaprogramowane głównie na męski sposób myślenia zazwyczaj osiągają poniżej 150 punktów. Im bliżej zera, tym człowiek jest bardziej męski i ma wyższy poziom testosteronu. Te osoby miewają rozwinięte zdolności logiczne, analityczne i werbalne, bywają zdyscyplinowane i dobrze zorganizowane. Im wynik bliższy zera, tym człowiek jest lepszy w przewidywaniu kosztów i skutków na podstawie danych statystycznych. Emocje mają tu niewielki wpływ. Punkty poniżej zera to rezultaty bardzo męskie. Taki wynik dowodzi, że duże ilości testosteronu pojawiły się na wczesnym etapie rozwoju płodu. Im niższy wynik kobiety, tym większe prawdopodobieństwo występowania skłonności lesbijskich.

Mózgi zaprogramowane na myślenie kobiece osiągają wynik powyżej 180 punktów. Im wyższa liczba, tym bardziej kobiecy mózg i tym większe prawdopodobieństwo, że ta osoba będzie miała duże talenty twórcze, artystyczne i muzyczne. Większość decyzji podejmuje na podstawie intuicji lub przeczuć i dobrze rozpoznaje źródła kłopotów, używając przy tym minimalnych danych. Dobrze również rozwiązuje problemy, stosując przy tym twórcze myślenie i zrozumienie. Jeśli mężczyzna uzyskuje wynik powyżej 180 punktów, bardzo prawdopodobne, że będzie gejem.

Mężczyźni osiągający wynik poniżej zera, a kobiety powyżej 300 punktów są zaprogramowani tak odmiennie, że łączy ich jedynie fakt zamieszkiwania na tej samej planecie.

Strefa wspólna

Wyniki między 150 a 180 punktów wykazują podobieństwo sposobu myślenia do obu płci lub skłonność do biseksualizmu. Te osoby nie wykazują uprzedzeń zarówno wobec męskiego, jak i kobiecego sposobu rozumowania, zazwyczaj więc wykazują się elastycznością myślenia, co może być istotną zaletą w grupie zamierzającej znaleźć rozwiązanie jakiegoś problemu. Mają również zdolność nawiązywania przyjaźni zarówno z kobietami, jak i mężczyznami.

Ostatnie słowo

Od początku lat osiemdziesiątych rozwój wiedzy o mózgu przeszedł nasze najśmielsze oczekiwania. Amerykański prezydent George Bush ogłosił lata dziewięćdziesiąte „Dekadą mózgu", a teraz wkraczamy w „Tysiąclecie umysłu". Omawiając mózg i jego różne obszary, uprościliśmy neurologię, aby uniknąć wchodzenia w zbyt techniczne szczegóły. Zdajemy sobie sprawę, że nie można tego zagadnienia zbyt uprościć, ponieważ mózg przypomina budową sieć neuronów łączących się w skomplikowane zespoły komórek, tworzących ośrodki.

Czytelniku, nie zamierzasz zostać neurologiem, a chciałbyś tylko posiąść podstawową wiedzę o działaniu mózgu i poznać strategie przydatne w kontaktach z płcią przeciwną. Łatwo wskazać obszar mózgu odpowiedzialny za wyobraźnię przestrzenną oraz opracować strategie skuteczne w kontaktach z płcią przeciwną. O wiele trudniej jest ustalić dokładne działanie emocji w mózgu. Mimo to możemy sobie z tym poradzić.

Rozdział 4

ROZMOWA I SŁUCHANIE

Co mówią kobiety

Co mężczyźni słyszą

Barbara i Allan przygotowywali się do wyjścia na przyjęcie. Barbara kupiła nową sukienkę i bardzo jej zależało, aby wyglądać jak najlepiej. Przyniosła dwie pary pantofli: niebieskie i złote. Potem zadała Allanowi pytanie, którego obawiają się wszyscy mężczyźni: „Kochanie, którą parę powinnam włożyć do tej sukienki?"

Po plecach Allana przebiegł zimny dreszcz. Wiedział, że wpadł w tarapaty. „Ach, mhm, które wolisz, skarbie?" – wyjąkał. „Przestań, Allanie – zawołała zniecierpliwiona. – Które lepiej wyglądają: niebieskie czy złote?" „Złote!" – odpowiedział nerwowo. „Czego brakuje niebieskim? – spytała. – Nigdy ci się nie podobały! Zapłaciłam za nie majątek, a ty ich nie cierpisz, prawda?"

Allan zgarbił się ze znużeniem. „Jeżeli nie potrzebujesz mojej opinii, Barbaro, to mnie o nią nie pytaj!" – powiedział. Sądził, że poproszono go o rozwiązanie problemu, kiedy znalazł rozwiązanie, ona nie była mu wdzięczna. Natomiast Barbara zastosowała typowo kobiecy chwyt. Myślała na głos. Postanowiła już, którą parę pantofli włoży, i nie potrzebowała drugiej opinii w tej sprawie. Pragnęła potwierdzenia, że dobrze wygląda. W tym rozdziale omówimy problemy w porozumiewaniu, na jakie natykają się kobiety i mężczyźni. Zaproponujemy kilka nowatorskich rozwiązań.

Strategia „niebieskie czy złote pantofle"

Jeżeli kobieta przy wyborze pantofli pyta: „Niebieskie czy złote?", jest ważne, aby mężczyzna nie udzielał odpowiedzi. Natomiast powinien spytać: „Czy już wybrałaś którąś parę, kochanie?" Zaskoczy to większość kobiet, ponieważ mężczyźni, których znają, na ogół od razu określają swój wybór. „Cóż... myślałam, że być może włożę złote", odpowiada ona niepewnie. W rzeczywistości już wybrała złote pantofle. „Dlaczego złote?" – on zapyta. „Ponieważ nałożę złote dodatki, a materiał sukni ma złoty wzór", odpowie ona. Rozsądny mężczyzna stwierdzi wtedy: „Doskonały wybór! Będziesz wyglądać fantastycznie! Świetnie sobie poradziłaś. Uwielbiam taki zestaw!" Można się założyć, że spędzi z nią wspaniałą noc.

Dlaczego mężczyźni nie mówią poprawnie

Od tysięcy lat wiadomo, że mężczyznom nie najlepiej wychodzi prowadzenie rozmowy, zwłaszcza w porównaniu z kobietami. Dziewczynki nie tylko zaczynają mówić wcześniej od chłopców. Trzylatka ma prawie dwukrotnie większy zasób słów niż trzylatek. Na dodatek mówi prawie w stu procentach zrozumiale. Logopedzi mają pełne ręce roboty, gdyż rodzice przyprowadzają do nich chłopców, twierdząc: „Nie umie mówić poprawnie". Jeżeli chłopiec ma starszą siostrę, ta różnica w wymowie jest jeszcze wyraźniejsza, szczególnie wtedy, gdy starsze siostry i matki często odpowiadają na pytania za swoich braci i synów. Zapytaj pięciolatka: „Jak się miewasz?", a jego matka lub siostra odpowie: „Wszystko z nim w porządku".

Matki, córki i starsze siostry często mówią w imieniu męskich członków swojej rodziny.

Dla mężczyzn mowa nie jest określoną zdolnością mózgu. Działa wyłącznie w lewej półkuli mózgu i nie ma wyraźnie zaznaczonego położenia. Badania osób z uszkodzoną lewą półkulą wykazują, że większość zaburzeń mowy u mężczyzn występuje w tylnym rejonie, a u kobiet głównie w przedniej części. Obrazowanie metodą rezonansu magnetycznego ujawnia, że kiedy mężczyzna mówi, uaktywnia się cała lewa półkula, jakby w bezskutecznym poszukiwaniu ośrodka mowy. W konsekwencji mężczyźni nie są najlepszymi rozmówcami.

Chłopcy w porównaniu z dziewczętami mają skłonność do mamrotania i mówienia niewyraźnie. Używają podczas rozmowy „wypełnia-

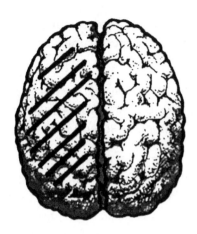

Położenie ośrodka mowy u mężczyzn

czy" typu „hmm", „umm", „jak". Na ogół niedokładnie wymawiają końcówki i stosują w rozmowie tylko trzy tony głosu, podczas gdy kobiety pięć. Kiedy mężczyźni się zbierają, żeby wspólnie obejrzeć w telewizji mecz piłki nożnej, właśnie to robią. Rozmowa sprowadza się do wymiany zdań typu: „Podaj chipsy", „Jest jeszcze piwo?" Dla grupy kobiet spotkanie w celu oglądania telewizji jest jedynie pretekstem do pogawędki. Najczęściej się spotykają, aby wspólnie obejrzeć operę mydlaną, ze znajomymi bohaterami i wątkami, a nie skomplikowaną opowieść kryminalną o tajemniczym morderstwie.

Różnice obu płci w sposobie wyrażania siebie nigdzie nie są tak wyraźne jak w sporcie. Wystarczy obejrzeć jakiś program sportowy, aby zauważyć, że na przykład koszykarki potrafią opisać mecz: dokładnie, wyczerpująco i zrozumiale. Natomiast kiedy dziennikarz przeprowadza wywiad z koszykarzami, nie tylko trudno zrozumieć te kilka zdań, które mieli do powiedzenia, ale odnosi się wrażenie, że w ogóle nie poruszają wargami. Między nastolatkami ta różnica również jest widoczna. Kiedy spytaliśmy naszą nastoletnią córkę o przebieg prywatki, na której była poprzedniego wieczoru, bardzo dokładnie wyrecytowała fragmenty wszystkich rozmów i opowiedziała, co się wydarzyło – kto co powiedział do kogo, jak się wszyscy czuli i co mieli na sobie. Nasz syn, któremu zadaliśmy to samo pytanie, wymamrotał: „Uch... dobrze".

W walentynki kwiaciarze namawiają klientów, żeby „powiedzieli to kwiatami", ponieważ wiedzą, że mężczyzna ma trudności z wyrażeniem uczuć słowami. Kupienie kartki nigdy nie stanowi problemu dla mężczyzny, przeraża go to, że musi na niej coś napisać.

Mężczyźni często wybierają kartki pocztowe z dużą ilością tekstu w środku. Dzięki temu zostaje im mniej miejsca na pisanie.

Pamiętajmy, że mężczyźni ewoluowali jako „poszukiwacze obiadu", a nie jako rozmówcy. Polowanie prowadzono, posługując się sygnałami niewerbalnymi. Łowcy, czekając na zdobycz, siedzieli kilka godzin w milczeniu. Nie rozmawiali ze sobą ani nie nawiązywali bliskich kontaktów. Kiedy współcześni mężczyźni idą razem na ryby, potrafią siedzieć bez słowa kilka godzin. Wspaniale się bawią, cieszą swoją obecnością, ale nie czują potrzeby wyrażania tego słowami. Gdyby kobiety spędzały czas wspólnie i nie rozmawiały ze sobą, byłoby to wskazówką, że istnieje poważny problem. Mężczyźni zaczynają mówić dopiero wtedy, gdy dział porozumiewania się w ściśle podzielonym mózgu męskim zostaje otumaniony nadmierną ilością alkoholu.

Chłopcy a szkoła

Na początku chłopcy nie radzą sobie w szkole zbyt dobrze, ponieważ ich umiejętności werbalne są gorsze. W rezultacie słabiej im idzie w nauce języków i w rysunkach.

Czują się głupsi od lepiej mówiących dziewcząt, zaczynają psocić i przeszkadzać. Byłoby lepiej, gdyby chłopcy zaczynali chodzić do szkoły o rok później, gdy będą umieli lepiej mówić. Mieliby o wiele lepsze samopoczucie, a swoboda wymowy rówieśniczek wywoływałaby u nich mniejsze zahamowania.

W latach późniejszych dziewczynki będą gorzej sobie radziły z fizyką i matematyką, czyli z przedmiotami, w których niezbędna jest wyobraźnia przestrzenna. Gdy zatroskani rodzice zapewniają chłopcom dodatkowe zajęcia z języka z nadzieją, że ich synowie nareszcie zaczną czytać, pisać i mówić poprawnie, dziewczynki nieodmiennie chodzą na korepetycje z matematyki i fizyki.

Mężczyźni nigdy nie umieli prowadzić rozmowy

W niektórych szkołach w Anglii rozdziela się chłopców i dziewczynki na wybranych lekcjach, jak angielski, matematyka i fizyka. Na przykład Shenfield High School w Essex pozwala uczniom zdobywać wiedzę bez konkurencji ze strony płci przeciwnej. Na klasówkach z matematyki dziewczynki rozwiązują zadania, które mają związek z ogrodem, a chłopcy zadania o sklepie z narzędziami. Taki podział wykorzystuje naturalne priorytety „programowania" męskiego i kobiecego mózgu. Wyniki robią wrażenie. W języku angielskim rezultaty chłopców są czterokrotnie lepsze od średniej krajowej, a w matematyce i fizyce dziewczęta osiągają dwukrotnie lepsze rezultaty.

Dlaczego kobiety mówią tak doskonale

U kobiet za mowę odpowiada określony obszar umiejscowiony z przodu lewej półkuli, natomiast dodatkowy, mniejszy ośrodek znajduje się w prawej półkuli. Ośrodki mowy w obu półkulach sprawiają, że kobiety umieją prowadzić rozmowy. Sprawia im to przyjemność i bardzo często mówią. Dzięki przeznaczeniu określonych obszarów mózgu do kontrolowania mowy reszta mózgu kobiety jest wolna i może wykonywać inne zadania. To pozwala robić różne rzeczy jednocześnie.

Niedawne badania wykazały, że dziecko uczy się rozpoznawać głos matki, gdy jest jeszcze w jej łonie, prawdopodobnie dzięki przenoszeniu dźwięków poprzez ciało. Czterodniowe dziecko potrafi odróżnić wzorzec mowy ojczystego języka od języka obcego. Czteromiesięczne niemowlęta umieją rozpoznać ruchy warg kojarzone z samogłoską. Przed pierwszymi urodzinami zaczynają łączyć słowa ze znaczeniem. Przed

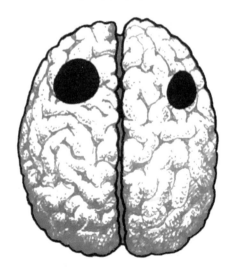

Położenie ośrodka mowy u kobiet

ukończeniem osiemnastu miesięcy mają opanowane początki słownika, który przed ukończeniem drugiego roku życia rozszerzy się u dziewcząt do dwóch tysięcy słów. Zarówno intelektualnie, jak i fizycznie jest to niezwykłe osiągnięcie w porównaniu ze zdolnościami uczenia się człowieka dorosłego.

Określony obszar mózgu odpowiedzialny za mowę pozwala dziewczętom na łatwiejsze i szybsze opanowanie języków obcych. To również tłumaczy, dlaczego dziewczęta są lepsze w gramatyce, interpunkcji i wymowie. Podczas 25 lat prowadzenia seminariów w obcych krajach rzadko spotykaliśmy tłumaczy – mężczyzn, na ogół były to same kobiety.

Przedmiot nauczania	Liczba nauczycieli	% kobiet	% mężczyzn
hiszpański	2700	78	22
francuski	16200	75	25
niemiecki	8100	75	25
dramat	8900	67	33
inne języki	1300	70	30

Przedmioty wymagające zdolności werbalnych
(nauczyciele języków obcych w Wielkiej Brytanii w 1998 r.)

Ta tabelka wskazuje, że kobiety wyraźnie dominują w przedmiotach, w których potrzebne są zdolności werbalne lewej półkuli. Wydzielony ośrodek mowy daje im wyższość w umiejętnościach posługiwania się językiem i w sprawności werbalnej.

Liczby te dowodzą, że nawet w najbardziej poprawnych politycznie dziedzinach – oświacie i administracji – męska i kobieca orientacja mózgu znacząco wpływa na wybór przedmiotu przez przyszłego nauczyciela. Grupy „Równy wybór" są przekonane, że robią dobrą robotę, ponieważ połowa wszystkich nauczycieli to mężczyźni, a połowa kobiety, ale jak widać, kobiety dominują w dziedzinach związanych z mową.

Lewa półkula steruje fizycznymi funkcjami prawej połowy ciała. Być może dlatego większość ludzi pisze prawą ręką. To by również tłumaczyło, dlaczego pismo kobiet jest wyraźniejsze od pisma mężczyzn. Wydzielone ośrodki mowy u kobiet zostały wstępnie zaprogramowane do lepszego użycia języka, zarówno w mowie, jak i w piśmie.

Dlaczego kobiety muszą mówić

Męski mózg jest wyspecjalizowany oraz ma zdolność oddzielania i przechowywania informacji. Pod koniec pełnego problemów dnia mózg mężczyzny potrafi wszystkie układać, jak w kartotece. Natomiast mózg kobiety tak nie działa. Kłopoty i troski bez przerwy krążą w jej głowie.

....

Mężczyźni potrafią w myślach skatalogować
swoje kłopoty i w ten sposób nad nimi zapanować.
Kobiety się zamartwiają.

....

Kobieta może się pozbyć kłopotów w jeden sposób: mówiąc o nich głośno. Wtedy je porządkuje. Dlatego, kiedy pod koniec dnia mówi, chodzi o zapomnienie o troskach, a nie o znalezienie rozwiązań czy dojście do jakiegoś wniosku.

Hormonalny łącznik

Uczona Elizabeth Hanson z University of Ontario przeprowadziła badania osiągnięć kobiet w zależności od poziomu hormonu – estrogenu. Hanson odkryła, że niski poziom estrogenu osłabia wyobraźnię przestrzenną kobiety, natomiast wysoki podwyższa zdolność wymowy i zdolności motoryczne. To wyjaśnia, dlaczego podczas cyklu miesiączkowego, w dni, gdy ma niski poziom estrogenu, kobieta zachowuje się spokojnie oraz mówi wyraźnie i dokładnie. Natomiast w dni z podwyższonym poziomem estrogenu ma drobne kłopoty z wymową, ale jej wyobraźnia przestrzenna jest lepsza. Być może nie uda jej się upokorzyć mężczyzny kąśliwą uwagą, ale trafi go patelnią z odległości 20 metrów.

Kobiety uwielbiają mówić

Kiedy kobiety oglądają wspólnie film w telewizji, zazwyczaj rozmawiają jednocześnie na różne tematy: o dzieciach, mężczyznach, pracy i o tym, co się dzieje w ich życiu. Kiedy grupa mieszana wspólnie ogląda film, kończy się na tym, że mężczyźni proszą kobiety, aby przestały mówić. Mężczyźni potrafią albo mówić, albo patrzeć na ekran – nie potrafią robić obu rzeczy jednocześnie. Nie umieją zrozumieć, że kobiety to potrafią. Poza tym kobiety uważają, że przyszły, aby miło spędzić czas i umocnić więzi uczuciowe, a nie siedzieć jak śnięte ryby, gapiąc się w ekran.

Podczas przerwy na reklamy mężczyzna często prosi kobietę, aby wyjaśniła mu główny wątek i dokąd zmierza związek między bohaterami. Nie potrafi, w przeciwieństwie do kobiet, odczytywać subtelnych sygnałów mowy ciała, które ujawniają, co bohaterowie filmu czują.

Kobiety początkowo spędzały dnie wspólnie z innymi kobietami i dziećmi, dlatego wykształciły w sobie zdolność skutecznego porozumiewania się służącego podtrzymywaniu więzi. Dla kobiety mowa nadal ma taki wyraźny cel: budowanie więzi emocjonalnych. Dla mężczyzny mówienie służy przekazywaniu faktów.

„...dlatego Jasmine mówi Katie, co robił Alex, ale nie wiedziała, że Maree już się o tym dowiedziała, ponieważ Lyndall usłyszał plotki od Melissy, która wspomniała Adamowi, o czym myślał Sam..."

Mężczyźni traktują telefon jako narzędzie do podawania faktów oraz informacji innym ludziom, natomiast dla kobiet to środek wzmacniania więzi. Kobieta potrafi spędzić dwa tygodnie wakacji z przyjaciółką, a po powrocie do domu zatelefonować do niej i rozmawiać jeszcze dwie godziny.

Nie ma przekonujących dowodów, że uwarunkowania społeczne, czyli fakt, że matki częściej rozmawiają z córkami, powoduje, że dziewczęta mówią więcej od chłopców. Psychiatra dr Michael Lewis, autor książki *Społeczne zachowanie a poznanie mowy*, przeprowadził eksperyment, podczas którego ustalił, że matki mówiły i patrzyły częściej na dziewczynki niż na chłopców. Dowody naukowe wykazują, że rodzice reagują na nastawienie mózgu dziecka. Mózg dziewczynki jest lepiej zorganizowany do mówienia i rozumienia mowy, tym samym częściej do nich mówimy. W konsekwencji matki, które próbują rozmawiać z synami, są zazwyczaj rozczarowane, że w odpowiedzi słyszą jedynie krótkie mruknięcia.

Mężczyźni rozmawiają ze sobą po cichu

W procesie ewolucji mężczyźni stali się wojownikami i rozwiązującymi problem obrońcami. Nastawienie ich mózgu i społeczne uwarunkowanie nie pozwala im na ujawnianie lęku czy niepewności. Oto powód, dla którego kiedy mężczyznę prosi się o rozwiązanie problemu, często odpowiada: „Możesz zostawić to mnie?" albo „Przemyślę to". To właśnie robi. Zachowując kamienną twarz, zastanowi się nad wszystkim w milczeniu. Dopiero wtedy, gdy zna już odpowiedź, przemówi lub spojrzy z zainteresowaniem, aby pokazać, że jest gotowy przedstawić rozwiązanie. Mężczyźni na ogół rozmawiają ze sobą po cichu, ponieważ nie mają zdolności werbalnych kobiet. Dlatego kobiety używają słów do porozumiewania się z otoczeniem. Kiedy mężczyzna siedzi, gapiąc się w okno, badanie mózgu wykaże, że prowadzi rozmowę z samym sobą. Kiedy kobieta zauważy mężczyznę bez zajęcia, zakłada, że się nudzi lub próżnuje. Próbuje z nim porozmawiać lub znaleźć mu coś do roboty. Mężczyzna często się złości, kiedy mu wtedy przeszkodzi. Jak wiemy, nie potrafi robić kilku rzeczy jednocześnie.

Wady rozmawiania tylko ze sobą

Jeżeli mężczyzna ma do czynienia z kolegami, prowadzenie rozmowy po cichu nie stanowi problemu. Mężczyźni potrafią siedzieć na spotkaniu dłuższą chwilę, niewiele mówiąc, i nikt nie czuje się z tego powodu nieswojo. Przypomina to łowienie ryb. Mężczyznom często sprawia przyjemność „spokojny drink" i właśnie o to chodzi – o spokój. Jeżeli mężczyzna jest z kobietą lub grupą kobiet, kobiety sądzą, że się gniewa, trzyma na dystans lub nie ma ochoty się do nich przyłączyć. Jeżeli mężczyźni pragną mieć lepsze kontakty z kobietami, powinni więcej mówić.

Kobiety myślą na głos

„Moja żona doprowadza mnie do szału, kiedy ma jakiś kłopot albo kiedy mówi, co zamierza zrobić danego dnia", przyznał pewien mężczyzna podczas jednego z naszych seminariów.

....

Kobieta przedstawi na głos ciąg spraw w przypadkowym porządku, wymieniając przy okazji wszystkie możliwości i rozwiązania.

....

„Mówi na głos o wszystkich rozwiązaniach, możliwościach, zaangażowanych w to ludziach, co musi zrobić i dokąd powinna pojechać. To mnie rozprasza. Nie potrafię się na niczym skupić".

Mózg u kobiety jest tak zaprogramowany, aby mogła używać mowy jako głównej formy ekspresji i jest to jedna z jej mocnych stron. Jeżeli mężczyzna ma do załatwienia pięć lub sześć spraw, powie wtedy: „Mam parę rzeczy do zrobienia. Do zobaczenia później". Kobieta wymieni na głos wszystkie sprawy w przypadkowej kolejności, podając przy tym inne rozwiązania i możliwości. „Muszę odebrać pranie, pojechać do myjni. A tak na marginesie, telefonował Ray i prosił, żebyś oddzwonił. Potem odbiorę paczkę z poczty, chyba mogłabym jeszcze..." To jedna z przyczyn, że mężczyźni zarzucają kobietom, iż mówią za dużo.

Wady myślenia na głos

Kobiety traktują myślenie na głos jako dowód przyjaźni i dzielenia się z kimś swoimi troskami, ale mężczyźni widzą to inaczej. W kontaktach prywatnych mężczyzna sądzi, że kobieta przedstawia mu listę problemów, które zgodnie z jej oczekiwaniami powinien rozwiązać. Dlatego staje się niespokojny, zdenerwowany lub próbuje jej podpowiedzieć, co powinna zrobić. Na spotkaniu służbowym mężczyźni traktują kobietę myślącą na głos jak osobę roztrzepaną, niezdyscyplinowaną lub nieinteligentną. Aby w interesach zrobić wrażenie na mężczyznach, kobieta powinna zachować swoje myśli dla siebie i mówić wyłącznie o wnioskach. W związku dwojga ludzi partnerzy muszą omawiać różne podejście do rozwiązywania problemów. Mężczyzna powinien zrozumieć, że kiedy kobieta o czymś mówi, nie oczekuje, że on podsunie jej rozwiązanie. Kobiety zaś powinny pojąć, że jeżeli mężczyzna w ogóle się nie odzywa, nie oznacza to, że coś jest nie w porządku.

Kobiety mówią, a mężczyźni uważają, że nie dają im spokoju

W programowaniu mózgu kobiety najważniejsze jest budowanie więzi za pośrednictwem mowy. Kobieta bez trudu potrafi wypowiedzieć średnio od 6000 do 8000 słów dziennie. Dodatkowo wykorzysta do porozumiewania się od 2000 do 3000 dźwięków, ponadto około 8000––10 000 gestów, min, poruszeń głowy oraz innych sygnałów mowy ciała. To daje średnio dziennie ponad 20 000 „słów”. Być może to jest wyjaśnienie, dlaczego – jak podaje British Medical Association – kobiety czterokrotnie częściej miewają kłopoty z dolną szczęką.

....

„Kiedyś nie odezwałem się do żony przez sześć miesięcy – powiedział pewien komik. – Nie chciałem jej przerywać".

....

Porównajmy codzienne „pogawędki" kobiety i mężczyzny. On używa zaledwie 2000–4000 słów, od 1000 do 2000 dźwięków, a wysyła zaledwie 2000–3000 sygnałów mowy ciała. Po dodaniu średnia wynosi około 7000 „słów", czyli ponad jedną trzecią możliwości kobiety. Ta różnica w mowie staje się wyraźniejsza pod koniec dnia, kiedy kobieta i mężczyzna zasiadają wspólnie do kolacji. On już wykorzystał swoje 7000 „słów" i nie ma ochoty na dalsze rozmowy. Wystarczy mu gapienie się w ogień. Jej stan zależy od tego, co robiła w ciągu dnia. Jeżeli spędziła dzień na rozmowach z ludźmi, być może zużyła swoje 20 000 „słów" i nie ma już specjalnej ochoty mówić. Natomiast jeżeli była w domu z małymi dziećmi, to będzie miała szczęście, jeżeli wykorzystała 2000–3000 „słów". Zostało jej jeszcze ponad 15 000! Znamy wszyscy takie pełne napięcia pogawędki przy stole.

Fiona: Cześć, kochany. Jak dobrze, że wreszcie wróciłeś do domu. Jak ci minął dzień?
Mike: Dobrze.
Fiona: Brian mówił mi, że miałeś dziś sfinalizować ten duży kontrakt z Peterem Gosperem? Jak ci poszło?
Mike: Dobrze.
Fiona: To doskonale. On jest bardzo wymagającym klientem. Jak sądzisz, posłucha twojej rady?
Mike: Tak.
...i tak dalej.

Mike czuje się tak, jakby był przesłuchiwany, i zaczyna się złościć. Pragnie tylko „ciszy i spokoju". Próbuje uniknąć kłótni z powodu swojego milczenia, więc pyta: „A jak tobie minął dzień?"

Wtedy ona mu opowiada. I opowiada. Każdy szczegół tego, co wydarzyło się tego dnia.

„Ależ miałam dzień! Postanowiłam, że nie pojadę do miasta, ponieważ przyjaciółka mojej kuzynki pracuje na dworcu autobusowym i powiedziała, że dziś będzie strajk, więc poszłam pieszo. W prognozie pogody zapowiadali, że będzie słonecznie, więc zdecydowałam, że włożę niebieską sukienkę, wiesz, tę, którą kupiłam w Ameryce... W każdym razie kiedy szłam, wpadłam na Susan i..."

Zaczyna zużywać nadmiar nie wypowiedzianych słów. On się zastanawia, dlaczego ona nie zamilknie i nie zostawi go w spokoju. Czuje, że za chwilę zostanie „zagadany na śmierć". „Proszę tylko o odrobinę ciszy i spokoju!" – wołają mężczyźni na całym świecie. On jest łowcą.

Cały dzień ścigał zwierzynę. Pragnie tylko pogapić się w ogień. Problem zaczyna się wtedy, kiedy ona czuje się lekceważona i ma pretensje.

Kiedy mężczyzna gapi się w ogień,
kobieta natychmiast czuje się niekochana.

Kobieta mówi dla samego mówienia. Natomiast mężczyzna traktuje jej nieprzerwany monolog o problemach jako wołanie o rozwiązania. Jego mózg podejmuje próbę analizy, więc ciągle jej przerywa.

Fiona: Poślizgnęłam się na chodniku i złamałam obcas w nowych pantoflach, a wtedy...

Mike: (przerywając) Chwileczkę, Fiono... nie powinnaś nosić wysokich obcasów w domu towarowym! Widziałem film na ten temat. To niebezpieczne. Masz nosić tenisówki, to o wiele bezpieczniejsze.

On myśli: *Problem rozwiązany!*

Ona myśli: *Dlaczego on nie umilknie i nie posłucha mnie przez chwilę? Mówi dalej...*

Fiona: Wtedy wróciłam do samochodu, z tylnego koła uszło powietrze...

Mike: (przerywając) Posłuchaj, musisz w warsztacie kazać sprawdzić ciśnienie we wszystkich oponach. W ten sposób nigdy ci się to nie zdarzy.

On myśli: *Oto następny problem, który dla niej rozwiązałem.*

Ona myśli: *Dlaczego on nie zamilknie i nie słucha?*

On myśli: *Dlaczego ona nie zamilknie i nie zostawi mnie w spokoju? Czy muszę za nią rozwiązywać wszystkie problemy? Czemu nie potrafi załatwić ich sama?*

Ona ignoruje jego wtrącanie się i mówi dalej.

Rozmawialiśmy z tysiącami kobiet na całym świecie i wszystkie podkreślały jedno:

*Kiedy pod koniec dnia kobieta wykorzystuje niezużyte
słowa, nie chce, aby jej przerywano i podsuwano
rozwiązania jej problemów.*

To dobra wiadomość dla mężczyzn. Nie oczekuje się od was reakcji, tylko słuchania. Kiedy kobieta skończy mówić, czuje ulgę i jest zadowolona. Poza tym uważa, że jesteś cudownym mężczyzną, skoro jej wysłuchałeś. Prawdopodobnie spędzisz fantastyczną noc.

„Mam nadzieję, że nie mówiłam za dużo".

Mówienie o codziennych problemach to sposób współczesnych kobiet na walkę ze stresem. Rozmowa umacnia więzi i służy do okazywania wsparcia. Właśnie dlatego najczęściej na psychoterapię chodzą kobiety. Zresztą większość psychoterapeutów to też kobiety przeszkolone w słuchaniu.

Dlaczego związki się rozpadają

74% pracujących kobiet i 98% niepracujących za największą wadę swych mężów i partnerów uważa niechęć do mówienia, zwłaszcza pod koniec dnia. Poprzednie pokolenia kobiet nigdy nie odczuwały tego problemu, ponieważ miały bardzo dużo dzieci i inne kobiety do rozmowy i wsparcia. Teraz matki, które zostają w domu, czują się izolowane i samotne, ponieważ ich sąsiadki w ciągu dnia na ogół są w pracy. Pracujące kobiety mają mniejsze kłopoty z milczącymi mężczyznami, ponieważ w ciągu dnia mogą z kimś porozmawiać. To niczyja wina. Jesteśmy pierwszym pokoleniem, które nie zna przykładów udanego związku do naśladowania. Nasi rodzice nie mieli tych problemów. Ale nie jest tak źle. Możemy się nauczyć nowych umiejętności, które pomogą nam przetrwać.

Jak mężczyźni mówią

Mężczyzna używa krótszych zdań o nieskomplikowanej budowie, charakteryzujących się prostym początkiem, wyraźnym sformułowaniem i wnioskiem. Łatwo zrozumieć, o co chodzi. Jeżeli w rozmowie z mężczyzną poruszysz kilka tematów jednocześnie, na pewno straci orientację. To kobiety powinny zrozumieć, że jeżeli chcą być przekonujące, muszą przedstawiać jedną wyraźną myśl lub pomysł naraz.

....

Pierwsza zasada rozmowy z mężczyzną: mów prosto.
Daj mu jedną myśl do rozważenia.

....

Jeżeli przedstawiasz jakiś plan grupie mężczyzn i kobiet i chcesz wszystkich przekonać, lepiej używaj męskiej struktury mowy. Obie płci zrozumieją męski sposób mówienia. Natomiast mężczyźni z trudem nadążają za wielowątkowymi rozmowami kobiet i wtedy tracą zainteresowanie.

Wiele wątków w rozmowie kobiet

Dzięki większemu przepływowi informacji między lewą a prawą półkulą oraz wydzielonym ośrodkom mowy kobiety potrafią mówić na kilka tematów jednocześnie, czasem używając pojedynczych zdań. Taka rozmowa przypomina żonglowanie trzema lub czterema piłkami naraz. Kobietom nie sprawia to trudności. Mało tego. Kobiety w grupie potrafią żonglować kilkoma tematami. Wszystkie to robią i żadna z nich się nie potknie.

Pod koniec spotkania każda z kobiet coś wie o omawianych tematach, wydarzeniach, które miały miejsce, oraz o znaczeniu każdego z nich. Ta wielotorowość kobiet wywołuje u mężczyzn frustrację, ponieważ ich jednotorowy mózg może sobie poradzić tylko z jednym tematem naraz. Kiedy grupa kobiet omawia jednocześnie wiele tematów i wątków, mężczyźni całkowicie się gubią i tracą orientację.

Kobieta może zacząć mówić o jednym temacie, w połowie zdania zmienić go na inny i nagle, bez żadnego ostrzeżenia, wrócić do pierwszego, dodając w ostatniej chwili jakiś nowy szczegół. Mężczyzn to zdumiewa i wprawia w zakłopotanie. Przytoczymy jako przykład pewną rozmowę rodziny Pease'ów.

Allan: Zaczekaj chwilę, kto i co powiedział komu w biurze?
Barbara: Nie mówiłam o biurze. Chodziło mi o mojego szwagra.
Allan: Twojego szwagra? Nie mówiłaś mi, że zmieniłaś temat.
Barbara: Powinieneś bardziej zwracać uwagę. Wszyscy zrozumieli.
Fiona: Tak, doskonale wiedziałam, o co jej chodziło. Dla mnie to jasne
(siostra) jak słońce.
Jasmine: Dla mnie też. Tato, jesteś taki niemądry. Nigdy niczego nie
(córka) rozumiesz.
Allan: Poddaję się.
Cameron: Ja też. Jestem tylko dzieckiem.
(syn)

....

Mężczyźni potrafią znaleźć drogę z A do B przez labirynt bocznych uliczek, ale kiedy zostawisz ich w środku grupy kobiet dyskutujących na kilka tematów jednocześnie, natychmiast się zgubią.

....

Ten rodzaj zdolności śledzenia wielu wątków jest wspólny wszystkim kobietom. Weźmy na przykład sekretarki. W tej pracy niezbędne jest wykonywanie kilku różnych zadań jednocześnie. Nie dziwi zatem, że w Wielkiej Brytanii z 716 148 sekretarek w 1998 roku 99,1% było kobietami. Mężczyzn na tym stanowisku było tylko 5913. Są tacy, którzy twierdzą, że jest to skutek przygotowywania dziewcząt do takich zawodów jeszcze w szkole. Nie biorą pod uwagę przewagi kobiet pod względem zdolności werbalnych, organizacyjnych i myślenia wielotorowego. Nawet w dziedzinach, w których hierarchia jest bardzo oddana polityce „Równych szans", tak jak w pracach komunalnych, psychoterapii i w systemie opieki społecznej, ze 144 266 osób zatrudnionych w tych dziedzinach w Wielkiej Brytanii w 1998 roku 43 816 to mężczyźni, a 100 450 kobiety. Kobiet jest najwięcej tam, gdzie są wymagane zdolności porozumiewania się i werbalna sprawność.

Co wykazują badania mózgu

Kiedy kobieta mówi, jednocześnie uruchamiają się ośrodki kontrolujące mowę w przedniej części lewej i prawej półkuli. W tym samym czasie włączają się funkcje słuchu. Ta niezwykła wielotorowość umożliwia kobiecie jednoczesne mówienie na kilka nie związanych ze sobą tematów i słuchanie. Mężczyzn ogarnia zgroza, kiedy po raz pierwszy spotkają się z tą zdolnością kobiet. Do tej pory im się wydawało, że kobiety są wyłącznie gadatliwe i głośne.

Kobiety potrafią jednocześnie mówić i słuchać, oskarżają mężczyzn, że nie słuchają i nic nie mówią.

Od tysięcy lat mężczyźni docinają kobietom, że za dużo mówią. Na wszystkich konferencjach można spotkać mężczyzn, mówiących: „Posłuchajcie! Te kobiety wszystkie gadają naraz. Bla, bla, bla, a żadna nie słucha!" Chińczycy, Niemcy i Norwegowie skarżą się na to samo co Afrykanie czy Eskimosi. Różnica polega na tym, że mężczyźni mówią po kolei. Już wiemy, że mężczyźni mogą albo mówić, albo słuchać. Nie potrafią tego robić jednocześnie.

Strategia prowadzenia rozmowy z mężczyzną

Mężczyźni na ogół przerywają sobie tylko wtedy, kiedy stają się agresywni lub rywalizują ze sobą. Jeżeli zamierzasz z nim się porozumieć, najlepiej mu nie przerywać. Kobiecie przychodzi to z dużym trudem. Dla niej mówienie jednoczesne oznacza budowanie więzi i dowodzi, że uważnie słucha. Czuje również potrzebę zwiększania liczby tematów rozmowy, ponieważ chce zrobić na nim wrażenie lub sprawić, że poczuje się ważny. Kiedy mu przerwie, on w rezultacie „ogłuchnie". Również go zezłości, ponieważ uważa takie postępowanie za niegrzeczne.

....

Mężczyźni mówią po kolei,
więc kiedy już na jednego z nich wypadnie, niech mówi.

....

„Przestań mi przerywać!" – krzyczą mężczyźni do kobiet na całym świecie i w każdym języku. Mężczyzna wypowiada kolejne zdania w kolejności prowadzącej do rozwiązania, musi więc wypowiedzieć je do końca. W przeciwnym razie cała rozmowa wyda mu się bezsensowna. Nie potrafi śledzić kilku wątków na różnych etapach rozmowy. Każdego, kto tak robi, uważa za niegrzecznego lub roztrzepanego. Dla kobiety to zupełnie nowa koncepcja. Kobieta wprowadza nowe wątki, bo to ma służyć budowaniu więzi i uczynić mężczyznę ważnym we własnych oczach. Można dodać obrazę do urazy! Mężczyźni przerywają 78% typowych rozmów damsko-męskich!

Dlaczego mężczyźni uwielbiają górnolotne słowa

Łowca nie miał w mózgu wyraźnie wyznaczonego ośrodka mowy. Dlatego potrzebował zdolności zawierania jak największej ilości informacji w jak najmniejszej liczbie słów. Dlatego w czołowej i tylnej części lewej półkuli jego mózgu powstały wydzielone rejony na słownictwo. U kobiet obszar odpowiedzialny za słownictwo znajduje się z przodu i z tyłu obu półkul. Skutkiem tego nie jest to najsilniejsza strona ko-

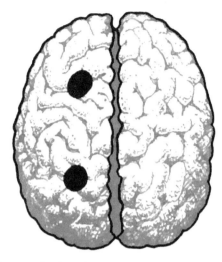

Położenie funkcji słownictwa w mózgu mężczyzny

biet. Dla kobiety znaczenie i definicja słowa nie są tak ważne jak intonacja głosu oraz mowa ciała, z której odczytuje treść emocjonalną przekazu.

Oto dlaczego znaczenie słów jest takie ważne dla mężczyzn. Wykorzystują definicje, aby zyskać przewagę nad innym mężczyzną lub kobietą. Używają języka w rywalizacji z innymi mężczyznami. W tej grze definiowanie odgrywa bardzo ważną rolę taktyczną. Jeżeli ktoś próbuje uzasadnić swoje argumenty, mówiąc, że „przedmówca nie przedstawia wyraźnie swojego zdania ani nie ujął sedna sprawy tak, aby każdy mógł zrozumieć, o co mu chodzi", inny mężczyzna może mu przerwać i zapytać: „Czyżby nie potrafił się wypowiedzieć?" Zrobił to tylko po to, aby uściślić przedstawiany punkt widzenia i „zdobyć przewagę" w rywalizacji. Oponent w dyskusji może nawet użyć słowa „wyrazić", podsumowując wypowiedź przedmówcy.

Kobiety używają słów jako nagrody

Kobiety, mówiąc, okazują, że uczestniczą w rozmowie i budują więź emocjonalną. Dla niej słowa są formą nagrody. Jeżeli kogoś lubi, wierzy we wszystko, co jej powie. Kiedy pragnie się zaprzyjaźnić, bardzo dużo mówi. Postępuje też przeciwnie. Jeżeli chce kogoś ukarać lub dać do zrozumienia, że nie jest mu przyjazna, wówczas nie będzie chciała rozmawiać. Mężczyźni takie sytuacje nazywają „cichymi dniami". Należy bardzo poważnie traktować groźbę ze strony kobiety: „Już nigdy się do ciebie nie odezwę".

....

Jeżeli kobieta dużo do ciebie mówi, oznacza to, że bardzo cię lubi. Ale jeśli w ogóle się nie odzywa, wpadłeś w tarapaty.

....

Przeciętny mężczyzna już po dziewięciu minutach się orientuje, że spotkała go kara. Dopóki nie minie dziewiąta minuta, mężczyzna traktuje milczenie kobiety jako premię. Nareszcie ma trochę „ciszy i spokoju". Na całym świecie mężczyźni narzekają, że kobiety mówią za dużo. Rzeczywiście, w porównaniu z mężczyznami mówią o wiele więcej.

Kobiety nie mówią wprost

Wszystko się zaczęło jako miła, spokojna, weekendowa przejażdżka piękną doliną kilka godzin drogi od domu... Szosa wiła się wokół wzgórza. John wyłączył radio, żeby lepiej się skoncentrować na prowadzeniu. Nie mógłby jednocześnie pokonywać zakrętów i słuchać muzyki.

– Johnie – odezwała się jego dziewczyna, Allison – napijesz się kawy?

John się uśmiechnął.

– Nie, dziękuję. Nie chce mi się pić – odpowiedział, myśląc, jak to miło z jej strony, że mu zaproponowała.

Chwilę później John zauważył, że Allison przestała mówić. Zaczął podejrzewać, że postąpił niewłaściwie.

– Wszystko w porządku, kochanie? – zapytał.

– W jak najlepszym – warknęła.

Zdezorientowany, dopytywał się dalej:

– O co ci więc chodzi?

Prychnęła szyderczo.

– Nie zatrzymałeś się.

Analityczny umysł Johna próbował sobie przypomnieć, kiedy użyła słowa „zatrzymać". Był pewien, że tego nie zrobiła, więc powiedział jej o tym. Odparła na to, że powinien być wrażliwszy. Kiedy spytała, czy nie napiłby się kawy, chodziło jej o to, że sama miała na nią ochotę.
– Mam czytać twoje myśli? – spytał z sarkazmem.

„Proszę, do rzeczy!" Oto jeszcze jedno polecenie wywarkiwane przez mężczyzn do wszystkich kobiet na świecie. Kobiety używają m o w y n i e w p r o s t, zatem tylko dają do zrozumienia, o co im chodzi, lub krążą wokół tematu. Mowa nie wprost, która jest specjalnością kobiet, służy określonym celom. Podtrzymywaniu więzi emocjonalnej, wzajemnemu porozumiewaniu się oraz unikaniu agresji, konfrontacji lub niezgody. Tak właśnie musi postępować obrończyni gniazda. Zachowuje harmonię.

Mowa nie wprost służy podtrzymywaniu więzi emocjonalnej i wzajemnemu porozumiewaniu się między kobietami. Często nie sprawdza się w kontaktach z mężczyznami. Oni nie rozumieją jej zasad.

Umysł kobiety jest ukierunkowany na działanie, a porozumiewanie się sprawia jej przyjemność. Mężczyzn niepokoi brak konstruktywności i celu rozmowy. Oskarżają kobiety, że nie wiedzą, o czym mówią. W interesach mowa nie wprost może mieć dla kobiet katastrofalne skutki. Mężczyźni nie nadążają za wielowątkową rozmową. Może więc się skończyć wycofaniem propozycji lub odrzuceniem prośby o podwyżkę. Mowa nie wprost doskonale się nadaje do budowania przyjaźni, ale na nic się nie zda, kiedy zderzą się samochody lub samoloty, ponieważ kierowca czy pilot nie był pewien, co tak naprawdę zostało powiedziane.

Zazwyczaj w mowie nie wprost stosuje się wiele określeń, jak: „w tym rodzaju", „tego typu", „trochę"... Wyobraźmy sobie, co by było, gdyby na początku drugiej wojny światowej brytyjski premier Winston Churchill użył mowy nie wprost, żeby nakłonić aliantów do walki z Hitlerem. Nie brzmiałoby to wtedy tak samo. „Będziemy walczyć z nimi na plażach, tak jakby... Będziemy z nimi walczyć trochę na polach... ale nigdy jakoś się nie poddamy". Mogliby nawet przegrać wojnę.

Jeśli kobieta w rozmowie z inną kobietą użyje mowy nie wprost, nigdy to nie doprowadzi do nieporozumień. Kobiety są na tyle wrażliwe, że uchwycą prawdziwe z n a c z e n i e. Natomiast w rozmowie z mężczyzną może to przynieść katastrofalne skutki. Mężczyźni mówią wprost i rozumieją słowa dosłownie. Dzięki pewnej praktyce i cierpliwości kobiety i mężczyźni mogą się nauczyć porozumiewać.

Mężczyźni mówią wprost

Zdania wypowiadane przez mężczyzn są krótkie i bezpośrednie. Ich celem jest podanie rozwiązania i wniosków. Zawierają bogate słownictwo i są pełne faktów. Mężczyźni używają takich określeń jak „żaden", „nigdy" i „absolutnie". Ten rodzaj mowy pomaga w szybkim i skutecznym dobijaniu targu podczas negocjacji handlowych. Służy też ustalaniu dominacji nad innymi. Mężczyźni, którzy używają mowy wprost w kontaktach towarzyskich, sprawiają wrażenie niegrzecznych i obcesowych.

Zastanów się nad następującymi zdaniami:
1. Idź i usmaż omlet na śniadanie.
2. Usmaż mi omlet na śniadanie, dobrze?
3. Mogłabyś usmażyć mi omlet na śniadanie?
4. Jak sądzisz, moglibyśmy zjeść na śniadanie omlet?
5. Czy nie byłoby miło zjeść omlet na śniadanie?
6. Masz ochotę na omlet na śniadanie?

Prośby o omlet są ustawione w kolejności od najbardziej bezpośredniej po całkowicie pośrednią. Mężczyźni najprawdopodobniej użyją trzech pierwszych zdań, natomiast kobiety trzech ostatnich. Wszyscy tę samą prośbę wyrażą w inny sposób. Czasem chęć na zjedzenie omletu może doprowadzić do wybuchu płaczu i krzyku: „Ty nierozumny gburze! Sam go sobie usmaż". A on na to odpowie: „Nie potrafisz podjąć decyzji. Idę do McDonald'sa".

Co można na to poradzić

Mężczyźni powinni zrozumieć, że mowa nie wprost u kobiet należy do ich „zaprogramowania", zatem nie może ich złościć. Jeśli mężczyźnie zależy na zbudowaniu więzi emocjonalnej z kobietą, najlepiej będzie, jeśli zacznie uważnie jej słuchać, wydawać „odgłosy słuchania" oraz stosować mowę ciała. Za chwilę do tego przejdziemy. Nie powinien natomiast podsuwać jej rozwiązań ani kwestionować motywów. Mężczyzna może skorzystać z doskonałej techniki i zapytać ją: „Chcesz, żebym cię wysłuchał jak mężczyzna czy też jak kobieta?" Jeżeli jej zależy, aby podczas rozmowy zachowywał się jak kobieta, niech tylko słucha i zachęca ją do mówienia. Natomiast jeśli ma „być" mężczyzną, może jej proponować rozwiązania.

....

Jeśli chcesz, żeby mężczyzna cię wysłuchał,
uprzedź go o tym i przedstaw mu plan rozmowy.

....

Jeżeli zależy ci na wywarciu jak największego wpływu na mężczyznę, powiedz mu, o czym chcesz z nim rozmawiać i kiedy. Na przykład: „Chciałabym pomówić z tobą o kłopotach, jakie sprawia mi mój szef w pracy. Czy możemy o tym pogadać o siódmej po kolacji?" Taka propozycja odpowiada logicznej budowie męskiego mózgu. Mężczyzna poczuje się dowartościowany i całą uwagę skoncentruje na problemie.

Natomiast zastosowanie mowy nie wprost może wywołać reakcję typu: „Nikt mnie nie docenia". To z kolei może doprowadzić do scysji, gdyż mężczyzna prawdopodobnie uzna, że go się o wszystko obwinia, a wtedy natychmiast przechodzi do obrony. Na Zachodzie mężczyźni używają mowy wprost w prowadzeniu interesów z mężczyznami. Na Wschodzie jej się nie stosuje. Na przykład w Japonii mowa nie wprost jest często wykorzystywana w negocjacjach handlowych, a ludzie, którzy rozmawiają otwarcie, są uważani za dziecinnych i naiwnych. Bezpośredni obcokrajowcy są traktowani jako osoby niedojrzałe.

Jak skłonić mężczyznę do działania

Kobieta, która zdobyła mistrzostwo w mowie nie wprost, zadaje pytania typu: „Możesz?" albo „Mógłbyś?" Na przykład: „Możesz wyrzucić śmieci?" „Mógłbyś zadzwonić do mnie wieczorem?", „Możesz odebrać dzieci ze szkoły?" Mężczyzna tłumaczy sobie jej pytania dosłownie. Zatem kiedy ona pyta: „Możesz wymienić żarówkę?", on słyszy: „Czy potrafisz wymienić żarówkę?" Pytania zaczynające się od „możesz?" lub „mógłbyś" traktuje jako sprawdzian jego umiejętności. Zatem logiczna odpowiedź na nie brzmi: „Tak". „Może" wyrzucić śmiecie albo „mógłby" wymienić żarówkę, ale te słowa nie zobowiązują go do działania. Ponadto tak pytani mężczyźni czują się manipulowani i zmuszani do dawania odpowiedzi twierdzącej. Aby nakłonić go do działania, należy zadać pytanie: „Zrobisz?" albo „Zrobiłbyś?" Na przykład pytanie: „Zadzwonisz do mnie dziś wieczorem?" wymaga deklaracji dotyczącej określonego dnia i pory. Zatem mężczyzna musi odpowiedzieć „tak" lub „nie". Lepiej będzie dla ciebie, jeśli otrzymasz odpowiedź twierdzącą na pytanie typu: „Czy zrobisz?" lub „Czy zrobiłbyś?", ponieważ będziesz wiedziała, co cię czeka. Mężczyzna, który prosi kobietę o rękę, pyta: „Wyjdziesz za mnie?" Nigdy nie sformułuje pytania: „Mogłabyś wyjść za mnie?"

Kobiety mówią pod wpływem emocji, mężczyźni są dosłowni

Słownictwo nie jest najmocniejszą stroną kobiet, mogą więc też uważać, że właściwie nie mają znaczenia dokładne definicje wyrażeń. Chętnie się posługują *licentia poetica* i nie unikają przesady dla uzyskania lepszego efektu. Natomiast mężczyźni rozumieją dosłownie każde wypowiedziane do nich słowo i odpowiednio do tego reagują.

Podczas kłótni mężczyzna, próbując wygrać z kobietą, sięga po definicje słów wymawianych przez kobietę.

Czy ta wymiana zdań nie wydaje wam się znajoma?

Robyn: N i g d y nie zgadzasz się z tym, co mówię.
John: Co to znaczy „nigdy"? Zgodziłem się przecież z dwiema ostatnimi kwestiami.

Robyn: N i g d y się ze mną nie zgadzasz. I z a w s z e chcesz mieć rację.

John: To nieprawda, że n i g d y się z tobą nie zgadzam. Zgodziłem się z tobą dziś rano i wczoraj wieczorem, a także w ubiegłą sobotę. Zatem nie możesz powiedzieć, że n i g d y się z tobą nie zgadzam.

Robyn: Mówisz to z a k a ż d y m razem, kiedy o tym wspominam.

John: To nieprawda! Nie mówię tego z a k a ż d y m razem.

Robyn: Dotykasz mnie t y l k o wtedy, kiedy chcesz uprawiać seks.

John: Przestań przesadzać! Nie t y l k o wtedy.

Ona do walki z nim używa emocji, on natomiast uściśla jej słowa. Kłótnia dochodzi do punktu, kiedy ona traci ochotę na dalszą rozmowę albo on wychodzi z domu, trzaskając drzwiami. Można się sprzeczać z powodzeniem. Mężczyzna powinien zrozumieć, że kobieta używa słów, których tak naprawdę nie mówi serio, zatem nie można traktować ich dosłownie. Oto przykład: „Gdybym usiadła obok kobiety ubranej w taką samą suknię, po prostu bym umarła. Nie ma nic gorszego". Ona tak naprawdę nie uważa, że „nie ma nic gorszego". Ani się nie spodziewa, że rzeczywiście umrze. Natomiast traktujący to dosłownie mężczyzna zareaguje: „Nie, nie umrzesz, są gorsze rzeczy od tego". Te słowa w uszach kobiety zabrzmią jak sarkazm! Z drugiej strony kobieta, która chce w kłótni pokonać mężczyznę, powinna podsuwać mu jedną myśl naraz. Nie należy poruszać zbyt wielu wątków, ponieważ nigdy nie osiągnie się wytyczonego celu.

Jak kobiety słuchają

Na ogół podczas dziesięciu sekund słuchania czyjejś wypowiedzi kobieta wykorzystuje sześć wyrazów twarzy do reagowania, a następnie do odwzajemniania emocji rozmówcy. Jej twarz będzie odzwierciedlała wyrażane uczucia. Osobie obserwującej z boku może się wydawać, że omawiane sytuacje wydarzyły się obu kobietom.

Kobieta odczyta znaczenie słów, biorąc pod uwagę intonację głosu i mowę ciała rozmówcy. Właśnie tak powinien postępować mężczyzna, jeśli chce utrzymać uwagę kobiety. Na ogół mężczyźni z niechęcią

Oto wyraz twarzy kobiety podczas dziesięciu sekund słuchania

Smutek Zaskoczenie Gniew   Radość   Strach Pragnienie

myślą o zmianie wyrazu twarzy podczas słuchania. To jednak bardzo się im opłaca, kiedy już poznają tę sztukę.

Mężczyźni słuchają jak posągi

Warunkiem przetrwania wojownika podczas słuchania było zachowanie kamiennego wyrazu twarzy po to, żeby nie zdradzić emocji...

Oto wyraz twarzy mężczyzny podczas dziesięciu sekund słuchania

Smutek Zaskoczenie Gniew   Radość   Strach Pragnienie

To bardzo niefrasobliwe spojrzenie na męskie techniki słuchania, ale dostrzeżenie ziarnka prawdy w żarcie może wszystko zmienić. Mężczyźni podczas rozmowy przybierają pozbawioną uczuć maskę. Dzięki temu odnoszą wrażenie, że panują nad sytuacją. To jednak wcale nie oznacza, że mężczyzna nie odczuwa żadnych emocji. Badania mózgu wykazują, że mężczyźni przeżywają emocje równie silnie jak kobiety, ale unikają ich okazywania.

Jak wykorzystać „pomruki"

Podczas słuchania kobiety używają dość szerokiego zakresu niskich i wysokich dźwięków (pięć tonów), w tym „och" i „ach". Powtarzają słowa lub całe zdania wypowiedziane przez rozmówcę. Wprowadzają do dyskusji zupełnie nowe tematy. Mężczyźni mają bardziej ograniczony zakres tonów (trzy). Z trudem rozszyfrowują znaczenie zmiany tonu i mówią bardziej monotonnym głosem. Jako dowód, że słuchają, wykorzystują „pomruki", czyli serię krótkich „hmm", dodając od czasu do czasu nieznaczne skinienie głowy. Kobiety krytykują ten sposób słuchania i to częściowo wyjaśnia oskarżenia wysuwane pod adresem mężczyzn, że „nigdy nie słuchają". On często słucha uważnie, choć w ogóle nie sprawia takiego wrażenia. Za to dla kobiet prowadzących interesy „pomruk" może się okazać bezcenny. Załóżmy, że jesteś kobietą i musisz wyjaśnić pewien pomysł lub przedstawić propozycję mężczyźnie czy grupie mężczyzn. Kiedy przyjdzie pora na zabranie głosu przez mężczyznę, pamiętaj, nie staraj się odwzajemniać jego uczuć tak, jakbyś postępowała w rozmowie z kobietą. Powinnaś siedzieć z obojętnym wyrazem twarzy, potakiwać, pomrukiwać i nie przerywać.

Stwierdziliśmy, że kobiety, które stosują tę technikę, zyskują u mężczyzn wiele punktów na skali wiarygodności. Natomiast kobiety odwzajemniające emocje mężczyzn (lub to, co im się wydaje męskimi emocjami) zajmują wyjątkowo niskie miejsca na skali wiarygodności i autorytetu. Często są opisywane przez mężczyzn jako „nieprzytomne" lub „roztrzepane".

Jak nakłonić mężczyznę do słuchania

Znajdź odpowiedni moment, podsuń mu plan rozmowy, określ limit czasu i uprzedź go, że nie chcesz rozwiązań ani propozycji działania. Powiedz mu: „Allan, chciałabym pomówić z tobą o moim dniu. Czy po kolacji ci odpowiada? Nie szukam rozwiązań problemu, proszę tylko, żebyś mnie wysłuchał". Większość mężczyzn zgodzi się na taką propozycję, ponieważ ustalono czas, miejsce i cel, a to odpowiada męskiemu mózgowi. Poza tym nie oczekuje się od niego wykonania jakiejś pracy.

Głos małej dziewczynki

Kobiety nie muszą kończyć studiów z biologii ewolucyjnej, aby znać siłę wysokiego, śpiewnego głosu. Wysoki głos świadczy o wysokim poziomie estrogenów, a jego podobieństwo do mowy dziecka działa na wrodzoną u większości mężczyzn potrzebę chronienia słabszych. Kobiety wolą u mężczyzn niskie, basowe głosy. Bas wyraźnie wskazuje na wysoki poziom testosteronu, oznaczającego większą męskość. Głos się obniża u dorastających chłopców, wtedy kiedy gwałtownie rośnie poziom testosteronu. Kiedy kobieta zaczyna mówić wysokim głosem, a mężczyzna niższym, jest to wyraźny sygnał, że mają się ku sobie. Nie proponujemy, żeby mężczyźni i kobiety tak się zachowywali w swojej obecności. Wyjaśniamy jedynie, że tak się właśnie dzieje.

......

Przyszło ci kiedyś do głowy, że ktoś jest tobą zainteresowany? Wsłuchaj się w ton jego głosu.

......

Należy dodać, iż badania wykazują, że prowadzące interesy kobiety o niższych głosach są uważane za bardziej inteligentne, godne zaufania i obdarzone autorytetem. Można się nauczyć mówienia niższym głosem. Wystarczy opuścić podbródek i wypowiadać słowa wolniej, bardziej monotonnie.

Czasem kobiety, podejmując próbę zdobycia autorytetu, podnoszą głos, co wywołuje wrażenie, że są agresywne. Stwierdzono, że kobiety z nadwagą używają głosu małej dziewczynki, jakby dla zrównoważenia „dużego ciała". Inne robią to po to, aby wywołać u mężczyzn uczucia opiekuńcze.

Rozdział 5

WYOBRAŹNIA PRZESTRZENNA, MAPY, CELE I PARKOWANIE RÓWNOLEGŁE

Och, nie! Nie mogę w to uwierzyć, dziewczęta... Spójrzcie na mapę!
Sądzę, że powinnyśmy skręcić w prawo na tę wielką, zieloną górę...

Jak mapa prawie doprowadziła do rozwodu

Ray i Ruth jechali na przedstawienie. Ray zajął miejsce za kierownicą, a Ruth siedziała obok. Ray zawsze prowadził. Nigdy nie rozmawiali o tym, że to on zawsze prowadzi. Po prostu tak było. Jak większość mężczyzn, za kierownicą stawał się innym człowiekiem.

Ray poprosił Ruth, żeby znalazła ulicę na planie miasta. Otworzyła plan na odpowiedniej stronie i odwróciła do góry nogami. Po chwili odwróciła do właściwej pozycji i raz jeszcze przekręciła. Potem w milczeniu wpatrywała się w plan. Orientowała się, co jest na mapie, kiedy jednak przyszło z niej skorzystać i ustalić kierunek jazdy, nagle wydała jej się niezrozumiała. Przypomniała sobie lekcje geografii w szkole. Te wszystkie różowe i zielone kształty niewiele miały wspólnego ze światem, w którym żyła. Czasem dawała sobie radę, kiedy jechali na północ. Natomiast wyprawy na południe zawsze kończyły się niepowodzeniem. A teraz właśnie jechali na południe. Raz jeszcze obróciła plan. Po dłuższej chwili Ray się zdenerwował.

– Przestań kręcić tą mapą – warknął.

– Muszę ją ustawić zgodnie z kierunkiem jazdy – wyjaśniła nieśmiało Ruth.

– Trzymając ją do góry nogami, trudno ci będzie coś z niej odczytać! – burknął.

– Sam popatrz, przecież to logiczne. Wystarczy, że położę ją w kierunku, w którym musimy jechać, i będę mogła sprawdzać nazwy mijanych ulic – powiedziała, z urazą podnosząc głos.

– Oczywiście, ale gdybyśmy mieli odczytywać mapy do góry nogami, wówczas tak by je drukowali. Przestań się wygłupiać i powiedz mi, dokąd mam jechać.

– No jasne. Powiem ci, dokąd jechać! – krzyknęła Ruth z furią. Rzuciła w niego planem i wrzasnęła: – Sam sobie popatrz! Czy ta kłótnia coś wam przypomina? To jedna z najczęściej wybuchających sprzeczek między kobietami a mężczyznami wszystkich ras. Zaczęły się jeszcze przed tysiącami lat. W XI wieku lady Godiva jako pierwsza, jadąc nago wierzchem, skierowała swego konia w niewłaściwą ulicę Coventry. Julia zabłądziła, wracając do domu z miłosnej schadzki z Romeem. Kleopatra zagroziła Markowi Antoniuszowi kastracją za to, że zmuszał ją do zrozumienia jego map bitew... A Zła Czarownica Zachodu często kierowała się na południe, północ lub wschód.

Myślenie seksistowskie

Umiejętność czytania map i określania położenia zależą od wyobraźni przestrzennej. Badania wykazały, że obszar odpowiedzialny za wyobraźnię przestrzenną znajduje się u mężczyzn w prawej, przedniej części mózgu i jest to jedna z najlepiej wykształconych męskich umiejętności. Jej rozwój zaczął się przed tysiącami lat. Umożliwiała mężczyznom-łowcom obliczanie prędkości ruchu i odległości dzielącej ich od uciekającego łupu. Dzięki niej mogli ocenić, jak szybko muszą biec, aby dogonić zdobycz, oraz jakiej siły muszą użyć, aby zabić ją kamieniem czy włócznią.

U kobiet obszary odpowiedzialne za wyobraźnię przestrzenną znajdują się w obu półkulach mózgowych i nie są wyraźnie zaznaczone. Jedynie 10% kobiet ma dobrą lub doskonałą wyobraźnię przestrzenną.

Około 90% kobiet ma ograniczoną wyobraźnię przestrzenną.

Niektórym poniższe stwierdzenia mogą się wydać seksistowskie, ponieważ będziemy omawiać mocne strony i zdolności, w których najlepsi są mężczyźni. Podamy też zajęcia i zawody, do których są predysponowani. Później jednakże wskażemy obszary, gdzie górą są kobiety.

Ścigający obiad w akcji

Wyobraźnia przestrzenna to inaczej umiejętność wyobrażenia sobie kształtu przedmiotów, ich wymiarów, współrzędnych, proporcji, ruchu w przestrzeni oraz położenia. Ponadto ustalenie kierunku wokół przeszkody i oglądanie przedmiotów z trójwymiarowej perspektywy. Ta umiejętność była bardzo przydatna do obliczania szybkości ruchu zdobyczy i ustalania sposobu trafienia do niej. Profesor psychologii z uniwersytetu stanu Iowa dr Camilla Benbow przebadała mózgi ponad miliona chłopców i dziewcząt w celu ustalenia ich umiejętności postrzegania przestrzennego. Stwierdziła, że już w wieku 4 lat różnice między płciami są uderzające. Dziewczynki doskonale potrafią sobie wyobrazić przedmiot w dwóch wymiarach. Natomiast chłopcy „widzą" trzeci wymiar – głębokość. Podczas testów trójwymiarowego filmu wideo chłopcy pokonywali dziewczęta w stosunku 4:1.

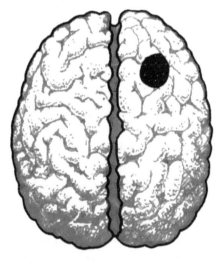

Umiejscowienie obszaru wizualno-przestrzennego u mężczyzn

Najlepsze dziewczęta często były deklasowane przez chłopców, którym najgorzej poszło w testach. U mężczyzn wyobraźnia przestrzenna ma swoje ośrodki co najmniej w czterech miejscach w części czołowej prawej półkuli. Natomiast kobiety na ogół nie mają wydzielonego obszaru odpowiedzialnego za wyobraźnię przestrzenną. Oznacza to, że osiągają słabsze wyniki podczas wykonywania zadań wymagających jej zastosowania. Nie sprawiają im przyjemności zajęcia, w których jest potrzebna. Mężczyźni mają w mózgu wydzielony obszar odpowiedzialny za postrzeganie przestrzenne. Dlatego sprawdzają się we wszystkich działaniach wymagających tych umiejętności i chętnie uprawiają zawody i sporty z nimi związane. Ten sam ośrodek służy do rozwiązywania problemów. Natomiast umiejętność postrzegania przestrzennego nigdy nie była mocną stroną kobiet, ponieważ ani pogoń za łupem, ani odnajdywanie drogi do domu nie należały do ich obowiązków. Dlatego dziś mają takie kłopoty z odczytywaniem map.

....

Kobiety nie mają zbyt wielkiej wyobraźni przestrzennej, ponieważ w procesie ewolucji ścigały wyłącznie mężczyzn.

....

Przeprowadzono tysiące badań i testów, które potwierdziły wyższość mężczyzn w postrzeganiu przestrzennym. Nikogo nie powinno to dziwić, jeżeli weźmie pod uwagę ewolucję mężczyzny jako łowcy. Współczesny mężczyzna nie musi polować, więc wykorzystuje te zdolności w innych dziedzinach, jak golf, gry komputerowe, piłka nożna lub czynności wymagające pogoni za czymś lub trafienia do celu. Większość kobiet uważa rzucanie strzałkami do tarczy za wyjątkowo nudne zajęcie. Gdyby natomiast miały określony obszar w prawej półkuli potrzebny do tej gry, wówczas nie tylko sprawiałaby im przyjemność, ale również by w nią wygrywały. Mężczyźni wręcz obsesyjnie uwielbiają oglądać innych mężczyzn trafiających piłką do celu, dlatego najlepiej na świecie zarabiają golfiści, piłkarze, koszykarze i futboliści. Aby zdobyć szacunek otoczenia, nie trzeba już ukończyć studiów wyższych. Wystarczy być dobrym w szacowaniu szybkości, odległości, kątów i kierunków.

Dlaczego mężczyźni wiedzą, dokąd iść

Wyobraźnia przestrzenna umożliwia mężczyźnie obracanie mapą i ustalenie kierunku. Jeżeli później ma wrócić w to samo miejsce, już nie potrzebuje mapy, ponieważ obszar mózgu odpowiedzialny za postrzeganie przestrzenne przechowuje informacje. Potrafi czytać mapę i patrząc w kierunku północnym, zorientować się, że powinien pójść na południe. Sprawdzi kierunek na mapie, a potem właściwie wybiera drogę, idąc na pamięć. Badania wykazały, że mózg mężczyzny mierzy szybkość i odległość, aby się zorientować, kiedy zmienić kierunek. Mężczyzna, który się znajdzie w nieznanym pokoju bez okien, na ogół potrafi wskazać północ. Kiedyś po polowaniu musiał znaleźć drogę do domu. Gdyby zabłądził, miałby niewielkie szanse na przetrwanie.

....

Mężczyźni na ogół potrafią wskazać północ,
nawet jeśli nie mają pojęcia, gdzie się znajdują.

....

Wystarczy usiąść na stadionie sportowym. Można wtedy zobaczyć na własne oczy, jak mężczyźni wstają, żeby kupić sobie coś do picia i zawsze bez trudu odnajdują drogę powrotną na miejsce. Za to w każdym mieście świata widzi się turystki stojące na skrzyżowaniu i gorączkowo obracające mapy do góry nogami. Podobnie w wielopiętrowym garażu centrum handlowego można ujrzeć zdesperowane panie z zakupami wędrujące w poszukiwaniu własnego samochodu.

Dlaczego chłopcy przesiadują w salonach gier wideo

We wszystkich salonach gier wideo na świecie pełno jest małych chłopców. Tam wykorzystują swoją wyobraźnię przestrzenną. W większości testów sprawdzających umiejętności postrzegania przestrzennego badany musi zmontować trójwymiarowy mechaniczny przyrząd. Badania przeprowadzone w Uniwersytecie Yale wykazały, że zaledwie 22% kobiet potrafi wykonać to zadanie równie dobrze jak mężczyźni. Stwierdzono również, że gdy 68% mężczyzn zaprogramuje magnetowid lub podobne urządzenie na podstawie pisemnej instrukcji już przy pierwszej próbie, to zrobi to jedynie 16% kobiet. Chłopcy osiągali doskonałe wyniki nawet przy zakrytym prawym oku. Wówczas informacje docierały tylko do prawej półkuli, w której znajduje się obszar odpowiedzialny za wyobraźnię przestrzenną.

U dziewcząt nie miało znaczenia, którego oka używały przy wykonywaniu zadania, ponieważ ich mózg próbował rozwiązać problem, używając obu półkul mózgowych. Oto dlaczego kobiety niezwykle rzadko wybierają zawód mechanika samochodowego, inżyniera lub pilota samolotów pasażerskich.

Dr Camilla Benbow wraz z kolegą, dr. Julianem Stanleyem, przebadała grupę uzdolnionych dzieci. Stwierdziła, że chłopców bardziej uzdolnionych matematycznie było więcej niż dziewcząt w stosunku 13:1. Chłopcy zbudują z klocków konstrukcję na podstawie dwuwymiarowych planów szybciej i z mniejszym trudem niż dziewczęta. Dokładnie oszacują kąty i stwierdzą, czy powierzchnia jest równa. Dawne umiejętności łowcy sprawiają, że mężczyźni dominują w takich dziedzinach jak architektura, chemia, budownictwo i statystyka. Osiągają lepsze wyniki w testach koordynacji oka z ręką i dzięki temu tak dobrze sobie radzą w grach z piłką. To też tłumaczy męską obsesję na tle krykieta, piłki nożnej, siatkówki, koszykówki oraz wszelkich sportów, w których potrzebne są ocena współrzędnych położenia, rzuty, bieg lub trafianie do celu. Oto dlaczego na całym świecie w klubach sportowych, salonach gier wideo i na lodowiskach jest pełno chłopców, a tak niewiele tam dziewcząt. Dziewczęta przychodzą, żeby zrobić wrażenie na chłopcach. I szybko też zauważają, że chłopców bardziej interesuje gra niż ich obecność.

Mózg chłopca rozwija się inaczej

Rodzice synów i córek dość szybko się orientują, że między dziećmi występuje różnica w szybkości rozwoju. U chłopców prawa półkula rośnie o wiele szybciej niż lewa. Powstaje w niej dużo więcej połączeń, ale nie tak wiele z lewą półkulą. U dziewcząt obie półkule rozwijają się bardziej równomiernie, dzięki czemu zakres ich zdolności jest dużo szerszy. Ponadto powstaje więcej połączeń między lewą a prawą półkulą za pośrednictwem grubszego niż u chłopców ciała modzelowatego. Dlatego obserwuje się więcej dziewcząt oburęcznych, ale także więcej kobiet ma problemy z rozróżnianiem lewej i prawej ręki.

To hormon męski – testosteron – hamuje rozwój lewej półkuli mózgu. Jest to jakby wymiana za większą prawą półkulę, dającą większą wyobraźnię przestrzenną potrzebną do polowania. Badania przeprowadzone na dzieciach w wieku od 5 do 18 roku życia dowodzą, że chłopcy bez wyjątku przewyższają dziewczęta w umiejętności kierowania wiązką światła tak, by trafić w cel; w odtwarzaniu wzoru krokami na podłodze; składaniu najróżniejszych trójwymiarowych przedmiotów oraz w rozwiązywaniu zadań wymagających rozumowania matematycznego. Obszary odpowiedzialne za wszystkie te zdolności znajdują się w prawej półkuli co najmniej u 80% mężczyzn.

Diana i jej meble

Tragarze wynosili z ciężarówki meble, które miały stanąć w nowym domu, a Diana gorączkowo biegała z miarką. Chciała sprawdzić, czy się zmieszczą w wyznaczonym miejscu. Kiedy mierzyła kredens do jadalni, jej czternastoletni syn Cliff powiedział: „Daj spokój, mamo. Na pewno się nie zmieści tam, gdzie chcesz go postawić. Jest za duży". Wtedy Diana zmierzyła wolną przestrzeń i okazało się, że Cliff ma rację. Nie potrafiła pojąć, że wystarczyło mu tylko spojrzenie na kredens i od razu wiedział, czy kredens się zmieści.

Sprawdzian wyobraźni przestrzennej

Amerykański uczony dr D. Wechsler opracował serię testów określających iloraz inteligencji, które jednocześnie eliminowały uprzywilejowanie płci w części dotyczącej wyobraźni przestrzennej. Badając członków społeczeństw, od kultur prymitywnych po wykształconych mieszkańców dużych miast całego świata, doszedł do wniosku, że kobiety mają przewagę nad mężczyznami w inteligencji ogólnej. Są na ogół około 3% bardziej inteligentne od mężczyzn, mimo iż mają nieco mniejsze mózgi. Kiedy natomiast przychodzi do rozwiązywania zagadek labiryntów, mężczyźni okazują się znacznie lepsi od kobiet. Zdobywają 92% najlepszych wyników przy 8% kobiet i to bez względu na kulturę. Krytycy tej metody mogą stwierdzić, że kobiety są zbyt inteligentne, żeby bawić się w rozwiązywanie głupich zagadek, ale to naprawdę dowodzi istnienia u mężczyzn ogromnych zdolności postrzegania przestrzennego.

Podany dalej test opracowano na uniwersytecie w Plymouth. Stosuje się go podczas badania predyspozycji zawodowych pilotów, nawigatorów i kontrolerów ruchu powietrznego. Umożliwia sprawdzenie zdolności przyjmowania dwuwymiarowej informacji i na jej podstawie budowania w wyobraźni modelu trójwymiarowego.

Wyobraźmy sobie, że rysunek z testu nr 1 jest umieszczony na kartonie. Zadanie polega na złożeniu kartonu wzdłuż linii, tak aby powstał sześcian z symbolami na zewnętrznych ścianach. Zakładając, że ściana z krzyżem jest z prawej strony, a ściana z kołem z lewej, które z rozwiązań jest prawidłowe: A, B, C czy D?

Wykonaj test.

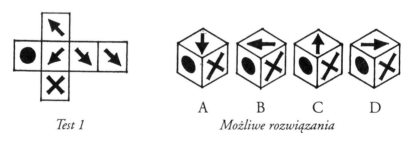

Test 1   *Możliwe rozwiązania*

Podczas tego badania mózg powinien stworzyć trójwymiarowy obraz, a następnie obrócić go, aby uzyskać prawidłowy kąt. Te same umiejętności są konieczne do czytania mapy, wylądowania samolotem lub do upolowania bizona.

Prawidłowe jest rozwiązanie A. Teraz przedstawimy o wiele bardziej złożony wariant testu, wymagający od mózgu wykonania kilku obrotów w przestrzeni.

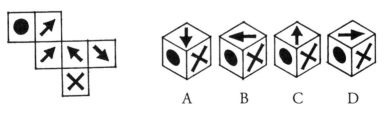

Test 2   *Możliwe rozwiązania*

Badania przeprowadzone przez zoologów dowodzą, że samce ssaków lepiej sobie radzą w sytuacjach wymagających zdolności postrzegania przestrzennego. Samce szczurów szybciej niż samice znajdują drogę przez labirynt, a samce słoni – wodopój. (Przy okazji prawidłowe rozwiązanie testu to C.)

Jak kobiety mogą odnajdywać kierunek

Wiele kobiet narzeka, że gdyby mężczyźni inaczej zaprojektowali mapy, nie musiałyby ich przekręcać do góry nogami. Natomiast Brytyjskie Towarzystwo Kartograficzne potwierdza, że 50% jego członków to kobiety. Ponadto w zespołach projektujących i opracowujących mapy także 50% to kobiety. „Projektowanie map jest zadaniem wykonywanym w dwóch wymiarach. Kobiety potrafią tę pracę wykonać równie dobrze jak mężczyźni – stwierdził wybitny brytyjski kartograf Alan Collinson. – Kobiety z trudem czytają mapy i odnajdują według nich kierunek, ponieważ aby ustalić drogę, potrzebują perspektywy trójwymiarowej. Dlatego projektuję mapy turystyczne, które mają właśnie taką, trójwymiarową perspektywę. Umieszczam na niej drzewa, szczyty oraz inne punkty orientacyjne. Dzięki temu kobiety o wiele lepiej sobie radzą. Nasze badania wykazują, że mężczyźni potrafią przeobrazić dwuwymiarową mapę w trójwymiarowy obraz, natomiast wygląda na to, że większość kobiet nie jest do tego zdolna".

....

Kobiety dzięki korzystaniu z map o trójwymiarowej perspektywie zdecydowanie poprawiają umiejętności postrzegania przestrzennego.

....

Ponadto odkryto, że mężczyźni uzyskują o wiele lepsze wyniki w odnajdywaniu kierunku, kiedy przywódca grupy podaje im głośno wskazówki w każdym punkcie danej trasy. Natomiast kobiety przeciwnie. Kiedy słyszą instrukcje werbalne, ponoszą sromotną klęskę. To dowód na to, że mężczyźni potrafią przekształcić w wyobraźni sygnały dźwiękowe w trójwymiarową mapę i dzięki temu „widzą" prawidłowy kierunek oraz trasę do pokonania. Tymczasem kobiety osiągają o wiele lepsze rezultaty z mapą o trójwymiarowej perspektywie.

A jeśli nie potrafisz znaleźć północy?

Australijska żeglarka Kay Cottee była pierwszą kobietą, która samotnie opłynęła świat bez zawijania do portu. Chyba wiedziała, dokąd zmierza, prawda?

Niedawno na konferencji prasowej przyznała się, że ma trudności z odczytaniem planu miasta. Zdumieni, zapytaliśmy: „Jak więc sobie dałaś radę, płynąc dookoła świata?" „To nawigacja – odparła Kay. – Programujesz komputer, a ten cię prowadzi we właściwym kierunku. Wypływając w morze, nie mówię do siebie: «Rany, chyba powinnam skręcić w lewo». Czytanie planu miasta to kwestia intuicji. Musisz «wyczuć», którędy pojechać. W obcym mieście zawsze jeżdżę taksówkami. Próbowałam wynajmować samochód, ale zawsze kończyło się na tym, że jechałam w złym kierunku".

Aż trudno w to uwierzyć, że Kay Cottee mogłaby się zgubić podczas próby opłynięcia globu. Stanowi jednak doskonały przykład, jak dzięki determinacji, planowaniu i odwadze można okrążyć świat, nawet jeśli nie umie się posługiwać planem miasta. Wystarczy znaleźć właściwych ludzi i zorganizować sprzęt do wykonania zadania.

Latająca mapa

My (autorzy) podróżujemy po świecie przez dziewięć miesięcy w roku. Organizujemy seminaria i wykłady. Większą część czasu spędzamy w wynajętych samochodach. Zazwyczaj prowadzi Allan, ponieważ jego wyobraźnia przestrzenna jest lepsza niż Barbary. To oznacza, że Barbarze pozostaje obowiązek ustalania kierunku. Barbara nie ma prawie żadnych zdolności nawigacyjnych, dlatego od wielu lat kłóci się z Allanem o drogę w podróżach dookoła świata – z miasta do miasta, z kraju do kraju. Barbara wielokrotnie rzucała w Allana planami miast i mapami we wszystkich językach. Przy wielu okazjach uciekała od niego i od jego map. Wsiadała do autobusów i pociągów z okrzykiem: „Sam sobie poszukaj!"

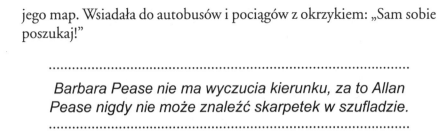

Barbara Pease nie ma wyczucia kierunku, za to Allan Pease nigdy nie może znaleźć skarpetek w szufladzie.

Na szczęście badania wyobraźni przestrzennej zwróciły ich uwagę na problemy pojawiające się, kiedy jedno z partnerów ma niewielkie zdolności tego typu, a drugie tego nie rozumie. Dzisiaj Allan przegląda mapy przed wyruszeniem w drogę, a Barbara wskazuje mu co ciekawsze widoki, których Allan zazwyczaj nie zauważa. Nadal są szczęśliwym małżeństwem i ulatujące przez okno mapy już nie grożą kierowcom przejeżdżającym w pobliżu ich samochodu.

Mapa do góry nogami

W 1998 roku w Wielkiej Brytanii John i Ashley Simsowie zaprojektowali „dwukierunkową" mapę. Zawiera ona mapę konwencjonalną z północą na górze oraz drugą „do góry nogami" z południem u góry. Zamieścili ogłoszenie w brytyjskim ogólnokrajowym magazynie sobotnio-niedzielnym i zaoferowali mapę za darmo stu pierwszym osobom, które do nich napiszą. Otrzymali zgłoszenia od ponad 15 000 kobiet i od garstki mężczyzn. Simsowie powiedzieli nam, iż mężczyźni nie widzieli sensu w używaniu mapy „do góry nogami" lub sądzili, że to żart. Natomiast na kobietach taka mapa robiła wrażenie, ponieważ eliminowała konieczność obracania nią w wyobraźni.

W samochodach BMW po raz pierwszy zamontowano GPS, czyli Globalny System Pozycjonowania. Jest to optyczny sprzęt służący do nawigacji, umożliwiający obracanie obrazu do góry nogami, tak aby odpowiadał kierunkowi jazdy. Jak było do przewidzenia, model z GPS-em cieszył się powodzeniem u kobiet.

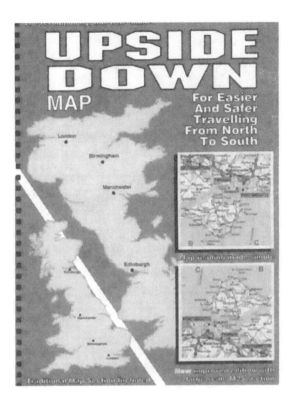

Ostatni test

Wykonaj test opracowany przez agencję pośrednictwa pracy Saville i Holdsworth z Wielkiej Brytanii. Służy do oceniania wyobraźni przestrzennej kandydatów do pracy, na przykład kontrolera ruchu powietrznego. Jeżeli nie wykonasz testu w trzy minuty, odpadasz. Jest o wiele trudniejszy od dwóch poprzednich testów. Jeżeli jesteś mężczyzną, ta próba powinna rozgrzać płat czołowy twojej prawej półkuli.

Masz przed sobą wzór. Gdyby został wycięty z kartonu i sklejony, powstałoby trójwymiarowe pudło. Musisz zdecydować, które z czterech pudeł w każdym zestawie jest zgodne ze wzorem, i zakreślić prawidłową odpowiedź. Jeżeli uważasz, że z danego wzoru nie da się skleić żadnego z pokazanych pudeł, w ogóle nie zakreślaj odpowiedzi.

Poniżej trzech minut rozwiązują ten test mężczyźni i to najczęściej ci, którzy na co dzień mają do czynienia z trzema wymiarami, na przykład architekci i matematycy. Ten test wyjaśnia, dlaczego 94% kontrolerów ruchu powietrznego to mężczyźni. Kobiety uważają podobne testy za stratę czasu. Co prawda spotkaliśmy kobietę, która rozwiązała prawidłowo test w 9 sekund. Pracuje jako rachmistrz ubezpieczeniowy.

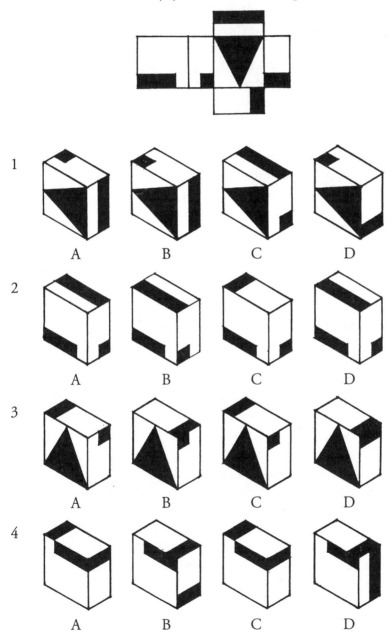

(Prawidłowe odpowiedzi to 1 b, 2d, 3c, żadne z pudełek nie odpowiada wzorowi).

Jak unikać kłótni

Mężczyźni uwielbiają szybką jazdę krętymi drogami. Wtedy mogą się bawić swoją wyobraźnią przestrzenną: zmiana biegów, sprzęgło, dodanie gazu, hamowanie, dopasowywanie prędkości do zakrętów, kątów i odległości.

Współczesny kierowca wsiada do samochodu, wręcza żonie atlas i prosi ją, aby podawała mu kierunek. Żona ma ograniczoną wyobraźnię przestrzenną, więc milknie, zaczyna obracać mapę na wszystkie strony i wreszcie czuje się niemądra. Mężczyźni nie rozumieją, że jeśli nie masz określonego obszaru odpowiedzialnego za obracanie mapy, musisz obracać ją w rękach. Kobieta uważa za uzasadnione ułożenie atlasu zgodnie z kierunkiem jazdy. Jeżeli mężczyzna pragnie uniknąć kłótni, powinien zrezygnować z proszenia kobiety o pomoc podczas jazdy.

....

Jeżeli chcesz wieść szczęśliwe życie, nigdy nie nalegaj, aby kobieta czytała mapę lub plan miasta.

....

U kobiet funkcjonowanie mowy zakłóca uruchomienie obszarów odpowiedzialnych za postrzeganie przestrzenne, znajdujących się w obu półkulach mózgu. Dlatego kobieta milknie, kiedy dostanie do rąk plan miasta. Dajcie mapę mężczyźnie, a będzie mówił dalej. Przedtem ściszy radio, ponieważ nie może jednocześnie słuchać i czytać map. Oto powód, dla którego kiedy zadzwoni telefon, zanim podniesie słuchawkę, żąda, aby wszyscy umilkli.

Kobiety rozwiązują zadania matematyczne głównie w lewej półkuli mózgu. Dlatego robią to wolniej i często się zdarza, że liczą na głos. Mężczyźni na całym świecie krzyczą wtedy: „Nie mogłabyś liczyć po cichu? Nie mogę się skupić!", szczególnie gdy właśnie czytają gazetę.

Jak się kłócić podczas jazdy samochodem

Mąż, który podjął się uczenia żony prowadzenia samochodu, zmierza prosto do rozprawy rozwodowej. Mężczyźni na całym świecie wydają kobietom te same polecenia: „Skręć w lewo. Zwolnij! Zmień bieg! Uważaj na pieszych! Skup się! Przestań płakać". Dla mężczyzny prowadzenie samochodu jest sprawdzianem jego wyobraźni przestrzennej działającej w zmieniającym się otoczeniu. Dla kobiety prowadzenie samochodu służy bezpiecznemu dotarciu z punktu A do punktu B. Mąż pasażer może zrobić tylko jedno – zamknąć oczy, włączyć radio i przestać wygłaszać uwagi, ponieważ w gruncie rzeczy kobiety są lepszymi kierowcami od mężczyzn. Ona dowiezie go na miejsce, chociaż może to trwać nieco dłużej. Tylko tyle. Może się odprężyć, bo na pewno dotrze żywy.

Kobieta będzie krytykować mężczyznę prowadzącego samochód, ponieważ jemu wyobraźnia przestrzenna pozwala na podejmowanie decyzji, które ona uważa za ryzykowne. Zakładając, że on nie zamierza zbierać punktów za nieprawidłową jazdę, ona również powinna się odprężyć, przestać go krytykować i pozwolić mu spokojnie prowadzić. Kiedy na przednią szybę spadnie pierwsza kropla deszczu, kobieta natychmiast włącza wycieraczki. Mężczyźni nie potrafią tego zrozumieć. Mózg mężczyzny czeka do chwili, aż na szybie znajdzie się określona ilość wody w stosunku do szybkości pracy wycieraczek. Po upływie odpowiedniego czasu kierowca włączy wycieraczki. Innymi słowy wykorzystuje wyobraźnię przestrzenną.

Jak sprzedawać coś kobiecie

Nigdy nie podawaj kobiecie wskazówek typu: „Jedź na północ" albo „Jedź na zachód pięć kilometrów", gdyż to wymaga od niej umiejętności posługiwania się kompasem. Zamiast tego wymieniaj punkty orientacyjne. Na przykład: „Przejedź obok McDonald'sa i kieruj się na budynek z neonem Bank Państwowy na dachu". Widzenie obwodowe umożliwia kobiecie spostrzeżenie tych punktów orientacyjnych. Budowniczy i architekci na całym świecie tracą miliony dolarów, ponieważ przedstawiają kobietom podejmującym decyzje dwuwymiarowe plany i projekty. Mózg mężczyzny potrafi dodać takiemu obrazowi trzeci wymiar. Dzięki temu zobaczy, jak będzie wyglądał gotowy budynek. Dla kobiety taki rysunek to jedynie kartka papieru pokryta liniami. Model trójwymiarowy lub obraz komputerowy pomógłby w sprzedaży domów kobietom. Mamy nadzieję, że ta informacja sprawi, iż kobieta już nigdy przy oglądaniu mapy nie będzie się czuła jak idiotka. Oddaj ją mężczyźnie, on się na tym zna.

Podczas jazdy mężczyznę uspokoi i rozluźni opowieść kobiety o ciekawych punktach orientacyjnych i widokach. Jak już wiemy, mężczyzna ma o wiele gorzej wykształconą funkcję mowy. Być może jego wyobraźnia przestrzenna jest swego rodzaju zadośćuczynieniem. Potrafi znaleźć drogę do nowej dziewczyny, nawet jeśli nie będzie wiedział, co powiedzieć, kiedy już tam dotrze.

Kłopoty z parkowaniem równoległym

Jeżeli ktoś cię poprosi o rzucenie okiem na samochody zaparkowane równolegle, czy potrafisz wskazać, które z nich parkowali mężczyźni, a które kobiety?

Badania wykonane na zlecenie angielskiej szkoły jazdy wykazały, że Brytyjczycy osiągają średnio 82-procentową dokładność w parkowaniu równoległym przy krawężniku, a 71% z nich parkowało prawidłowo już przy pierwszej próbie. Kobiety uzyskiwały jedynie 22-procentową dokładność, przy czym zaledwie 23% udało się dobrze zaparkować przy pierwszej próbie. Podobne badania przeprowadzone w Singapurze wykazały, że mężczyźni uzyskują 66-procentową dokładność, za to 68% parkowało prawidłowo przy pierwszej próbie. Dokładność u kobiet wyniosła 19%, a jedynie 12% prawidłowo parkowało. Uwaga na marginesie! Jeśli za kierownicą siedzi mieszkanka Singapuru, lepiej zjedźcie jej z drogi! Najlepiej parkują Niemcy. Aż 88% robi to prawidłowo przy pierwszej próbie. Badania przeprowadzone w szkołach jazdy wykazują, że w trakcie nauki kobiety są lepsze od mężczyzn w parkowaniu tyłem. Natomiast statystyki dowodzą, że w życiu idzie im o wiele gorzej. Dzieje się tak, ponieważ kobiety lepiej się uczą od mężczyzn, potrafią powtórzyć zadanie przy założeniu, że nie zmieni się otoczenie i warunki. Natomiast w ruchu ulicznym każda sytuacja dostarcza wielu danych podlegających ocenie i wymagających wyobraźni przestrzennej. Mężczyźni lepiej sobie z tym radzą.

Kobiety wolą parkować w miejscach, w których mają jak najwięcej wolnej przestrzeni i nawet dojść pieszo do celu, niż próbować się zmieścić.

Gdyby kobiety były burmistrzami, parkowanie tyłem i równolegle byłoby zakazane.

Niedawno w wielu miastach i miasteczkach wprowadzono obowiązkowe parkowanie tyłem pod kątem 45° do krawężnika, ponieważ dowiedziono, że wyjazd przodem jest najbezpieczniejszym manewrem przy opuszczaniu miejsca. Niestety ten nakaz nie rozwiązał kłopotów kobiet z parkowaniem tyłem, wymagającym wyobraźni przestrzennej potrzebnej do oceny kątów i odległości. Sprawdziliśmy w dwudziestu radach miejskich i stwierdziliśmy, że w podejmowaniu tej decyzji prawie nie brały udziału kobiety. Na ogół byli to sami mężczyźni. Gdyby w skład rad miejskich wchodziły kobiety, parkowanie tyłem i równoległe byłoby zabronione! Opowiedziałyby się za „przejazdowym" stylem parkowania, eliminującym konieczność cofania się lub oceniania kątów czy odległości. Wymagałoby to większych parkingów, ale za to byłoby o wiele mniej wypadków.

Jak kobiety wprowadzano w błąd

Co należy zrobić z tyloma dowodami na ograniczenie wyobraźni przestrzennej kobiet? Liczne grupy kobiet o dobrych intencjach były przekonane, że wystarczy uwolnienie z domniemanych łańcuchów męskich przesądów i uprzedzeń, a natychmiast znajdą się na szczycie w wielu zdominowanych przez mężczyzn zawodach i zajęciach.

Mimo to, jak za chwilę przeczytasz, mężczyźni zachowali monopol w dziedzinach wymagających wyobraźni przestrzennej. Miliony kobiet zignorowały swoje naturalne zdolności przy wyborze zawodu. Nie brały pod uwagę tych, w których mogłyby osiągnąć szczyt dzięki określonym zdolnościom mózgu.

Wyobraźnia przestrzenna w oświacie

Jak już dowiedliśmy, nasza biologia pcha nas w stronę dziedzin i zawodów zgodnych z uwarunkowaniami naszego mózgu. Poddajmy analizie branżę, w której równe szanse są szczególnie ważne – nauczanie. Przeprowadziliśmy wywiady z przedstawicielami władz oświatowych w Australii, Nowej Zelandii i Wielkiej Brytanii. Wszyscy podkreślali, że starają się utrzymać równy udział mężczyzn i kobiet po to, aby dać te same szanse obu płciom. W Wielkiej Brytanii w 1998 roku było 48% nauczycieli i 52% nauczycielek. Mózg kobiety jest o wiele lepiej przystosowany do uczenia. Ma lepsze zdolności nawiązywania kontaktu i współodczuwania. Spójrzmy na przedmioty wybierane przez nauczycieli obu płci.

Przedmiot	Liczba nauczycieli	% mężczyzn	% kobiet
Biologia	5100	49	51
Ekonomia	6400	50	50
Historia	13800	54	46
Geografia	14200	56	44
Nauki społeczne	11000	52	48
Muzyka	5600	51	49
Przygotowanie zawodowe	1900	47	53
Socjologia	74200	47	53
Nauki ogólne	7900	53	47
Języki klasyczne	510	47	53
WF	20100	58	42
Religia	13400	56	44
Sztuka	9400	44	56

Nauczyciele i nauczycielki w Wielkiej Brytanii w 1998 r.

Z tej tablicy należy wyciągnąć dwa wnioski. Po pierwsze, wymienione w niej przedmioty nie wymagają zdecydowanej dominacji lewej lub prawej półkuli. Ponadto nie jest potrzebna szczególna wyobraźnia przestrzenna ani duże zdolności werbalne lewej półkuli. Łatwo zauważyć, że udział procentowy obu płci jest dość równomierny.

Przedmiot	Liczba nauczycieli	% mężczyzn	% kobiet
Fizyka	4400	82	18
Informatyka	10700	69	31
Nauki przyrodnicze	28900	65	35
Chemia	4600	62	38

Przedmioty wymagające wyobraźni przestrzennej

Jak wyraźnie dowodzi powyższa tablica, mężczyźni dominują tam, gdzie jest potrzebna wyobraźnia przestrzenna.

Zawody wymagające wyobraźni przestrzennej

Poniżej zamieściliśmy listę zawodów, w których dobrze rozwinięta wyobraźnia przestrzenna jest niezbędna, a jeśli jej zabraknie, ktoś może stracić życie. Nie trzeba być geniuszem, żeby zrozumieć znaczenie tej listy oraz jej związek z umiejętnościami prawej półkuli mózgu mężczyzny, który kiedyś był łowcą.

Osoby kurczowo trzymające się przekonania, że naturalne zdolności nie mają żadnego znaczenia, nadal twierdzą, że ten męski ucisk, podejście typu „tylko dla mężczyzn" i tradycyjne męskie uprzedzenia związków zawodowych przeszkodziły kobietom w osiągnięciu równości w podanych poniżej zawodach. Natomiast Royal Institute of British Architects (Królewski Instytut Brytyjskiej Architektury) stwierdza, że 50% osób zdających na architekturę to kobiety, ale zawód architekta uprawia czynnie zaledwie 9%. Oczywiście część kobiet, która nie pracuje zawodowo, wybrała macierzyństwo, ale co się stało z resztą? W Wielkiej Brytanii 17% księgowych to kobiety, chociaż na kursy księgowości uczęszcza 38%.

„Dlaczego nie ma więcej kobiet wśród pilotów pasażerskich linii lotniczych?" – zapytaliśmy ich przedstawicieli. „Nie podejmują nauki – brzmiała odpowiedź. – Kobiet nie interesuje pilotowanie samolotów".

Zawód	Liczba	Mężczyźni	Kobiety	% mężczyzn	Źródło
Mechanik pokładowy	51	51	0	100	Linie lotnicze Ansett
Inżynier	1608	1608	0	100	Institute of Engineers
Kierowca rajdowy	2822	2818	4	99,8	Auto Racing Club
Inżynier-fizyk jądrowy	1185	1167	18	98,3	Institute of Nuclear Engineers
Pilot	2338	2329	9	99,6	Linie lotnicze Qantas
	808	807	1	99,9	Linie Lotnicze Ansett
	3519	3452	67	98	British Airways
Kontroler ruchu powietrznego	1360	1274	86	94	Departament Lotnictwa Cywilnego
Kierowca wyścigowy/ /motocyklowy	250	234	16	93,6	Drag-Racers Association
Architekt	30529	27781	2748	91	Institute of Architects
Oficer pokładowy	19244	17415	1829	90,5	Statystyki rządowe
Rachmistrz ubezpiecz.	5081	4758	503	90	Institute of Actuaries
Gracz w bilard	750	655	95	87	Billiards Association
Księgowy	113221	93997	19224	83	Institute of Accountants

Procent kobiet i mężczyzn wykonujących zawody wymagające wyobraźni przestrzennej

Większość przedstawicieli linii lotniczych wyrażała się dość ogólnikowo lub nawet nie zdawała sobie sprawy ze znaczenia wyobraźni przestrzennej w pilotowaniu samolotów. Wielu zdenerwowała konieczność komentowania różnic w zatrudnianiu obu płci, mimo oczywistego faktu, że 98% załóg pokładowych stanowią mężczyźni. Jedno jest oczywiste. Kobiety nie pracują w tych zawodach, ponieważ nie zapisują się na odpowiednie kursy zawodowe. Struktura ich mózgu nie sprawdza się w tych dziedzinach, dlatego nie są nimi zainteresowane.

Bilard i fizyka jądrowa

Podczas zbierania materiałów do książki rozmawialiśmy z wieloma zawodnikami grającymi w bilard tradycyjny i snookera. „Kobiety, które zawodowo uprawiają tę dyscyplinę, myślą i zachowują się jak mężczyźni – stwierdził pewien mistrz świata. – Mówią w podobny sposób i tak samo się ubierają – garnitury i muszki". Natomiast zawodniczki wierzyły, że jeśli będą trenowały tyle samo co ich koledzy, będą równie dobre jak oni. Wiele z nich uważało, że to negatywne podejście mężczyzn jest czynnikiem hamującym ich postępy. „A co z postrzeganiem przestrzennym? – zapytaliśmy. – Pomiarem szybkości względnej i kąta ustawienia bili, odległości od łuzy i końcowego położenia bili białej?" „Nigdy o tym nie słyszałam" – brzmiała odpowiedź. I na postawę mężczyzn zrzucano odpowiedzialność za powszechny brak kobiet wśród mistrzów i uczestników turniejów.

„Dajemy równe szansę obu płciom – zapewnili nas przedstawiciele Institute of Nuclear Engineers [Instytutu Fizyki Jądrowej]. – Ale naszych pracowników zatrudniamy, biorąc pod uwagę zdolności, a nie równość szans". Spośród inżynierów-fizyków jądrowych 98,3% to mężczyźni. Badania Instytutu wykazały, że kobiety inżynierowie lepiej sobie dają radę z literami alfabetu, a mężczyźni z liczbami. To ma sens. Litery wiążą się z ludźmi, związkami uczuciowymi i umiejętnością mówienia. Natomiast liczby z zależnościami przestrzennymi między przedmiotami.

Jeszcze się nie zdarzyło w historii świata, aby kobiety wybiły się w dziedzinach, w których przydatna jest wyobraźnia przestrzenna. Na przykład w szachach, komponowaniu i fizyce jądrowej. Są osoby, które twierdzą, że to tyrania mężczyzn-seksistów nie dopuściła, aby kobiety odniosły sukces na tych polach. Wystarczy jednak się rozejrzeć w naszym współczesnym świecie równych szans, aby zauważyć, że kobiety nader rzadko przyćmiewają mężczyzn w zajęciach wymagających wyobraźni przestrzennej. Głównym powodem takiego stanu rzeczy jest to, że ich mózgi mówią im, iż powinny być bardziej zainteresowane obroną własnego gniazda niż atakowaniem innych gniazd.

Kobiety przodują w dziedzinach twórczych, jak aktorstwo, nauczanie, psychoterapia i literatura, czyli tam, gdzie nie jest niezbędne rozumowanie abstrakcyjne. Kiedy mężczyźni grają w szachy, kobiety tańczą lub zajmują się wystrojem wnętrz.

Przemysł komputerowy

Informatyka opiera się głównie na matematyce, wymagającej wyobraźni przestrzennej. W rezultacie stała się domeną mężczyzn. Aczkolwiek w niektórych dziedzinach informatyki, jak programowanie czy projektowanie urządzeń pod kątem użytkownika, bardziej przydaje się lepsze zrozumienie psychiki człowieka i w nich pracuje najwięcej kobiet.

„US Business Women In Computing" stwierdził, że między rokiem 1993 a 1998 nastąpił wyraźny spadek liczby kobiet zajmujących się technologią informatyczną. Za główną przyczynę tego stanu rzeczy autorzy artykułu uznali brak zainteresowania wśród kobiet podejmowaniem pracy w tej dziedzinie. Natomiast ankieta wykazała, że kobiety dwukrotnie częściej korzystają z komputera w miejscu pracy. 84% kobiet traktuje komputer jedynie jako środek do zarabiania na życie lub narzędzie zapewniające twórczą wolność. Jedynie 33% mężczyzn podziela ten pogląd. 67% mężczyzn uważa samą technikę lub zabawę z komputerem za najważniejsze w informatyce. Zgadza się z nimi tylko 16% kobiet.

Matematyka i księgowi

Mężczyźni, którzy wykonują zawód wymagający wyobraźni przestrzennej, na ogół nie zmieniają go i osiągają w nim sukcesy. Nadal matematyki w szkole uczą nauczyciele, choć różnica płci coraz bardziej się zmniejsza. W Wielkiej Brytanii w 1998 roku było 56% nauczycieli matematyki i 44% nauczycielek.

Jak wytłumaczyć rosnącą liczbę kobiet uczących tego przedmiotu?

Najbardziej prawdopodobną przyczyną tej sytuacji są większe zdolności kobiet do uczenia w ogóle, do nawiązywania kontaktów z uczniami, organizowania grup, poza tym kobiety przywiązują większą wagę do nauczania dzieci podstaw. Ze względu na to, że cały czas uczą tego samego materiału, po pewnym czasie doskonale sobie radzą z większością przedmiotów, w tym z matematyką. Być może w tym należy szukać wyjaśnienia ogólnego wzrostu liczby kobiet zatrudnionych w księgowości. Obecnie księgowość wymaga zachowań przyjaznych wobec klienta, do których lepiej przystosowany jest mózg kobiety. Zadania czysto matematyczne schodzą na drugi plan. W dużych firmach audytorsko-księgowych na całym świecie czasem można zobaczyć, jak kobieta księgowa „uwodzi" i zdobywa klientów, a liczenie spada na niższy personel – mężczyzn. Mężczyźni nadal dominują tam, gdzie jest wymagane połączenie wyobraźni przestrzennej i rozumowania matematycznego. Oto dlaczego 91% rachmistrzów ubezpieczeniowych i 99% inżynierów to mężczyźni.

Wszystkim po równo

W Australii około 5% osób zatrudnionych w zawodach inżynierskich to kobiety. Zarabiają przeciętnie 14% więcej niż ich odpowiednicy mężczyźni. Oznacza to, że tam, gdzie istnieją zbliżone zdolności postrzegania przestrzennego, kobiety mogą osiągnąć większe sukcesy od mężczyzn. Od chwili wynalezienia samochodu w zawodowych rajdach nie było mistrzyni. Za to w wyścigach typu „drąg" około 10% uczestników i zwycięzców to kobiety. Dlaczego? Ten typ wyścigu nie wymaga wyobraźni przestrzennej. Nie trzeba sobie radzić z prędkością, kątami, zakrętami, wyprzedzaniem i skomplikowaną zmianą biegów. Uczestnicy jadą po linii prostej, a zwycięża zawodnik, który ma najkrótszy czas reakcji na zielone światło. W tym kobiety mają przewagę.

Przy zbliżonych zdolnościach postrzegania przestrzennego kobiety uzyskują lepsze wyniki od mężczyzn.

U większości zawodniczek biorących udział w tych wyścigach test na orientację seksualną mózgu wykazał, że mają mózgi bardziej męskie niż kobiety nie jeżdżące w wyścigach. Mimo to, kiedy mówiły o korzyściach wynikających z zawodów, najbardziej chodziło im o kontakty z ludźmi: „Wspaniale się pracuje z mężczyznami". „Wszyscy się wspierają". „Jesteśmy dobrymi przyjaciółmi". Tymczasem mężczyźni do zalet wyścigów zaliczali zdobywanie nagród lub doskonałe techniczne przygotowanie pojazdu. Przechwalali się wypadkami, które przeżyli.

Chłopcy oraz ich zabawki

Chłopcy uwielbiają swoje zabawki, dlatego 99% patentów zgłaszają mężczyźni. Dziewczynki też lubią się bawić przedmiotami, ale zazwyczaj zapominają o nich, kiedy stają się młodymi kobietami. Natomiast mężczyźni nigdy nie tracą zainteresowania niepraktycznymi zabawkami, które wymagają wyobraźni przestrzennej. Jako dorośli po prostu więcej na nie wydają. Uwielbiają miniaturowe telewizory, telefony komórkowe w kształcie samochodu, gry komputerowe i wideo, kamery cyfrowe, skomplikowane drobiazgi, światło, które gaśnie na polecenie wydane na głos, i wszystko, co ma silnik. Jeśli coś dzwoni, miga i wymaga co najmniej sześciu baterii, większość mężczyzn natychmiast tego pragnie.

Jak czują kobiety

Wszelkie rozważania nad różnicami płci wywołują okrzyki protestu feministek i aktywistów poprawności politycznej. Traktują to jako przekreślanie argumentów na rzecz równych szans w życiu. Aczkolwiek przesądy społeczne mogą utrwalić stereotypowe zachowania kobiet i mężczyzn oraz podstawowe nierówności. Ale to nie stereotypy są przyczyną tych zachowań, winna jest nasza biologia i sposób zorganizowania mózgu. Wiele kobiet uważa, że niczego nie osiągnęły lub że zawiodły, ponieważ do niczego nie doszły w dziedzinach zdominowanych przez mężczyzn. To nieprawda, nie zawiodły. Są jedynie nieodpowiednio wyposażone do działania na polach, które bardziej odpowiadają mózgowi mężczyzny.

Twierdzenie, że kobiety niczego nie osiągnęły, ma sens jedynie wtedy, kiedy zakłada się, że to sukces według standardów męskich ma być miarą dla obu płci. Ale kto powiedział, że zarządzanie olbrzymią korporacją, pilotowanie jumbo-jeta lub programowanie wahadłowca ma być dowodem na spełnienie?

Tak uważają mężczyźni. To jest ich norma doskonałości, ale nie wszystkich.

Czy możesz poprawić swoje zdolności postrzegania przestrzennego

Tak. Istnieje kilka rozwiązań. Możesz czekać, aż nastąpi naturalny proces ewolucji i stale ćwiczyć wyobraźnię przestrzenną, tak aby w mózgu powstały odpowiednie połączenia. Bądź jednak przygotowana, że to trochę potrwa. Biolodzy oceniają, że może ci to zająć kilka tysięcy lat.

Seria zastrzyków z testosteronu również poprawi twoje zdolności w tym względzie, ale nie jest to zbyt zadowalające rozwiązanie. Ma kilka wad. Na przykład wzrost poziomu agresji, łysienie i zarost. Kobietom raczej nie odpowiada.

Obecnie już wiadomo, że ćwiczenie i powtarzanie pomagają w wytwarzaniu stałych połączeń w mózgu, niezbędnych przy danym zadaniu. Szczury przebywające w klatkach wypełnionych zabawkami mają większą masę mózgu niż szczury w pustych klatkach. Osoby przechodzące na emeryturę, jeśli nic nie robią, tracą masę mózgu. Natomiast te, które wciąż są aktywne intelektualnie, zachowują tę samą masę. Niekiedy ta nawet rośnie. Ćwiczenie w posługiwaniu się mapą może w znacznym stopniu pogłębić tę umiejętność, tak jak codzienne granie gam sprawia, że uczeń w ogóle gra lepiej. Jeżeli muzyk nie ma połączeń w mózgu ułatwiających granie intuicyjne, to potrzebna jest spora dawka ćwiczeń, aby się utrzymał na jako takim poziomie. Jeżeli muzyk lub osoba korzystająca z map nie ćwiczą regularnie, to ich umiejętności zdecydowanie się pogorszą. Powrót do poprzedniego poziomu potrwa dłużej niż u osoby, której mózg został „zaprogramowany" do określonego zadania.

Łysina i zarost to dla kobiety dość wysoka cena za poprawienie zdolności postrzegania przestrzennego.

Kilka pożytecznych strategii

Jeżeli jesteś kobietą wychowującą syna lub w twoim życiu jest mężczyzna, powinnaś zrozumieć, że chociaż mają wspaniałą wyobraźnię przestrzenną, to nadal potrafią wykonać tylko jedną rzecz naraz. Będą potrzebowali pomocy w zorganizowaniu pracy domowej i codziennym życiu, jeśli mają odnieść sukces jako mężczyźni. Dziewczęta i kobiety mają o wiele większe zdolności organizacyjne. Einstein miał genialną wyobraźnię przestrzenną, ale nie mówił aż do piątego roku życia. Nie miał też prawie żadnych zdolności organizacyjnych ani umiejętności nawiązywania kontaktów z ludźmi, czego dowodzi choćby jego fryzura.

Jeżeli jesteś mężczyzną, wykonujesz zawód wymagający wyobraźni przestrzennej i chcesz przekonać do swojej propozycji kobietę, pamiętaj, że ona potrzebuje trójwymiarowej perspektywy.

Chcesz przekonać kobietę do swojego planu lub projektu? Przedstaw jej wersję trójwymiarową.

Jeżeli przeprowadzasz nabór kobiet do zawodu wymagającego wyobraźni przestrzennej, jak na przykład inżynier lub rachmistrz ubezpieczeniowy, w ogólnej liczbie kandydatów będzie ich około 10%. Nie powiedzie się próba przygotowania strategii, która przyciągnie 50% kobiet, opartej na założeniu, że stanowią połowę społeczeństwa.

Podsumowanie

Ray i Ruth teraz się nie kłócą podczas wspólnych podróży. On decyduje, którędy pojadą, i prowadzi. Ruth mówi i wskazuje mu punkty orientacyjne. Ray słucha. Ruth już nie krytykuje sposobu prowadzenia samochodu przez Raya, ponieważ wie, że jego wyobraźnia przestrzenna pozwala mu to robić w sposób, który jej się wydaje ryzykowny, za to jemu – całkowicie bezpieczny. Ray kupił kamerę wideo za 3000 dolarów z pełnym wyposażeniem. Teraz Ruth rozumie, dlaczego on ją tak uwielbia. Kiedy przychodzi jej kolej na zrobienie zdjęcia, Ray wszystko ustawia i pokazuje. Nie śmieje się, gdy Ruth nie potrafi pojąć działania aparatu fotograficznego.

Ray i Ruth – współczesny romans ze szczęśliwym zakończeniem.

Kiedy mężczyźni przestaną prosić kobiety, żeby wskazywały im kierunek, wszyscy będą szczęśliwi. A kiedy kobiety zrezygnują z krytykowania prowadzenia samochodu przez mężczyzn, będzie o wiele mniej kłótni. Każdy z nas ma swoje mocne strony. Zatem się nie martw, jeśli coś ci nie wychodzi. Możesz poprawić swoje wyniki regularnymi ćwiczeniami, ale nie pozwól, aby ci to rujnowało życie. Lub życie twojego partnera.

Rozdział 6

MYŚLI, POSTAWY, EMOCJE ORAZ INNE OBSZARY KLĘSK ŻYWIOŁOWYCH

olin i Jill jechali na przyjęcie w nieznanej okolicy. Zgodnie ze wskazówkami powinno im to zabrać około dwudziestu minut. Już minęło pięćdziesiąt, a nadal nie było widać miejsca, do którego zmierzali. Colin się zachmurzył, a Jill poczuła się winna i przygnębiona, kiedy po raz trzeci minęli ten sam warsztat.

Jill: Kochanie, sądzę, że przy warsztacie powinniśmy skręcić w prawo. Zatrzymajmy się i zapytajmy o drogę.
Colin: Nie ma sprawy. Wiem, że to gdzieś tutaj.
Jill: Spóźniliśmy się już pół godziny. Przyjęcie się zaczęło. Stań i zapytaj kogoś.
Colin: Posłuchaj, wiem, co robię. Chcesz prowadzić czy pozwolisz, żebym ja się tym zajął?
Jill: Nie, nie chcę prowadzić, ale wolałabym nie jeździć przez całą noc w kółko.
Colin: W porządku. Może więc zawrócę i pojedziemy prosto do domu?

Większość par prowadzi takie rozmowy. Kobieta nie potrafi zrozumieć, dlaczego ten wspaniały mężczyzna, którego tak bardzo kocha, nagle się zamienił w Mad Maxa na sterydach tylko dlatego, że zabłądził. Gdyby ona się zgubiła, natychmiast spytałaby o drogę, więc na czym polega jego problem? Dlaczego się nie przyzna, że nie wie?

....

Dlaczego Mojżesz przez czterdzieści lat błąkał się po pustyni?
Bo nie chciał nikogo spytać o drogę.

....

Kobiety nie obawiają się przyznać do błędu, ponieważ w ich świecie jest to traktowane jako forma tworzenia więzi i budowania zaufania. Ostatnim mężczyzną, który się przyznał do popełnienia omyłki, był generał Custer.

Różne sposoby postrzegania

Mężczyźni i kobiety patrzą na świat innymi oczyma. Mężczyzna widzi rzeczy i przedmioty oraz ich położenie w przestrzeni w taki sposób, jakby składał elementy układanki. Kobiety dosłownie patrzą szerzej i dostrzegają drobne szczegóły. Pojedynczy element układanki oraz jego związek z elementem tuż obok jest istotniejszy od położenia w przestrzeni.

Mężczyzna skupia się na otrzymywaniu rezultatów, osiąganiu celów, statusu i władzy, pokonaniu konkurencji i dotarciu bez przeszkód do końcowego wyniku. Kobieta koncentruje się na porozumieniu, współpracy, harmonii, miłości, dzieleniu się i związkach z innymi. Kontrast jest tak wielki, iż to zdumiewające, że kobiety i mężczyźni w ogóle biorą pod uwagę możliwość wspólnego mieszkania.

Chłopcy lubią rzeczy, dziewczynki ludzi

Mózg dziewczynki jest tak uwarunkowany, aby reagować na ludzi i twarze. Natomiast mózg chłopca reaguje na przedmioty oraz ich kształty. Badania niemowląt od kilkugodzinnych do kilkumiesięcznych wykazują jednoznacznie: chłopcy lubią przedmioty, a dziewczynki – ludzi. Naukowe, dające się zmierzyć różnice między płciami dowodzą, że każda z nich postrzega świat poprzez uprzedzenia różnie zaprogramowanych mózgów. Niemowlęta dziewczynki pociągają twarze. Utrzymują kontakt wzrokowy dwa, trzy razy dłużej niż chłopcy. Natomiast niemowlęta chłopcy są bardziej zainteresowani ruchem przedmiotów o nieregularnych kształtach i wzorach.

Trzymiesięczna dziewczynka potrafi odróżnić zdjęcia rodziny od fotografii osób obcych, natomiast chłopcy tego nie umieją. Są za to lepsi w poszukiwaniach zaginionej zabawki. Te różnice są oczywiste na długo przedtem, zanim społeczne uwarunkowania mogą wywrzeć jakikolwiek wpływ. Przeprowadzano badania dzieci przedszkolnych. Dostawały specjalnie skonstruowaną lornetkę. Przez jeden okular było widać przedmioty, przez drugi – twarze ludzi. Badania zapamiętywania wykazały, że dziewczynki pamiętały ludzi oraz ich emocje, a chłopcy lepiej przypominali sobie przedmioty oraz ich kształty. W szkole dziewczynki siadają w kółku i rozmawiają, naśladując mowę ciała całej grupy. Nie sposób zidentyfikować przywódczyni.

....

Dziewczęta pragną więzi i współpracy, chłopcy –
władzy i pozycji.

....

Jeżeli dziewczynka coś buduje, jest to zazwyczaj długi, niski budynek. Najważniejsi są dla niej wymyśleni ludzie, którzy w nim mieszkają. Natomiast chłopcy rywalizują ze sobą. Chcą zbudować większą konstrukcję niż kolega obok. Chłopcy biegają, skaczą, mocują się i udają samoloty lub czołgi. Tymczasem dziewczęta zwierzają się sobie, którego z chłopców lubią lub jak głupio niektórzy z kolegów wyglądają. W przedszkolu nowa dziewczynka jest serdecznie witana przez pozostałe koleżanki. Wszystkie znają swoje imiona. Nowy chłopiec jest zazwyczaj traktowany przez kolegów obojętnie. Zostaje przyjęty do grupy tylko wtedy, gdy przywódcy uznają, że może się do czegoś przydać. Pod koniec dnia większość chłopców nie będzie znała imienia nowego kolegi, ale będzie wiedziała, czy dobrze gra w piłkę. Dziewczęta witają i przyjmują inne. Są serdeczniejsze dla osób poszkodowanych lub ułomnych, natomiast chłopcy je odtrącą lub będą prześladować jako kogoś gorszego od nich.

Mimo najlepszych chęci rodziców, aby wychować chłopców i dziewczynki w ten sam sposób, różnice budowy mózgu zdecydują o ich wyborach i zachowaniach. Dajcie czteroletniej dziewczynce pluszowego misia, a stanie się jej najlepszym przyjacielem. Chłopiec rozłoży go na czynniki pierwsze i weźmie następną zabawkę.

Chłopców interesuje działanie różnych przedmiotów, a dziewczęta – ludzie i więzi. Kiedy dorośli wspominają ślub, kobiety mówią o uroczystości i o gościach, mężczyźni natomiast opowiadają o wieczorze kawalerskim.

Tak, Isabel, wiem, że to chory psychicznie sadystyczny morderca,
ale być może jest to chory psychicznie sadystyczny morderca,
który potrzebuje pomocy!

Chłopcy rywalizują, dziewczęta współpracują

Grupy dziewcząt na ogół ściśle ze sobą współpracują i nie można na pierwszy rzut oka wyodrębnić przywódczyni. Dziewczęta wykorzystują mowę do utrwalania więzi. Każda dziewczynka ma zazwyczaj najlepszą przyjaciółkę, z którą dzieli się sekretami. Dziewczęta odtrącą koleżankę, która próbuje wymusić przywództwo. Powiedzą: „Ona uważa, że jest kimś". Lub mówią, że „się rządzi". W grupie chłopców istnieje określona hierarchia. Przywódców można zidentyfikować po zdecydowanym sposobie mówienia lub mowie ciała. Każdy chłopiec zabiega o jak najwyższe stanowisko w grupie. Władza i pozycja są w grupie chłopców najważniejsze. Wysoką pozycję można osiągnąć dzięki umiejętnościom lub wiedzy albo zdolności stanowczego przemawiania do innych czy pokonywania współzawodników. Dziewczynki są szczęśliwe, kiedy zaprzyjaźnią się z nauczycielami i koleżankami. Tymczasem chłopcy kwestionują autorytet nauczycieli i wolą samotnie badać reguły obowiązujące w świecie.

O czym mówimy

Dziewczęta rozmawiają o tych, których lubią, kto się na kogo gniewa. Bawią się w małych grupach i dzielą „sekretami" z innymi. Jest to forma budowania więzi. Nastolatki mówią o chłopcach, wadze, ubraniach i przyjaciółkach. Dorosłe kobiety rozmawiają o diecie, związkach, małżeństwie, dzieciach, kochankach, osobowości, ubraniach, postępowaniu innych, stosunkach w pracy i wszystkim, co dotyczy innych ludzi oraz ich spraw osobistych. Chłopcy rozmawiają o przedmiotach i czynnościach – kto co zrobił, kto jest w czym dobry i jak rzeczy działają. Nastolatkowie mówią o sporcie, mechanice i funkcjonowaniu przedmiotów. Dorośli mężczyźni dyskutują o sporcie, pracy, wiadomościach, co zrobili, dokąd poszli, o technologii, samochodach i mechanicznych gadżetach.

Pragnienia współczesnych mężczyzn i kobiet

Niedawno przeprowadzono ankietę w pięciu krajach zachodnich. Poproszono kobiety i mężczyzn, aby opisali, jaką chcieliby być osobą. Mężczyźni w przeważającej większości wybrali przymiotniki takie jak odważny, zdolny, pewny siebie, podziwiany i praktyczny. Z tej samej listy kobiety wskazały słowa: ciepła, kochająca, wspaniałomyślna, współczująca, atrakcyjna, przyjacielska i gotowa do poświęceń. Kobiety najwyżej ceniły pomoc innym i spotkanie interesujących ludzi, natomiast mężczyźni za ważne uznali prestiż, władzę i posiadanie przedmiotów.

Mężczyźni cenili rzeczy, kobiety więzi z ludźmi. To budowa mózgów podyktowała im taki wybór.

Emocje w mózgu

Kanadyjska uczona Sandra Witleson przeprowadziła testy na kobietach i mężczyznach, aby ustalić położenie ośrodka emocji w mózgu. Wykorzystując obrazy nacechowane emocjonalnie, które najpierw pokazała prawej półkuli za pośrednictwem lewego oka i ucha, a następnie lewej półkuli poprzez prawe oko i ucho, stwierdziła, że emocje w mózgu znajdują się u mężczyzn w obszarze wskazanym na rysunku 1, a u kobiet na rysunku 2. Nie jest łatwo określić dokładne położenie ośrodka emocji w mózgu, tak jak jest to z wyobraźnią przestrzenną czy funkcją mowy, ale na rysunkach widać, gdzie obrazowanie rezonansem magnetycznym wskazuje ich ogólne umiejscowienie.

U mężczyzn emocje umiejscowione są w prawej półkuli. Oznacza to, że ten ośrodek może działać niezależnie od pozostałych funkcji mózgu.

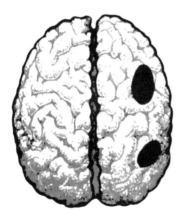 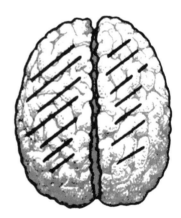

1. Emocje u mężczyzn   *2. Emocje u kobiet*

Na przykład podczas kłótni mężczyzna potrafi zbijać argumenty logiczne i słowne (lewa półkula), a następnie przejść do rozwiązań przestrzennych (prawa półkula, płat przedni), nie poddając się emocjom. Dzieje się tak, jakby emocje znajdowały się we własnym, ciasnym pokoiku. Mniejsze ciało modzelowate u mężczyzny powoduje, że emocje raczej nie będą działały jednocześnie z innymi funkcjami mózgu.

U kobiet natomiast emocje zajmują o wiele większy obszar rozciągający się w obu półkulach i mogą działać w tym samym czasie co pozostałe funkcje mózgu. Kobieta może się wzruszyć podczas omawiania wywołującej emocje sprawy. Mało prawdopodobne, aby mężczyzna zachował się tak samo. Po prostu odmawia dyskusji na ten temat. W ten sposób może uniknąć wzruszenia lub zapobiegnie wywołaniu wrażenia, że nie panuje nad sytuacją. Emocje u kobiet mogą włączyć się jednocześnie z innymi funkcjami mózgu. Oznacza to, że może płakać, zmieniając koło w samochodzie. Tymczasem dla mężczyzny wymiana koła jest próbą jego umiejętności rozwiązywania problemów. Nie zapłacze nawet wtedy, gdy odkryje na poboczu opuszczonej drogi, o północy, podczas ulewnego deszczu, że koło zapasowe jest dziurawe, a on wyjął tydzień temu z bagażnika klucze.

....

Poruszony mężczyzna może zaatakować jak krokodyl, poruszona kobieta woli „porozmawiać o tym".

....

Ruben Gur, profesor neuropsychologii na University of Pennsylvania, był pionierem podobnych badań. Doszedł do wniosku, że ponieważ mózg mężczyzny jest bardzo wyspecjalizowany, radzi on sobie z emocjami na bardziej prymitywnym, zwierzęcym poziomie; może zaatakować podobnie jak krokodyl, natomiast kobieta woli „usiąść i pogadać". Kiedy kobieta mówi o emocjach, używa wyrazistych sygnałów mowy ciała, min i szerokiego zakresu wzorów mowy. Mężczyzna, który zaczyna mówić o emocjach, zachowa się raczej jak rozdrażniony gad. Wybucha lub staje się agresywny.

Kobiety cenią związki między ludźmi, mężczyźni pracę

Współczesne społeczeństwo to zaledwie mignięcie na ekranie ewolucji człowieka. Setki tysięcy lat życia w tradycyjnych rolach pozostawiły współczesnym kobietom i mężczyznom takie zaprogramowanie mózgu, które powoduje większość naszych problemów i nieporozumień w związkach. Mężczyźni zawsze określali siebie poprzez pracę i osiągnięcia, a kobiety poprzez jakość ich związku. Mężczyzna walczy o pożywienie i rozwiązuje problemy. To musiały być jego główne zadania, aby mógł przetrwać. Kobieta broni gniazda. Jej rola polegała na trosce o wychowanie następnego pokolenia. Wszystkie badania dotyczące skali wartości kobiet i mężczyzn przeprowadzone w latach dziewięćdziesiątych wykazują, że 70–80% mężczyzn na całym świecie uważa, że najważniejszą część ich życia stanowi praca, a dla 70–80% kobiet najważniejsza jest rodzina. W konsekwencji:

....

Jeżeli kobieta jest nieszczęśliwa w związku,
nie może się skoncentrować na pracy.
Jeżeli mężczyzna nie jest zadowolony z pracy,
nie potrafi się skupić na związku.

....

Kobieta będąca pod wpływem stresu lub napięcia uważa czas spędzony na rozmowie z partnerem za nagrodę, natomiast dla mężczyzny to zakłócenie procesu rozwiązywania problemu. Ona chce porozmawiać i przytulić się do niego, a on woli posiedzieć samotnie na kamieniu lub pogapić się bez słowa w ogień. Kobiecie on wydaje się nieczuły i obojętny, a dla mężczyzny ona jest denerwująca. Takie podejście jest odbiciem różnic w organizacji i priorytetach mózgu. Właśnie dlatego kobieta zawsze mówi, że związek jest ważniejszy dla niej niż dla niego. Tak jest. Zrozumienie tej różnicy osłabi napięcie między wami i sprawi, że nie będziecie pochopnie osądzać swoich zachowań.

Dlaczego mężczyźni robią różne rzeczy

Mózg mężczyzny został tak zaprogramowany, aby oceniał i rozumiał przedmioty, ich związki z innymi przedmiotami, zależności przestrzenne, ich funkcjonowanie i rozwiązania problemów. Jest nastawiony na reakcję do życia typu „jak to naprawić". Mężczyźni stosują kryterium

„naprawy" prawie we wszystkim, co robią. Pewna kobieta opowiedziała nam, że kiedy chciała, aby jej mąż okazał jej więcej czułości, to on skosił trawnik. Uważał, że jest to wyraz jego uczucia. Kiedy mu powiedziała, że nadal nie jest szczęśliwa, pomalował kuchnię. A kiedy i to nie podziałało, zaproponował, że zabierze ją na mecz piłki nożnej. Zdenerwowana kobieta będzie rozmawiała o emocjach z przyjaciółkami, a zdenerwowany mężczyzna sprawdzi silnik lub naprawi cieknący kran.

....

Aby dowieść swojej miłości dla niej, wspiął się
na najwyższą górę, przepłynął najgłębszy ocean
i przemierzył najszerszą pustynię. Ale ona odeszła.
Nigdy nie było go w domu.

....

Kiedy kobiety fantazjują o miłości i romansie, mężczyźni marzą o szybkich samochodach, większych komputerach, lepszych motorówkach i motocyklach. Wszystkich tych przedmiotów mogą używać; wszystkie są związane z wyobraźnią przestrzenną i z „robieniem czegoś".

Dlaczego kobiety i mężczyźni odchodzą od siebie

Mężczyzna odczuwa biologiczną potrzebę, aby zaopatrywać kobietę, a potwierdzeniem jego sukcesu jest jej wdzięczność. Jeżeli ona jest szczęśliwa, on czuje się spełniony. Jeżeli zaś ona nie jest szczęśliwa, on uważa się za nieudacznika, ponieważ sądzi, że nie zdołał jej wszystkiego zapewnić. Mężczyźni bez przerwy mówią przyjaciołom: „Nigdy nie mogę jej zadowolić". To czasem wystarcza mężczyźnie jako powód, aby odejść

....

Kobieta zostawia mężczyznę nie dlatego, że jest
niezadowolona z tego, co on jej zapewnia, ale dlatego że
czuje się emocjonalnie niespełniona.

....

ze związku do innej kobiety, która sprawia wrażenie uszczęśliwionej tym, co on jej zapewnia.

Ona pragnie miłości, romantyczności i rozmowy. On chce usłyszeć, że odniósł sukces w tym, co robi, i że wszystko jej zapewnił. Jeżeli jednak mężczyzna pragnie być romantyczny, przede wszystkim niech słucha, kiedy kobieta mówi, i niech nie proponuje żadnych rozwiązań.

Dlaczego mężczyźni nie cierpią się mylić

Aby zrozumieć, dlaczego mężczyźni nie cierpią się mylić, trzeba pojąć historię pochodzenia tej postawy. Wyobraźmy sobie następującą scenę. Rodzina jaskiniowców skupiła się wokół ogniska. Mężczyzna siedzi u wejścia jaskini, wygląda na zewnątrz, przepatruje horyzont, szukając jakiegoś ruchu. Kobiety i dzieci nie jadły od kilku dni i on wie, że kiedy tylko pogoda się poprawi, musi wyruszyć na polowanie. Nie będzie mógł wrócić, dopóki nie znajdzie pożywienia. Taka jest jego rola. Jego rodzina na nim polega. Są głodni, ale przekonani, że mu się uda, tak jak zawsze mu się udawało. Burczy mu w brzuchu i ogarnął go lęk. Czy znowu mu się uda? Czy jego rodzina będzie głodować? Czy inni mężczyźni zabiją go, ponieważ osłabł z głodu? Siedzi przy ogniu z kamiennym wyrazem twarzy. Obserwuje. Nie wolno mu okazać strachu, ponieważ rodzina też by się wystraszyła. Musi być silny.

Kiedy mężczyzna się pomyli, uważa się za nieudacznika, ponieważ nie potrafił prawidłowo wykonać zadania.

Milion lat pragnienia mężczyzn, aby nie widziano w nich nieudaczników, został jakby wyryty w ich mózgach. Większość kobiet nie wie, że gdyby on jechał sam, prawdopodobnie by się zatrzymał i spytał o drogę. Ale jeśli to zrobi, kiedy ona siedzi obok, to poczuje się jak niedołęga, ponieważ nie potrafił dowieźć jej na miejsce.

Kiedy kobieta mówi: „Spytajmy o drogę", mężczyzna słyszy: „Jesteś niekompetentny, nie potrafisz trafić na miejsce". A kiedy ona mówi: „Przecieka kran w kuchni, wezwijmy hydraulika", on słyszy: „Do ni-

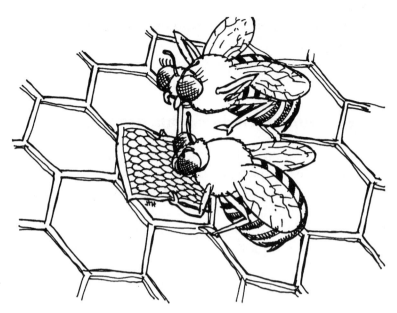

Proszę piąty raz, Nathan. Zatrzymaj się i spytaj o drogę.

czego się nie nadajesz. Znajdę innego mężczyznę, który to zrobi!" Z tego samego powodu mężczyźni mają takie trudności z powiedzeniem: „Przepraszam!" Widzą to jako przyznanie się do błędu, a popełnienie błędu to porażka.

Aby poradzić sobie z tym problemem, kobieta powinna się postarać, żeby mężczyzna nie poczuł się źle, kiedy będzie z nim omawiała różne kłopoty. Nawet podarowanie mężczyźnie poradnika na urodziny może zostać zinterpretowane przez niego jako: „Nie jesteś dość dobry".

....

Mężczyźni nie cierpią krytyki.
Oto dlaczego wolą się żenić z dziewicami.

....

Mężczyzna powinien zrozumieć, że celem kobiety nie jest wytykanie mu błędów. Ona chce mu pomóc, a mężczyzna nie może tego brać do siebie. Kobieta pragnie poprawić mężczyznę, którego kocha, ale on to odbiera, jakby nie był dość dobry. Mężczyzna nie przyzna się do błędu, ponieważ uważa, że wtedy ona nie będzie go kochać. W rzeczywistości kobieta bardziej kocha mężczyznę, który potrafi powiedzieć, że się mylił.

Dlaczego mężczyźni ukrywają emocje

Współcześni mężczyźni nadal noszą w sobie genetyczne dziedzictwo skłaniające ich do okazywania odwagi i ukrywania słabości. Kobiety na całym świecie zadają sobie pytanie: „Dlaczego on zawsze musi być silny? Czemu nie okaże mi, co czuje?" „Kiedy jest rozgniewany lub zmartwiony, tłumi gniew albo zamyka się w sobie i oddala ode mnie". „Namówienie go do rozmowy o jego kłopotach przypomina wyrywanie zębów".

Z natury mężczyzna jest podejrzliwym, opanowanym, skłonnym do rywalizacji, skrytym samotnikiem, który ukrywa swój stan emocjonalny, aby zachować kontrolę nad sytuacją. Społeczne uwarunkowania utrwalają takie zachowania w mężczyznach. Uczy się chłopców, „aby zachowali się po męsku", „byli dzielni", i wmawia im, że „chłopaki nie płaczą".

Kobieta broni gniazda i jej mózg został tak zaprogramowany, żeby była otwarta, ufna, współpracowała z innymi, okazywała słabość, ujawniała emocje i wiedziała, że niekoniecznie przez cały czas musi panować nad sytuacją. Oto powód, dla którego, kiedy kobieta i mężczyzna wspólnie napotkają problemy, jedno jest zaskoczone reakcją drugiego.

Dlaczego mężczyźni lubią towarzystwo kolegów

Dla naszego jaskiniowca niektóre zdobycze były za duże i zbyt silne. Dlatego organizował z innymi łowcami drużynę do polowań. Jego mózg pozwolił mu stworzyć prehistoryczny odpowiednik futbolu i wykorzystywać system sygnałów w łowieckich strategiach.

Te drużyny łowieckie składały się niemal wyłącznie z mężczyzn zajętych męską robotą, czyli rzucaniem dzidami w zwierzynę. Tymczasem kobiety, które zazwyczaj były w ciąży, wykonywały babską robotę, czyli opiekowały się dziećmi, zbierały owoce, troszczyły się o dom i broniły gniazda. Przez miliony lat utrwalała się w mózgu mężczyzny potrzeba polowania w grupie. Żaden trening tego nie usunie przez jedną noc. Dlatego współcześni mężczyźni spotykają się w drużynach łowieckich, czyli w pubach i w klubach. Tam wymieniają się dowcipami i opowieściami o polowaniu, a kiedy wrócą do domu, to na ogół siedzą w milczeniu i gapią się w ogień.

Dlaczego mężczyźni nie cierpią rad

Mężczyzna musi być przekonany, że potrafi rozwiązać własne problemy. Uważa, że omawianie ich z innymi to zrzucanie kłopotu na ich barki. Nie będzie zawracał głowy nawet najbliższemu przyjacielowi, chyba że uzna, iż przyjaciel może znać lepsze rozwiązanie.

Nie proponuj mężczyźnie, że mu poradzisz, chyba że o to prosi. Powiedz mu, że ufasz jego umiejętnościom rozwiązania sprawy.

Kiedy kobieta próbuje nakłonić mężczyznę do omówienia jego uczuć lub problemów, on się opiera, ponieważ myśli, że ona go krytykuje. Jest przekonany, że ona uważa go za niekompetentnego i sądzi, że ma lepsze rozwiązania niż on. W rzeczywistości ona pragnie, żeby mężczyzna poczuł się lepiej. Kobieta, udzielając rad, buduje zaufanie w związku i nie traktuje tego jako oznaki słabości.

Dlaczego mężczyźni proponują rozwiązania

Mężczyzna ma umysł logiczny, skupiony na rozwiązywaniu problemów. Wchodząc po raz pierwszy do pokoju w centrum konferencyjnym lub restauracji, rozgląda się wokół siebie i widzi rzeczy, które należałoby naprawić, krzywo powieszone obrazy i lepsze metody wytapetowania ścian. Jego umysł to rozwiązująca problemy maszyna, która nigdy nie robi sobie przerwy. Nawet gdyby leżał na łożu śmierci w szpitalu, zastanawiałby się nad lepszym sposobem ustawienia oddziału, tak by wykorzystać naturalne światło i widok za oknem.

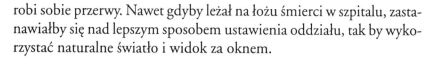

Rozmowa o kłopotach to dla kobiety pozbycie się stresu.
Ale ona chce, aby jej wysłuchano, a nie by ją pouczano.

Kiedy kobieta mówi o swoich kłopotach, mężczyzna bez przerwy jej przerywa i proponuje rozwiązania. Nie potrafi się opanować, ponieważ ma tak zaprogramowany mózg. Sądzi, że ona poczuje się lepiej, kiedy będzie znała rozwiązanie. Ona tymczasem pragnie tylko porozmawiać i lekceważy jego propozycje. Wtedy mężczyzna czuje się niekompetentny i przegrany. Zdaje mu się, że ona go obwinia o swoje kłopoty. Kobiety nie pragną rozwiązań, chcą tylko porozmawiać o pewnych sprawach i żeby ktoś ich wysłuchał.

Dlaczego zestresowane kobiety mówią

Pod wpływem stresu lub presji uruchamiają się główne funkcje mózgu mężczyzny, wyobraźnia przestrzenna i logiczne myślenie. U kobiety uaktywnia się funkcja mowy. Zaczyna mówić, często bez przerwy. Jeżeli jest zdenerwowana, będzie mówić, mówić i mówić do każdego, kto zechce jej słuchać. Może godzinami omawiać z przyjaciółkami swoje kłopoty, przekazując im szczegółowe sprawozdanie. Następnie wszystkie wspólnie dokonają kolejnej sekcji kłopotu. Będą mówiły o obecnych kłopotach, dawnych kłopotach, możliwych kłopotach i kłopotach nierozwiązywalnych. Kobieta podczas rozmowy nie szuka rozwiązań, ale sam proces mówienia przynosi jej uspokojenie i ulgę. W jej mowie brakuje porządku. Może omawiać kilka tematów jednocześnie. Nie dochodzi też do wyciągnięcia wniosków.

Dla kobiety podzielenie się kłopotami z koleżankami
jest oznaką zaufania i przyjaźni.

Dla mężczyzny słuchanie, jak ona omawia swoje problemy, jest ciężką próbą, ponieważ on czuje, że oczekuje się od niego rozwiązania każdego kłopotu, o którym ona wspomina. On nie chce o tym mówić, lecz pragnie coś z tym zrobić. Przerywa jej pytaniem: „O co w tym chodzi?" A chodzi o to, że nie musi o nic chodzić. Mężczyzna powinien się nauczyć słuchać i obserwować gesty, ale lepiej, żeby nie proponował rozwiązań. Jednak dla niego ta koncepcja jest nie do przyjęcia, ponieważ on mówi tylko wtedy, kiedy może zaproponować rozwiązanie.

Kiedy masz do czynienia ze zmartwioną kobietą, nie proponuj jej rozwiązań ani nie lekceważ jej uczuć. Pokaż jej, że słuchasz.

Kiedy ona odmawia przyjęcia jego rozwiązań, on stosuje kolejną strategię, czyli podejmuje próbę zbagatelizowania kłopotów. Mówi: „To nie ma tak naprawdę znaczenia"; „Przesadzasz"; „Zapomnij o tym"; „To nic wielkiego". To doprowadza kobietę do szewskiej pasji. Zaczyna czuć, że go nie obchodzi, bo jej nie słucha.

Dlaczego zdenerwowani mężczyźni nie mówią

Kobieta mówi „na zewnątrz" głowy, czyli że można ją usłyszeć. Natomiast mężczyzna mówi w duchu. Odpowiada to konfiguracji jego mózgu, ponieważ nie ma wydzielonego obszaru odpowiedzialnego za mowę. Kiedy on ma kłopoty, rozmawia ze sobą, ona natomiast rozmawia z innymi.

Właśnie dlatego pod wpływem kłopotów lub stresu mężczyzna zamyka się w sobie i przestaje mówić. Wykorzystuje prawą półkulę do znalezienia rozwiązania i przestaje używać lewej półkuli służącej do słuchania i mówienia. Jego mózg potrafi robić tylko jedną rzecz naraz. Nie umie jednocześnie rozwiązywać problemów, słuchać i rozmawiać. To milczenie często niepokoi i przeraża kobiety. Przekonują wtedy mężów, synów i braci: „Daj spokój, musisz o tym pogadać. Poczujesz się lepiej". Mówią tak, ponieważ dla nich to skuteczna strategia. Ale

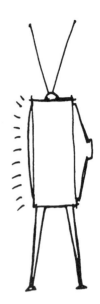

Siedząc na skale...

mężczyzna pragnie tylko, aby pozostawiono go w spokoju. Woli się gapić w ogień, aż znajdzie jakieś rozwiązania i odpowiedzi. Nie chce z nikim rozmawiać, zwłaszcza nie z terapeutą, bo dla niego to poważna oznaka słabości.

Słynna rzeźba Rodina *Myśliciel* symbolizuje mężczyznę rozmyślającego o swoich problemach. Pragnie siedzieć na skale i zastanawiać się nad rozwiązaniami. Musi być przy tym sam. Słowem-kluczem jest „sam". Nikomu nie wolno wedrzeć się na tę skałę. Nawet najlepszemu przyjacielowi. W rzeczywistości jego przyjaciołom nawet to nie przyjdzie do głowy. To kobieta czuje potrzebę wspinania się razem z nim na szczyt, żeby go pocieszyć. Spotyka ją przykra niespodzianka, kiedy on ją spycha na dół.

Mężczyźni wspinają się na swoje skały, aby rozwiązać problem. Kobiety, które idą tam za nimi, zostaną zepchnięte.

Gdyby Rodin wyrzeźbił kobietę, na pewno zatytułowałby swoje dzieło *Gadatliwa*. Kobiety powinny zrozumieć, że kiedy mężczyzna siada na skale, muszą go tam zostawić i pozwolić mu pomyśleć. Jego milczenie traktują jako dowód braku miłości lub gniewu. Dzieje się tak dlatego, że kobieta milczy, kiedy jest zła lub zmartwiona. Nic mu się nie stanie, kiedy ona zostawi go na skale z kubkiem herbaty i ciastkiem i nie będzie zmuszała do mówienia. Zejdzie ze skały, kiedy rozwiąże problem, poczuje się wówczas szczęśliwy i znowu będzie mówić.

Używanie wyobraźni przestrzennej do rozwiązywania problemów

Różne metody „siedzenia na skale" obejmują: czytanie gazety, grę w squasha, tenisa, golfa, naprawianie czegoś lub oglądanie telewizji. Mężczyzna, który ma problem, często zaprasza innego mężczyznę na grę w golfa. Podczas gry zamienią kilka słów. Wówczas mężczyzna wykorzystuje czołowy płat prawej półkuli uruchamiający wyobraźnię przestrzenną konieczną do gry w golfa. Jednocześnie może użyć tego obszaru mózgu do szukania rozwiązań. Wszystko wskazuje na to, że pobudzanie obszaru wyobraźni przestrzennej przyspiesza proces rozwiązywania problemów.

Dlaczego mężczyźni zmieniają kanały w telewizorze

Mężczyzna zmieniający kanały pilotem staje się jednym z ulubionych obiektów nienawiści kobiety. Siedzi jak żywy trup i tylko przełącza, nie zwracając uwagi na program. Kiedy tak postępuje, „siedzi na skale" i często nawet nie widzi, co się dzieje na ekranie. Szuka po prostu puenty w każdej opowieści. Przeskakując po kanałach, może zapomnieć o swoich problemach i poszukać rozwiązań dla innych. Kobiety nie przełączają kanałów. Oglądają program i szukają wątków, uczuć i związków między osobami zaangażowanymi w opowiadaną historię. Nałogowe czytanie gazet przez mężczyzn spełnia tę samą funkcję co skała.

Kobiety powinny zrozumieć, że kiedy mężczyzna to robi, nie słyszy ani wiele nie zapamięta. Trudno z nim wtedy rozmawiać. Najlepiej umówić się na spotkanie i przedstawić mu plan rozmowy. Pamiętajcie, jego przodkowie spędzili ponad milion lat, siedząc na skale z kamiennym wyrazem twarzy i wpatrując się w horyzont. Zatem przychodzi mu to bez trudu. Dobrze się z tym czuje.

Jak nakłonić chłopców do mówienia

Na całym świecie matki się skarżą, że chłopcy z nimi nie rozmawiają. Ich córki wracają do domu i opowiadają o wszystkim, czy to ma jakieś znaczenie, czy nie. Mężczyźni są zaprogramowani, aby „coś robić". Oto klucz, który może skłonić chłopców do mówienia. Matka, która pragnie lepiej porozumieć się ze swoim synem, powinna przyłączyć się do jego zajęć – malowania, gimnastyki, gry na komputerze i wtedy z nim rozmawiać.

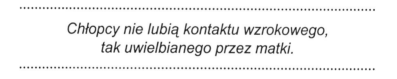

Chłopcy nie lubią kontaktu wzrokowego,
tak uwielbianego przez matki.

W ten sposób chłopiec uniknie nadmiaru kontaktu wzrokowego. Konwersacja może być kulawa, a mimo to syn musi od czasu do czasu przerwać działanie, by odpowiedzieć matce na pytanie. Trudno mu robić dwie rzeczy naraz, ale przecież głównym celem spotkania jest skłonienie go do mówienia. Ta strategia przydaje się również w rozmowach z dorosłym mężczyzną, ale lepiej nie mów do niego w chwili, gdy wymienia żarówkę!

Kiedy oboje żyją w stresie...

Zestresowani mężczyźni piją alkohol i napadają na obce państwa. Zestresowane kobiety jedzą czekoladę i wyruszają do sklepów. Pod presją kobiety mówią bez zastanowienia, a mężczyźni działają bez namysłu. Oto dlaczego 90% więźniów to mężczyźni, a 90% klientów terapeutów to kobiety. Kiedy oboje, mężczyzna i kobieta, żyją w stresie i próbują sobie jakoś z nim poradzić, powstaje emocjonalne pole minowe. Mężczyzna przestaje mówić, a kobieta zaczyna się tym martwić. Mówi, a mężczyzna nie potrafi tego znieść. Ona chce mu pomóc i sprawić, że poczuje się lepiej, zachęca go, żeby opowiedział o swoim problemie. To najgorsza rzecz, jaką może zrobić. On prosi, żeby dała mu spokój, i ukrywa się przed nią.

....

Mężczyzna powinien zrozumieć, że kiedy kobieta jest zestresowana, chce rozmawiać, a on musi tylko słuchać, nie proponując jej żadnych rozwiązań.

....

Kobieta żyjąca w napięciu pragnie rozmawiać o swoich kłopotach, co mężczyznę jeszcze bardziej frustruje. Kiedy on ucieka na swoją skałę, ona czuje się odtrącana i niekochana. Dzwoni wówczas do matki, siostry lub przyjaciółki.

Całkowite odcięcie

Oto jedna z najmniej rozumianych różnic między kobietami a mężczyznami. Mężczyzna, kiedy żyje w stresie lub musi znaleźć rozwiązanie poważnego problemu, całkowicie odcina się od wszystkich. Wyłącza zupełnie część mózgu kontrolującą emocje. Uruchamia tryb „rozwiązywania problemów” i przestaje mówić. Kiedy tak się całkowicie odetnie, kobietę to przeraża, ponieważ ona robi to tylko wtedy, gdy czuje się urażona, okłamywana lub skrzywdzona. Przyjmuje, że to samo musi dotyczyć mężczyzny. Uraziła go i on już jej nie kocha. Próbuje zachęcić go do mówienia, ale on odmawia, sądząc, że ona nie ufa jego zdolnościom rozwiązywania problemów. Kiedy kobieta czuje się urażona i zamyka się w sobie, mężczyzna sądzi, że ona potrzebuje trochę ciszy i spokoju, więc idzie z kolegami na piwo lub czyści gaźnik w samochodzie. Kiedy mężczyzna całkowicie zerwie kontakty, pozwól mu na to. Nic mu się nie stanie. Kiedy jednak zrobi to kobieta, to znak, że zaczynają się kłopoty i nadeszła pora na poważną rozmowę.

Jak mężczyźni zrażają kobiety

Kiedy on podejrzewa, że ona żyje w stresie lub ma kłopoty, postępuje tak, jak mężczyzna zwykł postępować wobec innych mężczyzn. Odchodzi i daje jej w spokoju rozwiązywać problem. Pyta: „Wszystko w porządku, kochanie?" Ona odpowiada: „Tak, w jak najlepszym". Co oznacza: „Jeżeli mnie kochasz, zapytasz mnie o to". A on stwierdza: „To dobrze" i siada przy komputerze. Ona myśli, że on jest „nieczuły i bez serca", i dzwoni do przyjaciółki. Rozmawiają o jej uczuciach i o niewrażliwości mężczyzn. W dawnych czasach mężczyźni nie musieli się zmagać z problemami, z którymi borykają się dziś. Aby okazać miłość żonie i dzieciom, mężczyzna robił to, co zawsze. Szedł do pracy i „przynosił do domu chleb". W ten sposób żył tysiące lat i przychodzi mu to bez trudu. Obecnie w większości krajów siła robocza to niemal w 50% kobiety, co oznacza, że już nie liczą, iż mężczyźni będą sami utrzymywać rodzinę. Teraz oczekuje się od niego, że będzie umiał się porozumieć. Ta umiejętność nie jest dla niego naturalna. Ale jest i dobra wiadomość. Można się tego nauczyć.

Dlaczego mężczyźni nie radzą sobie ze wzruszonymi kobietami

Kobieta zmartwiona lub wzruszona może płakać, machać rękami lub mówić bez przerwy, używając przymiotników, aby opisać uczucie. Pragnie, aby jej wysłuchano, ale mężczyzna tłumaczy sobie jej zachowanie zgodnie ze swoimi zasadami i słyszy w jej słowach wołanie: „Uratuj mnie. Rozwiąż moje problemy!"

Zatem zamiast pociechy i troski proponuje rady, zadaje szczegółowe pytania lub przekonuje ją, żeby się nie martwiła. „Przestań płakać – prosi z przerażoną miną. – Przesadzasz! Sytuacja nie jest taka zła!" Zamiast troszczyć się o nią jak matka, zachowuje się jak ojciec. Widział, jak jego ojciec i dziadek postępują w ten sposób, bo tak się zachowywali mężczyźni, odkąd zeszli z drzewa. Dla kobiety uzewnętrznienie uczuć jest formą porozumiewania się, dzięki której może się szybko pozbyć trosk i zapomnieć o nich. Mężczyzna natomiast czuje się odpowiedzialny i sądzi, że powinien znaleźć jakieś rozwiązania. Jeżeli nic nie wymyśli, uważa, że ją zawiódł. To wyjaśnia, dlaczego kiedy kobieta się wzrusza, mężczyzna się denerwuje lub złości i prosi, żeby się uspokoiła. Mężczyznę ogarnia lęk, kiedy kobieta nie może przestać płakać.

Gra płaczu

Kobiety płaczą o wiele częściej od mężczyzn. To skutek ewolucji, że mężczyźni nie płaczą zbyt często, zwłaszcza publicznie. Społeczne uwarunkowania jeszcze utrwalają takie zachowanie. Chłopiec gra w piłkę i odnosi poważną kontuzję. Pada na murawę z krzykiem. Wówczas wściekły trener woła: „Wstawaj! Nie pokazuj przeciwnikom, że cię pokonali! Bądź mężczyzną!"

Obecnie się oczekuje, że „Nadwrażliwiec Nowej Ery" będzie płakał w każdym miejscu i o każdej porze. Zachęcają go do tego terapeuci, autorzy artykułów w czasopismach i prowadzący obozy odnowy psychicznej, na których mężczyźni obejmują się przy ognisku rozpalonym w głębi lasu. Oskarża się ich o chłód lub nieprawidłowe zachowanie, jeżeli nie „pozwalają wyrzucić tego z siebie" przy każdej okazji. Mózg kobiety może łączyć emocje z innymi funkcjami mózgu, więc to oczywiste, że potrafi płakać lub się wzruszać bez względu na warunki.

......

Prawdziwi mężczyźni płaczą, ale tylko wtedy, kiedy zaczyna działać obszar emocji w prawej półkuli mózgu.

......

Prawdziwi mężczyźni płaczą, ale tylko wtedy, kiedy uruchamia się obszar emocji w prawej półkuli. Mężczyzna rzadko to robi publicznie. Zatem podejrzliwie traktuj mężczyzn często płaczących w towarzystwie. Kobiety w porównaniu z mężczyznami mają lepiej wykształcone zmysły. Otrzymują bardziej szczegółowe informacje. Dlatego potrafią dokładniej opisać, co czują. Kobieta może się rozpłakać po tym, jak ją obrażono, ponieważ zazwyczaj obelga jest przepełniona uczuciami. Za to mężczyzna może nawet nie zdawać sobie sprawy, że ktoś zachował się wobec niego obraźliwie. To nic dla niego nie znaczy.

Kolacja poza domem

Kobiety traktują obiad w restauracji jako okazję do budowania i umacniania związku, omówienia problemów lub wsparcia przyjaciółki. Mężczyźni traktują to jako praktyczne potraktowanie kwestii jedzenia. Nie trzeba robić zakupów, gotować ani zmywać. Kobiety jedzące wspólnie obiad będą zwracały się do siebie po imieniu, ponieważ to służy budowaniu więzi. Natomiast mężczyźni będą unikać wszelkiej bliskości z innymi mężczyznami. Jeżeli Barbara, Robyn, Lisa i Fiona pójdą razem na lunch, będą zwracały się do siebie: Barbara, Robyn, Lisa i Fiona. Za to jeśli Ray, Allan, Mike i Bill wybiorą się wspólnie na drinka, będą zwracali się do siebie per „Durniu", „Pacanie", „Głupku" i „Wariacie". W tych nazwach nie ma ani śladu serdeczności.

Kobiety po otrzymaniu rachunku wyjmą kalkulator i dokładnie obliczą, która co zjadła i za ile. Wszyscy mężczyźni rzucą po pięćdziesiąt dolarów na stół, jakby pragnąc podkreślić, że chcą zapłacić. W ten sposób zwrócą na siebie uwagę kolegów. Wszyscy będą udawać, że nie chcą reszty.

Zakupy – jej radość, jego męka

Dla kobiety zakupy są jak rozmowa. Nie muszą mieć specjalnego celu i mogą trwać nieprzerwanie przez kilka godzin bez określonego porządku. Nie muszą też zakończyć się konkretnym rezultatem. Kobiety stwierdzają, że zakupy je odmładzają i uspokajają, bez względu na to, czy coś kupią, czy nie. Już po dwudziestu minutach ten typ zakupów przyprawia mężczyzn o zawał. Mężczyzna, aby odzyskać energię, potrzebuje celu, kierunku i rozkładu jazdy. W końcu dostarcza obiad, to jego zadanie. Pragnie jak najszybciej ubić zdobycz i zabrać ją do domu.

On zaczyna się denerwować i złościć, kiedy ona przymierza sukienkę za sukienką, prosi go o opinię, a potem niczego nie kupuje. Kobiety uwielbiają przymierzanie wielu ubrań. To odpowiada uwarunkowaniom ich mózgu – szeroka gama uczuć i różne suknie pasujące do nastroju. Ubiór mężczyzny odzwierciedla sposób ustawienia mózgu – dający się przewidzieć, konserwatywny i zorientowany na cel. Oto dlaczego tak łatwo wskazać mężczyznę, któremu ubrania kupuje kobieta. Dobrze ubierający się mężczyzna ma albo kobietę, która dokonuje za niego wyboru, albo jest gejem. Jeden na ośmiu mężczyzn nie odróżnia koloru niebieskiego, czerwieni lub zieleni. A większości brakuje umiejętności łączenia wzorów i kroju. Oto dlaczego tak łatwo wskazać samotnego mężczyznę.

Aby nakłonić mężczyznę do zrobienia zakupów, należy przedstawić jasne kryteria: kolory, rozmiary, marki, style. Powiedzieć mu, gdzie będziesz robiła zakupy i jak długo. Po podaniu wyraźnych celów (nawet jeżeli je zmyśliłaś), zaskoczy cię jego entuzjazm.

Jak prawić kobiecie szczere komplementy

Kiedy kobieta przymierza sukienkę i pyta mężczyznę: „Jak to wygląda?", prawdopodobnie otrzyma prostą odpowiedź: „Dobrze" lub „W porządku". Za coś takiego nie otrzymuje się punktów. Aby je zdobyć, mężczyzna powinien zareagować w taki sam sposób jak kobieta. Podając szczegóły.

*Niektórzy mężczyźni kulą się na samą myśl o szczegółowej
odpowiedzi, ale jeśli jesteś gotów spróbować, zdobędziesz
u kobiet sporo punktów.*

Na przykład, gdyby powiedział: „Wspaniały wybór! Obróć się. Obejrzę plecy. W tym kolorze naprawdę jest ci dobrze. Krój podkreśla twoją figurę. Te kolczyki idealnie pasują do sukienki. Wyglądasz cudownie!" – zrobiłby na większości kobiet piorunujące wrażenie.

Rozdział 7

KOKTAJL CHEMICZNY

*Wyjaśnijmy to sobie, pani Goodwin. Twierdzi pani, że cierpi na zespół
napięcia przedmiesiączkowego. Ostrzegała pani męża,
że jeśli nie przestanie przełączać kanałów,
to odstrzeli mu pani głowę. Jak zareagował?*

Peter zaprasza Paulę na kolację. Wspaniale spędzają czas. W rzeczywistości jest im tak dobrze ze sobą, że postanawiają zostać ze sobą na stałe. Rok później wracają do domu z kina. Paula pyta Petera, co chciałby zrobić, aby uczcić pierwszą rocznicę ich związku. Peter odpowiada: „Zamówmy pizzę i obejrzyjmy turniej golfa w telewizji". Paula milknie. Peter zaczyna podejrzewać, że pojawił się jakiś problem, i stwierdza: „Jeżeli nie chcesz pizzy, możemy zamówić chińszczyznę". Paula na to odpowiada: „Dobrze!" i milczy dalej.

Peter myśli tak: „To już rok! W styczniu zaczęliśmy się spotykać. Wtedy właśnie kupiłem ten samochód, zatem niedługo trzeba będzie zrobić kolejny przegląd. Mechanik mówił, że naprawi migający wskaźnik oleju na desce rozdzielczej... a skrzynia biegów nadal nie działa dobrze!"

Tymczasem Paula myśli następująco: „W ogóle nie myśli o naszym związku, skoro w rocznicę chce oglądać telewizję i zamówić pizzę. Może jeszcze zaprosi znajomych. Chciałabym zjeść kolację przy świecach. Potańczyć i porozmawiać o naszej przyszłości. Wyraźnie ten związek nie jest dla niego tak ważny jak dla mnie. Może czuje się przez niego ograniczony. Pragnę, aby bardziej się zadeklarował, ale on czuje się zagrożony. Skoro już o tym myślę, też chciałabym mieć więcej czasu dla siebie, aby móc się spotykać z przyjaciółkami. Właściwie powinnam się zastanowić, w jakim kierunku zmierza nasz związek. Będziemy nadal się spotykać, czy się pobierzemy? Będziemy mieli dzieci? Co jeszcze? Czy jestem gotowa na takie obowiązki? Naprawdę chcę spędzić z nim resztę życia?"

Peter zauważa migający wskaźnik oleju, marszczy brwi i myśli dalej: „Ci idioci z warsztatu obiecali, że to naprawią. A niedługo kończy się gwarancja!"

Paula patrzy na niego i zaczyna znowu się zastanawiać. „Marszczy brwi... Nie jest szczęśliwy... Założę się, iż uważa, że jestem za gruba i mogłabym się lepiej ubierać. Wiem, że powinnam mniej się malować i więcej ćwiczyć. Ciągle powtarza, jaka sprawna jest moja przyjaciółka Carrie, i namawia, żebym chodziła z nią na siłownię. Koleżanki uważają, że Peter powinien mnie kochać taką, jaka jestem, i nie próbować mnie zmienić... Może mają rację..."

Myśli Petera tymczasem gdzieś się błąkają. „Muszę powiedzieć mechanikowi, gdzie jest usterka. Powiem mu, żeby wziął..."

Paula, nie odrywając spojrzenia od twarzy Petera, myśli: „Teraz naprawdę się zdenerwował. Widzę to po jego minie... Czuję, jaki jest spięty. Może źle go rozumiem... Być może potrzebuje ode mnie dowodów większego przywiązania i wydaje mu się, że nie jestem do końca pewna swoich uczuć. To pewnie to. Dlatego się do mnie nie odzywa. Nie chce się przede mną otworzyć i ujawnić swoich uczuć, żebym go nie odtrąciła. Dostrzegam w jego oczach poczucie krzywdy".

A Peter myśli: „Tym razem powinni się postarać. Mówiłem im, że mam z tym kłopoty, a oni zrzucili winę na producenta. Lepiej, żeby nie próbowali mnie przekonywać, że gwarancja nie obejmuje takiej usterki, bo dopiero im się dostanie... Zapłaciłem za ten samochód majątek, więc mogą..."

– Peter – odzywa się Paula.

– Co jest? – Peter warczy rozłoszczony, bo przeszkodziła mu w rozmyślaniach.

– Proszę, nie dręcz się tak. Może się mylę, zastanawiając się tak długo... Tak mi przykro... Potrzebuję trochę więcej czasu... Chodzi mi o to, że nikt nie obiecywał, iż życie ma być proste...

– Na pewno – mruczy Peter.

– Zapewne uważasz, że się wygłupiam, co?

– Ależ skąd – odpowiada zdumiony Peter.

– Chodzi o to... sama już nie wiem... pogubiłam się... Potrzebuję czasu, żeby się nad wszystkim zastanowić...

Peter myśli: „O czym ona, do diabła, mówi? Powiem jej, że wszystko jest w porządku, a do jutra jej przejdzie. Chyba się zbliżają jej trudne dni..."

– Dziękuję, Peter. Nawet nie wiesz, ile to dla mnie znaczy... – odpowiada Paula. Patrzy mu w oczy i uświadamia sobie, jakim on jest niezwykłym człowiekiem. Dochodzi do wniosku, że musi się poważnie zastanowić nad tym związkiem.

Całą noc się przewraca z boku na bok. Nazajutrz dzwoni do przyjaciółki, Carrie, żeby rzecz dokładnie omówić. Postanawiają się spotkać podczas lunchu i porozmawiać o Peterze i związanych z nim problemach. Tymczasem Peter wraca do domu, otwiera butelkę piwa i włącza telewizor. Uznaje, że Paula ma jakiś problem, który być może w jakiś sposób łączy się z miesiączką.

Nazajutrz Paula i Carrie spotykają się na lunchu i rozmawiają do wieczora. Kilka dni później Peter widzi się z chłopakiem Carrie, Markiem. Mark go pyta:

– Macie z Paulą kłopoty?

Peter jest zupełnie zdezorientowany.

– Nie rozumiem, o czym ona mówi. – Wybucha śmiechem. – Spójrz na ten wskaźnik oleju i powiedz mi, co o tym sądzisz...

Jak hormony nas kontrolują

W przeszłości sądzono, że hormony nie mają wpływu na funkcjonowanie mózgu. Obecnie wiemy, że to hormony „programują" mózg jeszcze przed urodzeniem, determinując sposób rozumowania i zachowania. Poziom testosteronu u dorastających chłopców jest 15–20-krotnie wyższy niż u nastoletnich dziewcząt. Jego wydzielanie jest kontrolowane i regulowane przez mózg w miarę potrzeb męskiego organizmu.

W trakcie dorastania testosteron gwałtownie wzbiera w ciele młodego chłopca. To przyśpiesza rośnięcie. W konsekwencji zmieniają się proporcje: 15% tłuszczu i 45% białka. Chłopiec przeobraża się w młodzieńca i jego ciało zmienia się w taki sposób, żeby mógł się stać maszyną poszukującą pożywienia. Staje się szczupły i wysoki. Doskonale sobie radzi w sporcie, ponieważ jego ciało zostało dostosowane pod względem hormonalnym do odpowiedniego oddychania. Czerwone ciałka krwi równomiernie rozprowadzają tlen po całym organizmie. A to umożliwia bieganie, skoki i zapasy. Sterydy to męskie hormony, które przyśpieszają budowanie tkanki mięśniowej. Dają sportowcom nadzwyczajne zdolności „łowcy", a także nieuczciwą przewagę nad tymi, którzy ich nie biorą.

Hormony żeńskie wywierają inny wpływ na dorastające dziewczynki. Ich poziom nie jest regulowany tak jak u chłopców, ale są wydzielane falami podczas 28-dniowego cyklu. W życiu wielu dziewcząt i kobiet wywołuje to zamęt ze względu na gwałtowną zmienność nastrojów. Żeńskie hormony zmieniają u dziewcząt proporcje tłuszczu i białka: 26% tłuszczu i 20% białka. To powód zdenerwowania wszystkich kobiet na świecie. Ten dodatkowy tłuszcz ma zapewnić zapas energii potrzebnej do karmienia piersią i jest swego rodzaju „polisą ubezpieczeniową" na czasy, kiedy zabraknie pożywienia. Ze względu na to, że żeńskie hormony powiększają ilość tłuszczu w organizmie, są stosowane do tuczenia trzody. Natomiast męskie hormony obniżają ilość tłuszczu i dlatego się do tego nie nadają.

Substancje chemiczne w miłości od pierwszego wejrzenia

Właśnie spotkałeś tę jedyną – serce ci szybko bije, ręce ci się pocą, masz skurcze żołądka i cały drżysz. Idziecie razem na kolację i czujesz się fantastycznie. Pod koniec wieczoru całujecie się i niemal unosisz się nad ziemią. Przez kolejnych kilka dni prawie nic nie jesz, ale nigdy nie czułeś się lepiej. Zauważyłeś, że minęło ci przeziębienie.

Dowody „nerwowe" wskazują na to, że zjawisko miłości od pierwszego wejrzenia czy zakochanie to seria reakcji chemicznych zachodzących w mózgu, wywołują one skutki psychiczne i fizyczne. Szacuje się, że około 100 miliardów komórek nerwowych tworzy sieć komunikacyjną mózgu. Candice Pert z American National Institute of Health (Amerykańskiego Krajowego Instytutu Zdrowia) była pionierką badań, które doprowadziły do odkrycia neuropeptydów, czyli łańcucha aminokwasów wędrujących w organizmie i podłączających się do gotowych je przyjąć receptorów. Do tej pory odkryto 60 różnych neuropeptydów. Wszystkie po połączeniu z receptorem uruchamiają reakcje emocjonalne. Innymi słowy, wszystkie nasze emocje: miłość, rozpacz, szczęście to skutki działania biochemii. Angielski uczony Francis Crick zdobył wraz z kolegami Nagrodę Nobla w dziedzinie medycyny za rozszyfrowanie kodu DNA, który określa geny. Kiedy odbierał nagrodę, zadziwił świat, mówiąc: „Wasze radości, smutki, wspomnienia, ambicje, poczucie tożsamości, wolna wola i miłość nie są niczym innym jak zachowaniem ogromnego zbioru komórek nerwowych".

Główną substancją chemiczną dającą poczucie uniesienia w okresie zakochania jest fenyletylamina, pokrewna amfetaminie. Znajduje się w czekoladzie. To jedna z substancji chemicznych, które powodują, że serce szybciej bije, ręce się pocą i rozszerzają źrenice. Wówczas jest wydzielana także adrenalina. Przyśpiesza bicie serca, wzmaga czujność i wspomaga dobre samopoczucie. Dodatkowo w krwiobiegu pojawiają się endorfiny, wzmacniające układ odpornościowy i przyśpieszające leczenie przeziębień. Podczas pocałunku mózgi dokonują szybkiej analizy chemicznej śliny i podejmują decyzje co do genetycznej zdolności. Mózg kobiety bada chemicznie stan układu odpornościowego mężczyzny.

Wszystkie te chemiczne reakcje wywierają dobroczynny wpływ na organizm. Tym właśnie można tłumaczyć, dlaczego zakochani mają lepszą kondycję i o wiele rzadziej chorują. Zakochanie naprawdę wspaniale poprawia stan zdrowia.

Chemia hormonalna

Estrogeny to żeńskie hormony, które wywołują u kobiet ogólne poczucie zadowolenia. Odgrywają znaczącą rolę w zachowaniach typu karmienie potomstwa i obrona gniazda. Ze względu na działanie uspokajające są podawane w więzieniach agresywnym mężczyznom. Wspomagają też pamięć. Dlatego po menopauzie, kiedy spada poziom tych hormonów, tak wiele kobiet ma kłopoty z zapamiętywaniem. Nie miewają ich kobiety, które poddały się zastępczej kuracji hormonalnej.

Progesteron jest hormonem, który odpowiada za uczucia macierzyńskie. Jego zadaniem jest utrzymywanie u kobiety potrzeby wychowywania potomstwa. Badania dowiodły, że progesteron jest wydzielany na widok dziecka. Niemowlę ma krótkie, pulchne ramionka i nóżki, okrągły tułów, za dużą głowę i wielkie oczy. Właśnie taki kształt powoduje uwolnienie progesteronu do krwi. Reakcja jest tak silna, że hormon jest wydzielany nawet wtedy, kiedy kobieta widzi pluszową zabawkę. To właśnie dlatego kobiety tak często kupują misie i małe zwierzątka, a nie chude lalki o długich kończynach. Kobieta lub dziewczyna bierze w ramiona misia i wzdycha: „Czyż nie jest piękny?" Wtedy do jej krwiobiegu trafia progesteron.

1. *Niemowlę*   2. *Pluszowy miś*   3. *Chuda lalka*

Mężczyźni, którzy nie mają tego hormonu, nie potrafią zrozumieć gwałtownej reakcji kobiet na pluszowe zabawki. To być może jest wyjaśnienie, dlaczego kobiety o silnym instynkcie macierzyńskim wychodzą za mąż za niskich, otyłych mężczyzn o pulchnych policzkach.

Spójrzcie na te trzy rysunki. Widok niemowlęcia powoduje u kobiet wydzielanie progesteronu. Pluszowy miś na rysunku 2 wywoła ten sam skutek. Natomiast zabawka na rysunku 3 nie ma odpowiedniego kształtu, by spowodować uwolnienie hormonu. Od zawsze najlepiej sprzedającymi się zabawkami są pulchne lalki-niemowlaki i małe zwierzęta.

Dlaczego blondynki są bardziej płodne

Jasne włosy są oznaką wysokiego poziomu estrogenów. Być może właśnie dlatego blondynki są tak atrakcyjne w oczach mężczyzn. Wysoki poziom estrogenów jest wskaźnikiem dużej płodności. Prawdopodobnie ma też związek z określeniem „głupia blondynka". W dowcipach blondynki są płodne i nie rozumują logicznie. Badania wykazały, że nastolatki, których matki w czasie ciąży przyjmowały hormon męski, lepiej sobie radzą z nauką i mają większe szanse dostania się na studia. Jednocześnie są uważane za mało kobiece i prawdopodobnie będą miały bujniejsze owłosienie ciała.

Po urodzeniu pierwszego dziecka blondynce ciemnieją włosy, ponieważ obniża się u niej poziom estrogenów. Po drugim ciemnieją jeszcze bardziej. Spadkiem poziomu estrogenów tłumaczy się fakt, dlaczego jest tak mało naturalnych blondynek, które ukończyły 30 rok życia.

PMS i popęd płciowy

Zespół napięcia przedmiesiączkowego (PMS) stanowi dla współczesnych kobiet poważny problem. Jeszcze do niedawna kobiety prawie cały czas były w ciąży. Oznaczało to, że cierpiały na dolegliwości przedmiesiączkowe 10–20 razy w całym życiu. Natomiast współczesne kobiety przeżywają zespół napięcia przedmiesiączkowego 12 razy rocznie. Jeżeli kobieta rodzi średnio 2,4 dziecka, to cierpi na PMS 350–400 razy między 12 a 50 rokiem życia. Kobieta bezdzietna – prawie 500 razy.

....

Dlaczego wysłano tak wiele kobiet cierpiących na PMS na wojnę w Zatoce Perskiej?
Bo walczyły jak tygrysy i przez cztery dni wytrzymywały bez wody.

....

Do czasu wprowadzenia pigułki antykoncepcyjnej w latach pięćdziesiątych nikt nie zauważył, że kobiety miewają zmienne nastroje. Przez pierwsze 21 dni po menstruacji estrogeny zapewniają kobiecie przed menopauzą poczucie ogólnego zadowolenia. Popęd płciowy wzrasta aż do momentu, kiedy jest najbardziej gotowa do zapłodnienia, czyli między 18 a 21 dniem cyklu. Wówczas również poziom testosteronu jest najwyższy.

Natura jest mądra. Ma specjalny terminarz dla samic. Sprawia, że są najbardziej rozpalone w najlepszym momencie do zapłodnienia. Można to bez trudu zaobserwować u wielu gatunków zwierząt. Na przykład u koni. Klacz, kiedy się grzeje, zaczepia i podnieca ogiera, ale nie dopuści go aż do momentu, w którym jajeczko jest w najwłaściwszym położeniu.

Kobiety nie zdają sobie sprawy z istnienia podobnego terminarza, ale również ich dotyczą takie reakcje i zachowania.

Właśnie dlatego kobieta w niewytłumaczalny dla siebie sposób trafia do łóżka z mężczyzną, którego poznała na przyjęciu, chociaż nazajutrz nie potrafi zrozumieć ani jak, ani dlaczego tak się stało. „Nie wiem, jak do tego doszło – powiedziała pewna kobieta. – Poznałam go na bankiecie i zanim się zorientowałam, byliśmy razem w łóżku. Nigdy przedtem nie zrobiłam niczego podobnego". Podobnie jak inne samice, przez przypadek spotkała owego mężczyznę w odpowiednim czasie miesiąca i w chwili, kiedy istniała najlepsza szansa poczęcia. Jego układ genetyczny, układ odpornościowy oraz inne cechy zostały rozszyfrowane przez mózg kobiety bez udziału jej świadomości. Jeżeli zostały zaakceptowane jako odpowiednie dla przyszłego ojca, Natura przejęła kontrolę. Kobiety, które przeżyły podobną sytuację, nie potrafią jej wyjaśnić. Wiele z nich zrzuca winę na „los" lub „dziwne, magnetyczne przyciąganie". Nie potrafią zrozumieć, że zawładnęły nimi hormony. W konsekwencji takich uniesień wiele kobiet zostało skazanych na życie z mężczyznami, którzy nie są dla nich odpowiednimi partnerami. Za to mężczyźni na pewno chcieliby wiedzieć, kiedy kobieta osiąga hormonalny szczyt!

Chemiczna otchłań rozpaczy kobiety

Między 21 a 28 dniem cyklu poziom hormonów bardzo spada, wywołując poważne objawy niedoboru, znane powszechnie jako zespół napięcia przedmiesiączkowego. Wiele kobiet cierpi na depresję, przygnębienie, a nawet ma skłonności samobójcze. Jedna na 25 kobiet tak silnie odczuwa zakłócenia równowagi hormonalnej, że może dojść nawet do zmiany osobowości.

Jaka jest różnica między kobietą cierpiącą na PMS a terrorystą?
Z terrorystą można negocjować.

Badania wykazały, że kobiety popełniały przestępstwa, na przykład napady i kradzieże, najczęściej między 21 a 28 dniem cyklu. Stwierdzono przy tym, że w więzieniach co najmniej 50% morderstw czy napaści dokonały kobiety cierpiące na PMS. W tym czasie wyjątkowo rośnie liczba wizyt u psychiatrów, terapeutów i astrologów. Wiele kobiet czuje wtedy, że „traci kontrolę" lub „wariuje". Stwierdzono również, że istnieje 4–5-krotnie wyższe prawdopodobieństwo, że kobieta cierpiąca na PMS spowoduje wypadek lub katastrofę lotniczą, jeśli w tym czasie będzie siedziała za kierownicą lub sterami samolotu. Zatem jeśli pilotem podczas twojego następnego lotu jest źle usposobiona kobieta, lepiej będzie, jeśli wsiądziesz do pociągu.

Od dawna wykorzystuje się żeńskie hormony do uspokajania agresywnych mężczyzn. W niektórych krajach sędziowie traktują zespół napięcia przedmiesiączkowego jako okoliczność łagodzącą przy wymierzaniu kary kobietom oskarżonym o brutalne przestępstwa.

Kobieta wchodząca w okres menopauzy, zazwyczaj po 40 lub na początku 50 roku życia, przechodzi różne zmiany psychiczne, emocjonalne i hormonalne. U każdej kobiety są one inne.

....

Jaka jest różnica między mężczyzną przeżywającym kryzys wieku średniego a cyrkowym klownem? Klown wie, kiedy jest śmiesznie ubrany.

....

Oznaki andropauzy bardzo łatwo zauważyć. Mężczyzna zaczyna kupować śmieszne okulary przeciwsłoneczne, skórzane rękawiczki samochodowe, przeszczepia sobie włosy, kupuje motocykl lub czerwony samochód sportowy i zaczyna się śmiesznie ubierać.

Testosteron – nagroda czy przekleństwo

Męskie hormony, a zwłaszcza testosteron, są hormonami agresji. Zmuszają mężczyzn do polowania i zabijania. Testosteron jest odpowiedzialny za przetrwanie człowieka, bo to dzięki niemu mężczyźni znajdowali pożywienie i walczyli z wrogami. Powoduje pojawienie się zarostu i łysienie, obniża głos i poprawia wyobraźnię przestrzenną. Dowiedziono, że basy i barytony miały od tenorów dwa razy więcej ejakulacji na tydzień, a większość osób po serii zastrzyków z testosteronu ma mniej kłopotów z odczytywaniem map i znaków drogowych. Co ciekawe, leworęczność i astmę również powiązano z testosteronem. Wiadomo też, że mężczyźni z nadwagą i nadużywający alkoholu mają obniżony poziom tego hormonu we krwi.

Wadą testosteronu we współczesnym świecie jest to, że jeśli nie jest spalany podczas ćwiczeń fizycznych, może wywołać wzrost poziomu agresji i zachowania aspołeczne. Chłopcy w wieku między 12 a 17 rokiem życia, u których gwałtownie rośnie poziom testosteronu, często zostają członkami grup przestępczych. Wystarczy wstrzyknąć biernemu mężczyźnie porcję testosteronu, a zaraz stanie się pewny siebie. Ta sama dawka podana kobiecie może podnieść u niej poziom agresji, ale nie będzie miała tak znaczącego wpływu. Mózg mężczyzny został „zaprogramowany", aby reagować na testosteron. Przyczyny tego jeszcze nie są znane, ale ma to związek ze zdolnościami postrzegania przestrzennego.

....

Kobiety powinny się strzec leworęcznych, łysiejących, brodatych księgowych o niskim głosie, którzy umieją czytać mapy i jednocześnie kichają.

....

Poziom testosteronu opada, kiedy mężczyzna dobiega 50–60 roku życia. Staje się mniej agresywny i bardziej serdeczny.

U kobiet ma miejsce proces odwrotny. Po menopauzie obniża się poziom estrogenów, co daje większą ilość testosteronu w proporcji do estrogenu. Oto dlaczego kobiety w wieku 45–50 lat stają się bardziej pewne siebie i stanowcze. Wadą tego stanu rzeczy jest to, że zaczyna im rosnąć broda, cierpią na silne stresy i wylewy krwi do mózgu.

Przypadek latających talerzy

Autorka, Barbara Pease, nie zdawała sobie sprawy, że nowa pigułka antykoncepcyjna, którą jej zapisano, zawiera dużą ilość testosteronu.

Jej mąż Allan szybko się nauczył cennej umiejętności uchylania przed latającymi talerzami lub innymi przedmiotami fruwającymi w powietrzu podczas fazy PMS u Barbary. Odkrył też u siebie dawno zapomnianą umiejętność sprintu. Co ciekawe, umiejętności parkowania równoległego Barbary, czy raczej ich brak, przestały wywoływać spory. Podczas przyjmowania pigułki bardzo się poprawiły.

W końcu badania krwi wykazały u Barbary nadmiar testosteronu. Zaczęła przyjmować pigułki bez tego hormonu. Po miesiącu ustąpiły zmiany nastroju, ale Allan stwierdził, że mieszka z bibliotekarką, która na dodatek zamierza zostać zakonnicą. Kolejna zmiana pigułki podniosła Barbarze poziom testosteronu na tyle, żeby uratować jej małżeństwo i ocalić domowe naczynia.

Dlaczego mężczyźni są agresywni

Testosteron to hormon sukcesu, osiągnięć i rywalizacji. A jeśli trafi do niewłaściwych rąk (to znaczy jąder), może sprawić, że mężczyźni i samce zwierząt staną się niebezpieczni. Rodzice zdają sobie sprawę, że młodzi chłopcy niemal bez przerwy pragną oglądać filmy pełne przemocy. Wiedzą też, że ich synowie z prawie fotograficzną dokładnością potrafią opisać brutalne sceny. Dziewczynek na ogół takie filmy nie interesują. Badania przeprowadzone na University of Sydney wykazały, że w razie zagrożenia gwałtownym konfliktem, jak na przykład bójka na boisku szkolnym, podczas rozwiązywania problemu 74% chłopców uciekało się do słownej lub fizycznej agresji. Natomiast 78% dziewczynek próbowało odejść lub załagodzić sytuację. Na światłach 92% klaksonów naciskają mężczyźni. Sprawcami 96% napadów i 88% morderstw też są mężczyźni. Praktycznie wszyscy zboczeńcy seksualni to mężczyźni, a badania przeprowadzone na kobietach z zaburzeniami seksualnymi wykazują u nich wysoki poziom męskich hormonów płciowych.

Męska agresja jest odpowiedzialna za dominację tej płci w naszym gatunku. Obecnie nie uczymy chłopców agresji. Staramy się tak ich ukierunkować, aby nie stosowali przemocy. Agresja jest jedyną cechą męską, która nie da się wytłumaczyć uwarunkowaniami społecznymi. Badania przeprowadzone na sportowcach wykazały, że poziom testosteronu jest u nich wyższy pod koniec zawodów niż na początku. To dowód, że rywalizacja może wpłynąć na poziom agresji. Widzowie śledzący rozgrywki rugby często oglądają drużynę Nowej Zelandii wykonującą tuż przed meczem maoryski taniec wojenny *haka*. Taniec ten służy dwóm celom: wzbudzeniu strachu w przeciwnikach oraz podniesieniu poziomu testosteronu u zawodników. W tym samym celu wykorzystuje się występy żeńskich drużyn dopingujących graczy w różnych dziedzinach sportu. Do podniesienia poziomu testosteronu u zawodników oraz u kibiców. Badania potwierdzają, że wypadki przemocy na trybunach zdarzają się częściej na meczach, na których organizuje się doping.

Dlaczego mężczyźni tak ciężko pracują

Profesor James Dabbs z Georgia State University pobrał próbki śliny od mężczyzn różnych zawodów, między innymi od przedsiębiorców, polityków, sportowców, księży i zakonników. Stwierdził, że najlepsi w swoich dziedzinach mają wyższy poziom testosteronu, a najniższy zanotowano u kleru. To wskazuje na mniej aktywne życie seksualne. Odkrył również, że kobiety o dużych osiągnięciach, na przykład prawniczki oraz osoby prowadzące sprawy handlowe, mają poziom testosteronu wyższy od przeciętnej. Ponadto zauważył, że testosteron ma nie tylko wpływ na odnoszenie sukcesów, ale sukcesy powodują większe wydzielanie testosteronu.

Obserwowaliśmy zachowanie zwierząt od Afryki po lasy tropikalne Borneo. Byliśmy świadkami tego, na co uczeni poświęcali lata badań. Zazwyczaj stadem rządzi samiec o wyższym poziomie testosteronu. Poziom tego hormonu u niektórych zwierząt, jak na przykład u hieny cętkowanej, jest tak wysoki, iż młode rodzą się z pełnym uzębieniem i są tak agresywne, że pożerają się nawzajem.

Stworzenia o wyższym poziomie testosteronu rządzą królestwem zwierząt.

Najlepsze psy, koty, konie, kozły i małpy to te, które mają rekordowy poziom męskiego hormonu. Przez całą historię mężczyźni o wysokim poziomie testosteronu panowali nad ludzką rasą. Można nawet założyć, że wybitne kobiety, jak Boudikka, Margaret Thatcher, Joanna d'Arc i Golda Meir, otrzymały dodatkową dawkę męskiego hormonu między 6 a 8 tygodniem życia płodowego. Natomiast utrzymujący się poziom nie wykorzystanego testosteronu ma poważną wadę. Przerażających przykładów dostarcza Ameryka. Zbadano stu osiemnastu studentów prawa. Przeprowadzono tak zwaną wielofazową ocenę osobowości Minnesota. Następnie przez trzydzieści lat śledzono ich życie. Stwierdzono czterokrotnie wyższe prawdopodobieństwo, że osoby o wysokim poziomie wrogości i agresji wcześniej umrą. To bardzo dobry powód, aby zachęcać chłopców do regularnego uprawiania sportu.

Testosteron i wyobraźnia przestrzenna

Być może udało ci się dojść do wniosku, że skoro wyobraźnia przestrzenna jest jednym z najważniejszych atrybutów mężczyzny, to ma związek z poziomem testosteronu. W rozdziale trzecim dowodziliśmy, że testosteron jest w największej mierze odpowiedzialny za genetyczne kształtowanie męskiego płodu (XY) oraz za instalowanie „oprogramowania" związanego z wyobraźnią przestrzenną potrzebną do polowania i pościgu. W konsekwencji im więcej testosteronu wytwarza się w organizmie, tym bardziej mózg będzie ukierunkowany na męskie zachowanie. Samce szczurów po wstrzyknięciu im dodatkowej porcji męskiego hormonu szybciej od zwykłych szczurów odnajdują wyjście z labiryntu. Samice również lepiej dają sobie radę z odnajdywaniem kierunku, chociaż poprawa nie jest aż tak widoczna jak u samców. Natomiast u obu płci rośnie poziom agresji.

W Teście Zaprogramowania Mózgu mężczyźni o wysokim poziomie testosteronu uzyskują wynik między −50 a +50. Zazwyczaj mają mniej kłopotów z czytaniem mapy, orientacją w terenie, grami wideo czy trafianiem do celu. Szybko rosną im brody. Uwielbiają sporty „myśliwskie", jak futbol, bilard czy wyścigi samochodowe, i dobrze sobie radzą z parkowaniem równoległym. Testosteron to również hormon pomagający w skupieniu się na celu. Pozwala też uniknąć zmęczenia. Badania dowodzą, że ochotnicy, którym wstrzyknięto testosteron, wykazują większą wytrzymałość podczas ćwiczeń fizycznych takich jak spacery i biegi długodystansowe. Potrafią też dłużej utrzymać koncentrację. Nikogo więc nie powinno dziwić, że lesbijki również zdradzają te cechy. Susan Resnik z Instytutu Starzenia w USA, opisując swoje odkrycia, stwierdziła, że dziewczynki, które otrzymały w macicy większą ilość męskiego hormonu, miały o wiele lepszą wyobraźnię przestrzenną w porównaniu ze swoimi siostrami, które go nie otrzymały.

Dlaczego kobiety nienawidzą parkowania równoległego

Testosteron poprawia zdolności postrzegania przestrzennego, natomiast hormon żeński, estrogen, je pogarsza. Kobiety mają zdecydowanie mniej testosteronu od mężczyzn. W rezultacie im bardziej żeński mózg, tym mniejsza wyobraźnia przestrzenna. Oto dlaczego najbardziej kobiecym paniom źle wychodzi parkowanie równoległe oraz czytanie map. Istnieje rzadka choroba o nazwie zespół Turnera, w której osobnikowi żeńskiemu genetycznie (XX) brakuje jednego chromosomu X. Określa się go wtedy jako dziewczynkę XO. Takie dziewczynki są wyjątkowo kobiece w zachowaniu i prawie nie mają wyobraźni przestrzennej lub kierunkowej. Nigdy nie pożyczaj samochodu kobiecie XO.

Chińczycy mają niższy od białych mężczyzn poziom testosteronu. Dowodzi tego też brak zarostu i rzadkie występowanie u nich łysiny. W chińskim społeczeństwie rzadziej oskarża się mężczyzn o przestępstwa związane z przemocą lub agresją. Być może z tego samego powodu w porównaniu z białymi Chińczycy o wiele rzadziej dopuszczają się gwałtu. Zapewne to wyjaśnia słabsze osiągnięcia przy parkowaniu równoległym.

Matematyka i hormony

Chłopcy wykorzystują przedni prawy płat czołowy do rozwiązywania zadań matematycznych. U dziewcząt obszar odpowiedzialny za wyobraźnię przestrzenną rozciąga się na obie półkule. Badania dowodzą, że kobiety przy rozwiązywaniu zadań matematycznych próbują się posłużyć lewym, „werbalnym" przednim płatem mózgu. Prawdopodobnie dlatego tak chętnie liczą na głos. To również wyjaśnia, dlaczego dziewczęta są na ogół lepsze od chłopców w rachunkach. Ich umiejętność współpracy i chęć nauki sprawiają, że podczas egzaminów z matematyki często mają przewagę nad chłopcami.

U dziewcząt mózg rozwija się wcześniej. To częściowo tłumaczy, dlaczego wcześnie tak dobrze sobie radzą. Po okresie dojrzewania chłopcy zaczynają nadrabiać różnice i wkrótce mają przewagę w rozumowaniu matematycznym, ponieważ testosteron poprawia ich wyobraźnię przestrzenną. Na uniwersytecie Johna Hopkinsa w Bostonie przeprowadzono badania zdolności matematycznych u utalentowanych dzieci w wieku 11–13 lat. Odkryto, że im trudniejsze były testy, tym bardziej rosła przewaga chłopców. Chłopcy pokonywali utalentowane dziewczynki w stosunku 2:1. Na średnim poziomie ten stosunek rósł do 4:1. A na najwyższym poziomie trudności wynosił 13:1!

W 1998 roku kanadyjski autorytet w dziedzinie badań mózgu, dr Doreen Kimura, odkryła, że podwojenie lub potrojenie ilości testosteronu u mężczyzny niekoniecznie przynosi dwukrotne czy trzykrotne polepszenie zdolności rozumowania matematycznego. To dowód, że istnieje optymalny poziom testosteronu, gdzieś między stanem niskim a średnim. Innymi słowy, King Kong niekoniecznie będzie się wykazywał lepszymi zdolnościami rozumowania matematycznego w porównaniu z mężczyzną, któremu bardzo wolno rośnie broda. Co ciekawe, testosteron bardziej poprawia zdolności rozumowania matematycznego u kobiet niż u mężczyzn. Kobieta z wąsikiem prawdopodobnie będzie lepszym inżynierem niż dziewczyna, która wygląda jak lalka Barbie. Mężczyźni osiągają lepsze wyniki w czytaniu map jesienią, kiedy mają najwyższy poziom testosteronu.

System oświatowy podczas egzaminów z matematyki faworyzuje chłopców, a stawia w niekorzystnym położeniu dziewczęta. Badania wykazują, że uczennice cierpiące na zespół napięcia przedmiesiączkowego mają w tym okresie najniższy poziom testosteronu i osiągają o 14%

gorsze wyniki w porównaniu z dziewczętami nie skarżącymi się na PMS. W bardziej sprawiedliwym systemie dla dziewcząt organizowano by egzaminy w terminach odpowiedniejszych pod względem biologicznym. Chłopcy zawsze mogą zdawać egzaminy.

Polowanie współczesnego człowieka

Sport jest współczesnym odpowiednikiem polowania. Większość dziedzin sportowych rozwinęła się po roku 1800. Wcześniej na ogół mieszkańcy świata polowali dla pożywienia lub rozrywki. Rewolucja przemysłowa z końca wieku XVIII oraz nowoczesne metody uprawy ziemi sprawiły, że już nie było trzeba dłużej ścigać i chwytać zdobyczy. Przez tysiące lat mężczyźni byli „programowani" do polowania. Nagle to się skończyło i potrzeba polowania nie miała już ujścia.

Odpowiedzią stał się sport. Ponad 90% współczesnych dziedzin sportowych powstało między 1800 a 1900 rokiem. W wieku XX pojawiło się tylko kilka nowych. Większość wiąże się z bieganiem, pogonią i trafianiem do celu. Pozwala to jednostkom o wysokim poziomie testosteronu na spalanie nadmiaru hormonów. Badania dowodzą, że chłopcy aktywni fizycznie rzadziej są zamieszani w przestępstwa lub przemoc, a młodzi mężczyźni z przeszłością kryminalną wykazują słabsze zainteresowanie sportem. Zatem jeżeli testosteron nie zostanie spalony na boisku, może wywołać zachowania aspołeczne. Spotykane wśród kierowców na autostradach ataki szału są zjawiskiem dotyczącym niemal wyłącznie mężczyzn. Na drodze mężczyźni rywalizują ze sobą, kobiety po prostu tam są.

Zatem zanim zapiszesz się do klubu sportowego, sprawdź, jakie są w nim propagowane cele, wartości i wzory do naśladowania. Jeżeli wszyscy uczęszczają tam wyłącznie dla gry, to nadal pozostają niewolnikami biologii. Wtedy będzie lepiej, jeśli wstąpisz do klubu wędkarskiego. Istnieje wiele ośrodków, w których można uprawiać jogę lub sztuki walki. Tam uczą właściwych zasad: troski o zdrowie, umiejętności rozluźniania się i odpowiednich wartości.

Unikaj klubów, w których podkreśla się zyski finansowe, jakie mogą osiągnąć ich członkowie.

Dlaczego mężczyźni mają brzuszki, a kobiety wydatne pośladki

Natura jak najdalej odsuwa tłuszcz od najważniejszych organów, aby nie zakłócał ich prawidłowego funkcjonowania. Zazwyczaj w ogóle nie ma tłuszczu wokół mózgu, serca i genitaliów. Kobiety mają jeszcze jeden ważny organ: jajniki. Dlatego w wieku rozrodczym nie miewają nadmiernej ilości tłuszczu na brzuchu. Mężczyźni nie mają jajników, dlatego tkanka tłuszczowa zbiera się u nich na brzuchu oraz na plecach. Rzadko też widuje się u mężczyzn otłuszczone nogi. Natomiast u kobiet nadmiar tłuszczu jest kumulowany w udach, ramionach i pośladkach. Będzie stanowił rezerwowe źródło energii podczas karmienia piersią. Gdyby Natura obdarzyła mężczyzn jajnikami, mieliby tęższe uda i płaskie brzuchy. Po zabiegu histerotomii i usunięciu jajników tłuszcz pojawia się także na brzuchu.

Rozdział 8

CHŁOPCY SĄ CHŁOPCAMI, ALE NIE ZAWSZE

Pewnego dnia po lekcji biologii Elliot wreszcie zrozumiał to, co koledzy o nim myśleli. Jego poziom testosteronu nie był normalny.

o sprawia, że kobieta jest kobietą, a mężczyzna mężczyzną? Czy naprawdę można z wyboru zostać gejem? Dlaczego lesbijka woli kobiety? Jak się udaje transseksualistom być jednocześnie kobietą i mężczyzną? Czy jesteś taki, jaki jesteś, bo miałeś agresywną matkę, a twój ojciec pracował na zmiany i był bardzo chłodny emocjonalnie? A może dlatego, że spodobała ci się nauczycielka w trzeciej klasie podstawówki? Jesteś, jaki jesteś, bo się urodziłeś jako drugie dziecko, wychowywałeś w biedzie, w rozbitej rodzinie lub byłeś sierotą? A może urodziłeś się pod znakiem Lwa, ale w ascendencie Skorpiona? Albo jesteś reinkarnacją kota?

W tym rozdziale omówimy, co się dzieje, kiedy ludzki płód otrzyma za dużo lub za mało męskiego hormonu.

Geje, lesbijki i transseksualiści

Badania wykazują, że podstawowa struktura mózgu i ciała płodu ludzkiego jest żeńska. Dlatego mężczyźni mają kilka nadprogramowych cech żeńskich, jak sutki i gruczoły mleczne, które zachowały zdolność wydzielania mleka. Podczas wojny zanotowano u więźniów tysiące przypadków laktacji. Głód doprowadził do zaburzeń pracy wątroby. To z kolei powodowało wydzielanie się hormonów niezbędnych przy karmieniu piersią.

Obecnie wiadomo, że między szóstym a ósmym tygodniem od poczęcia męski płód (XY) otrzymuje potężną dawkę męskich hormonów, zwanych androgenami. Hormony te są odpowiedzialne za wykształcenie się jąder. Następna, druga porcja hormonów zmienia konfigurację mózgu z żeńskiego na męski. Jeżeli płód męski nie otrzyma we właściwym czasie odpowiedniej dawki hormonu, mogą się wydarzyć dwie rzeczy. Po pierwsze, chłopiec może się urodzić z bardziej kobiecą strukturą mózgu. Innymi słowy, będzie to chłopiec, który po okresie dorastania zostanie gejem. Po drugie, dziecko, które pod względem genetycznym jest chłopcem, urodzi się z działającym mózgiem kobiecym i męskimi genitaliami. Będzie transseksualistą. Transseksualista to osoba, która biologicznie zalicza się do jednej płci, ale wie, że należy do płci przeciwnej. Czasem genetyczny mężczyzna rodzi się jednocześnie z męskimi i żeńskimi genitaliami. Genetyczka Anne Moir w swojej przełomowej książce *Płeć mózgu* dokumentuje wiele przypadków narodzin genetycznych chłopców, którzy wyglądali jak dziewczynki i tak byli wychowywani, a w okresie pokwitania nagle odkrywali u siebie penisa i jądra.

To genetyczne kuriozum zostało odkryte w Dominikanie. Badania wykazały, że rodzice wychowywali swoje dzieci jako dziewczynki i utrwalali stereotypowe zachowania, jak noszenie sukienek i zabawy lalkami. Wielu z nich przeżyło szok, kiedy odkryli, że mają w domu w pełni rozwiniętego chłopca w okresie pokwitania. Kiedy górę brały męskie hormony, u ich córek pojawiał się penis, zmieniał się wygląd i zachowanie. Te zmiany miały miejsce pomimo społecznych uwarunkowań i nacisków na zachowania kobiece.

Fakt, że większość tych „dziewczynek" z powodzeniem przeżyła resztę życia jako mężczyźni, dowodzi, iż środowisko społeczne oraz wychowanie miały bardzo ograniczony wpływ, a także że biologia jest podstawowym czynnikiem w tworzeniu wzorów zachowań.

Homoseksualizm w historii

Wśród starożytnych Greków homoseksualizm był nie tylko dozwolony, ale i szanowany. Smukłe, chłopięce ciało było dla nich ideałem piękna. Wielbiono je na malowidłach i w rzeźbach. Pisano wiersze o miłości poważanych starszych mężczyzn do młodzieńców. Grecy wierzyli, że męski homoseksualizm służy szlachetnym, wyższym celom i zachęca młodych, aby starali się zostać wybitnymi członkami społeczności. Stwierdzili, że młodzi geje są jednymi z najodważniejszych i najsprawniejszych wojowników na polu bitwy, gdy walczą u boku „ukochanego".

*W starożytnym Rzymie opisywano Juliusza Cezara
jako mężczyznę wszystkich kobiet
i kobietę wszystkich mężczyzn.*

Kiedy chrześcijaństwo potępiło związki tej samej płci, gdyż Bóg obrócił swój gniew przeciw Sodomie, homoseksualizm został zakazany i zszedł do podziemia. Nie ujawniał się aż do naszych czasów.

W epoce wiktoriańskiej nie chciano się przyznać do istnienia homoseksualizmu. A jeśli nawet homoseksualizm istniał, musiał być dziełem szatana i należało go surowo potępić. Obecnie, na początku XXI wieku, wiele osób starszego pokolenia wciąż uważa, że homoseksualizm jest zjawiskiem nowym, niezgodnym z naturą. W rzeczywistości homoseksualizm występuje, odkąd męskie płody nie otrzymują odpowiedniej dawki męskich hormonów. Wśród naczelnych zachowania homoseksualne są sposobem wytwarzania więzi między członkami grupy lub formą okazywania posłuszeństwa osobnikowi wyższemu w hierarchii. Są znane u bydła, kogutów i psów. Miłość lesbijska wzięła swoją nazwę od greckiej wyspy Lesbos. Nigdy nie potępiano jej tak stanowczo jak męskiego homoseksualizmu. Być może dlatego, że jest bardziej „intymna" i rzadziej bywa uznawana za zboczenie.

To genetyka czy wybór?

W 1991 roku autor książki *Mowa ciała* Allan Pease oraz genetyczka Anne Moir wystąpili razem w brytyjskiej telewizji. Promowali wydanie swoich książek *Talk Language* oraz *Płeć mózgu*. Wówczas Moir ujawniła, że wyniki jej badań potwierdzają to, o czym naukowcy wiedzą od lat. Homoseksualizm jest skutkiem zaburzeń genetycznych, a nie wyboru.

Zatem homoseksualizm jest w większości wypadków wrodzony. Co więcej, środowisko, w którym jesteśmy wychowywani, odgrywa mniejszą rolę, niż poprzednio sądzono. Ustalono, że spełzają na niczym wysiłki rodziców, którzy próbują stłumić skłonności homoseksualne u dorastającego chłopca lub u dorosłego syna. Ze względu na to, że brak hormonu męskiego jest tu głównym winowajcą, większość homoseksualistów to mężczyźni.

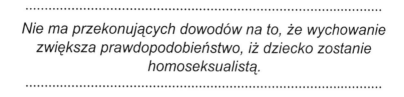

Nie ma przekonujących dowodów na to, że wychowanie zwiększa prawdopodobieństwo, iż dziecko zostanie homoseksualistą.

Na jedną lesbijkę (czyli kobiece ciało ze zmaskulinizowanym mózgiem) przypada od 8 do 10 gejów. Gdyby stowarzyszenia lesbijek i gejów były gotowe pogodzić się z wynikami badań oraz gdyby w szkołach podawano te fakty, wówczas osoby homoseksualne i transseksualne byłyby o wiele lepiej traktowane przez otoczenie.

Zazwyczaj osoby z wrodzonymi wadami i zaburzeniami są bardziej akceptowane niż te, które w ocenie ogółu dokonały wyboru nie do przyjęcia. Społeczeństwo lepiej traktuje na przykład dzieci urodzone po zażyciu przez ich matki podczas ciąży thalidomidu, cierpiące na chorobę Parkinsona, autyzm czy porażenie mózgowe niż homoseksualistów, którzy podobno wybierają taki tryb życia.

Czy możemy krytykować człowieka, który urodził się leworęczny lub z zaburzeniami mowy? O niebieskich oczach i rudych włosach? Albo z kobiecym mózgiem w męskim ciele? Większość homoseksualistów błędnie wierzy, że ich skłonności są rezultatem ich decyzji i jak wiele „mniejszości" chętnie publicznie ogłaszają swój „wybór", który nie tylko sprawia im ból, ale także wywołuje negatywne reakcje otoczenia.

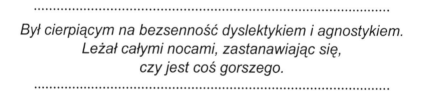

Był cierpiącym na bezsenność dyslektykiem i agnostykiem. Leżał całymi nocami, zastanawiając się, czy jest coś gorszego.

Niestety, statystyki wykazują, że ponad 30% samobójstw wśród nastolatków popełniają geje i lesbijki. Jeden na trzech transseksualistów odbiera sobie życie. Chyba jest dla nich nie do zniesienia myśl o uwięzieniu na resztę życia w „niewłaściwym ciele". Gdy badano rodziny homoseksualistów-nastolatków, którzy popełnili samobójstwo, stwierdzono, że większość wychowywała się w rodzinie lub w społeczności uczącej nienawiści i odrzucającej homoseksualistów, albo religia próbowała ocalić niektóre z „ofiar" za pomocą terapii czy modłów.

Dlaczego wini się ojców

Często ojca obarcza się odpowiedzialnością za homoseksualizm syna. Członkowie rodziny twierdzą, że prześladował go lub krytykował za to, że w okresie dorastania nie interesował się męskimi zajęciami. Zgodnie z tą teorią homoseksualizm jest skutkiem buntu syna przeciwko ojcu, ale brakuje na to dowodów. Bardziej prawdopodobne jest wyjaśnienie, że chłopiec bardziej się interesował kobiecymi zajęciami niż piłką nożną, wyścigami motocyklowymi, samochodami czy walkami bokserskimi. To właśnie mogło być stałym źródłem niezadowolenia ojca, który wiązał z rozwojem syna ogromne nadzieje. Innymi słowy, to kobiece skłonności syna mają wpływ na krytyczną czy agresywną postawę ojca, a nie odwrotnie.

Gejowski karnawał w Sydney

Największym na świecie publicznym wystąpieniem homoseksualistów jest karnawał gejów i lesbijek w Sydney. Ściąga co roku około miliona osób. Bywa nazywany świętem homoseksualizmu. Miliony osób na całym świecie oglądają karnawał w telewizji. Gejowska społeczność czuje się dumna z tego, co ich zdaniem daje to wydarzenie. Natomiast w rzeczywistości wielu spośród milionów heteroseksualistów oglądających karnawał po prostu się gapi lub śmieje z pochodu, który uważa za paradę dziwadeł. Ankiety przeprowadzone wśród telewidzów dowodzą, że większość wspaniale się bawi, ale to widowisko potwierdza ich podejrzenia, że homoseksualiści są zdziwaczałymi zboczeńcami, za których zawsze ich uważali. Gdyby lesbijki i geje, biorący udział w paradzie, byli od stóp do głów szczelnie okryci jak muzułmanie, niewielu byłoby chętnych do brania udziału czy oglądania karnawału.

Gdyby natomiast heteroseksualiści zorganizowali dla swojej społeczności podobne wydarzenie, czyli przemarsz ulicami Sydney w bieliźnie lub bez niej, wtedy nie tylko zjawiłaby się garstka uczestników, ale prawdopodobnie zostaliby aresztowani za nieprzyzwoite zachowanie.

Gdyby opinia publiczna zrozumiała, iż dowody naukowe wskazują, że w większości wypadków, a może nawet zawsze, homoseksualizm jest wrodzony, byłaby tak samo zainteresowana przemarszem gejów, jak wiecem rudych i piegowatych, ponieważ to genetyczne połączenie występuje z taką samą częstotliwością jak homoseksualizm. Być może społeczeństwo bardziej by akceptowało homoseksualistów, a geje i lesbijki nie mieliby aż tylu problemów z samooceną, byliby o wiele lepiej traktowani, rzadziej odtrącani i wyśmiewani. Ignorancja obu stron uniemożliwia porozumienie.

Czy „wybór" można zmienić

Geje i lesbijki nie wybierają swojej orientacji seksualnej, podobnie jak osoby heteroseksualne. Większość seksuologów jest zdania, że nie można zmienić orientacji seksualnej. Naukowcy są przekonani, że skłonności homoseksualne wykształcają się w macicy, a homoseksualne wzorce zachowań są na dobre utrwalone w wieku pięciu lat i pozostają już poza kontrolą danej osoby. Przez stulecia stosowano różne techniki do tłumienia potrzeb homoseksualnych u „chorych". Należały do nich: amputacja piersi, kastracja, podawanie leków, usuwanie macicy, lobotomia płata czołowego, psychoterapia, elektrowstrząsy, spotkania modlitewne, porady duchowe i egzorcyzmy. Żadna z tych terapii nigdy się nie zakończyła sukcesem. Najlepszy rezultat to ograniczenie przez biseksualistów aktywności seksualnej do członków płci przeciwnej lub zmuszenie homoseksualistów do celibatu poprzez wywołanie poczucia winy bądź strachu. Takie techniki jednak wielu z nich popychają do samobójstwa.

Istnieje ponad 90% szans, że ty, czytelniku, jesteś heteroseksualny. Pomyśl, jakie musi być trudne obudzenie w sobie pociągu fizycznego do osoby tej samej płci. Może wtedy zrozumiesz, że nie da się wytworzyć uczuć, jeśli już nie istnieją. Jeżeli to jest wybór, jak twierdzi wiele osób, to dlaczego człowiek inteligentny opowiada się za trybem życia, który naraża go jedynie na wrogość, uprzedzenia i dyskryminację? To hormony są za to odpowiedzialne, a nie wola człowieka.

Przypadek bliźniąt jednojajowych-gejów

Prowadzono szerokie badania nad bliźniętami jednojajowymi, rozdzielonymi zaraz po urodzeniu, wychowywanymi w różnych rodzinach oraz środowiskach. Wykonano liczne testy, aby jednoznacznie stwierdzić, czy ludzkie cechy są dziedziczone, czy utrwalane przez społeczne uwarunkowania. Dowiedziono, że wiele cech jest dziedzicznych, jak skłonność do nerwic lub depresji, poziom introwersji/ekstrawersji; pewność siebie, łatwość uprawiania sportów oraz wiek rozpoczęcia współżycia płciowego. Zakładamy, że około 5% populacji męskiej to geje. Przy analizie 100 bliźniąt jednojajowych-gejów rozdzielonych zaraz po urodzeniu, można by się spodziewać, że jeśli homoseksualizm jest wyborem, to również 5% bliźniąt dwujajowych powinno być gejami. Różne grupy badawcze zajmowały się tą kwestią i wszystkie otrzymały ten sam rezultat. Opublikowali je dr Richard Pillard z Boston University oraz psycholog Michael Bailey z North Western University. Badali orientację seksualną braci wychowywanych razem. Oto wnioski, do których doszli.

Szansa na homoseksualizm rodzeństwa
- 22% dla bliźniąt dwujajowych,
- 10% dla braci, ale nie bliźniąt oraz braci przysposobionych,
- 52% dla bliźniąt jednojajowych o tych samych genach.

Badania gejów-bliźniąt jednojajowych, rozdzielonych zaraz po urodzeniu, wykazują, że ponad 50% rozdzielonych braci bliźniaków było również homoseksualistami. Uczeni byli zgodni, że 10–20% bliźniaków, którzy oświadczali, że są heteroseksualni, było prawdopodobnie homoseksualistami, tyle że się ukrywali, albo biseksualistami, którzy postanowili podawać się za heteroseksualistów. Podsumowując, prawdziwy procent bliźniąt-gejów o identycznym zestawie genów, wynosi około 60–70. To przekonujący dowód na to, że homoseksualizm zaczyna się w macicy. Potwierdza, że wychowanie ma niewielki wpływ na orientację seksualną lub nie ma żadnego.

To tkwi w ich genach

Zgodnie z teorią, że homoseksualizm zaczyna się w macicy, można by się spodziewać, że wszyscy bracia bliźniąt jednojajowych gejów będą gejami. Dlaczego tak nie jest dla 30–40% braci gejów? Geny mają pewną właściwość nazywaną penetracją. Jest to miara siły genu do działania. Określa prawdopodobieństwo uruchomienia się genu i możliwości, że stanie się dominujący. Na przykład odmiana genu, który wywołuje pląsawicę przewlekłą, ma penetrację rzędu 100%, natomiast gen, który jest odpowiedzialny za cukrzycę typu 1, ma jedynie penetrację rzędu 30%. Czyli że jeżeli bliźniacy jednojajowi mają gen wywołujący pląsawicę przewlekłą oraz gen wywołujący cukrzycę, to obaj na pewno zachorują na pląsawicę przewlekłą, a na zapadnięcie na cukrzycę typu 1 mają 30% szans.

Zatem ci, którzy otrzymali „gen homoseksualizmu", mają 50–70% szans na zostanie gejami. Ta teoria wyjaśnia, dlaczego nie wszyscy bracia z bliźniąt jednojajowych są gejami. Ocenia się, że około 10% mężczyzn jest „nosicielami genu homoseksualizmu". Średnio połowa z nich zostanie gejami ze względu na 50–70-procentowy współczynnik penetracji tego genu. Doświadczenia laboratoryjne przeprowadzone na myszach i szczurach dowiodły, że u innych gatunków jest podobnie. Aczkolwiek przeprowadzanie tego typu eksperymentów na ludziach jest niezgodne z prawem i uważane za nieetyczne, wiemy, że wykonywano je w Rosji i otrzymano te same wyniki.

„Gen gejów"

Dean Hamer z National Cancer Institute w USA porównał DNA 40 par braci homoseksualnych i odkrył, że 33 pary miały te same znaczniki genetyczne w rejonie X928 chromosomu X. Uznano, że to przybliżone położenie genu gejów. Hamer porównał również DNA 36 par sióstr i lesbijek, ale nie znalazł żadnego wzoru. Te badania dowodzą, że homoseksualizm jest dolegliwością nie tylko dotykającą głównie mężczyzn, ale prawie na pewno chorobą dziedziczną. Wszystko wskazuje na to, że prawdopodobieństwo uaktywnienia genu zależy w dużej mierze od obecności testosteronu w okresie od szóstego do ósmego tygodnia od poczęcia. Ponadto istnieje możliwość, że inne czynniki, w tym uwarunkowania społeczne, mogą uaktywnić gen w dzieciństwie, zazwyczaj do 5 roku życia.

Odciski palców geja

W 1998 roku pionierka badań mózgu w Kanadzie, dr Doreen Kimura, ogłosiła, że przeprowadziła badania liczby linii między dwoma określonymi punktami w odciskach palców. Odkryła, że osoby o dużej liczbie linii papilarnych w lewej ręce są lepsze w wykonywaniu „kobiecych" prac.

Liczba linii papilarnych

Stwierdziła, że większość populacji ma więcej linii papilarnych w palcach prawej dłoni, natomiast kobiety i homoseksualiści mogą mieć więcej linii w lewej dłoni.

Rodziny gejów

Badania gejów przeprowadzone przez National Cancer Institute w USA wykazały, że homoseksualizm występuje w rodzinie. Dane zebrane o członkach rodzin 114 gejów dowodzą, iż istnieje trzykrotnie większe prawdopodobieństwo, że bracia, wujowie, kuzyni lub rodzice geja również byli gejami. Większość krewnych gejów występowała raczej po stronie matki niż po stronie ojca. To może być skutkiem jedynie zaburzeń genetycznych i wskazuje na to, że istnieje gdzieś w chromosomie X specjalny gen. Ten chromosom może przekazać wyłącznie matka (kobieta ma dwa X). To jeszcze jeden dowód na genetyczne przenoszenie męskiego homoseksualizmu.

Jak stworzyć szczura geja

Szczury z dwóch powodów doskonale się nadają do eksperymentów naukowych. Po pierwsze, mają tak jak ludzie: hormony, geny i ośrodkowy układ nerwowy. Po drugie, ich mózg nie wykształca się w macicy, tylko po urodzeniu, a to pozwala nam obserwować, co się w nim dzieje. Wystarczy wykastrować szczura samca, a zacznie się zachowywać jak samica, staje się towarzyski i buduje gniazdo. Podajmy testosteron nowo narodzonej samicy, a zacznie się zachowywać jak samiec. Staje się agresywna i próbuje się wspinać na inne samice. Niektóre samice ptaków, jak na przykład kanarków, nie potrafią śpiewać. Jeśli jednak w młodym wieku wstrzyknie im się testosteron, śpiewają jak samce, dlatego że ten hormon wpływa na zaprogramowanie mózgu.

Aby doprowadzić do zmiany płci, należy wpływać na mózg embriona. Podobne eksperymenty przeprowadzone na dorosłych szczurach, ptakach i małpach nie dały tak wyraźnego rezultatu, ponieważ ich mózg został odpowiednio „nastawiony" podczas życia płodowego. U ludzi mózg jest „nastawiany" w sześć, osiem tygodni po poczęciu.

Kiedy prowadziliśmy wykłady w Rosji, poznaliśmy profesora neurochirurgii z lokalnego uniwersytetu. Zdradził nam tajemnicę tajnych eksperymentów zmiany mózgu, które były od pewnego czasu przeprowadzane w tym kraju. Wyniki doświadczeń były takie same jak na szczurach. Zmieniano chłopców w dziewczynki, a dziewczynki w chłopców poprzez zmianę płci ich mózgu w macicy na skutek podawania męskiego hormonu. Tworzono gejów, lesbijki i transseksualistów. Profesor opowiedział nam również, że kilkakrotnie płód nie otrzymał odpowiedniej ilości testosteronu lub podano go w niewłaściwym momencie rozwoju. W rezultacie rodził się chłopiec z dwoma układami rozrodczymi: męskim i żeńskim. Tego typu genetyczne zaburzenie zdarza się również w naturze (jak to było w Dominikanie). Oto wyjaśnienie, dlaczego dziecko po urodzeniu wygląda jak dziewczynka, a w okresie pokwitania przeobraża się w chłopca.

Wyniki badań wskazują na to, o czym uczeni wiedzą, ale nie mają odwagi mówić. Można kontrolować płeć mózgu za pośrednictwem hormonów, tym samym płciowość płodu może być ustalona przed narodzeniem. Wystarczy zastrzyk zrobiony w odpowiednim momencie. To by jednak wywołało, co całkiem zrozumiałe, sprzeciw natury moralnej, etycznej i humanitarnej.

Dlaczego rodzi się gej

Zdecydowanie rośnie szansa urodzenia zniewieściałego chłopca lub geja, jeśli we wczesnym okresie ciąży płodu męskiego wystąpi zahamowanie wydzielania testosteronu, gdyż żeńskie hormony przyczynią się do konfiguracji mózgu. Niemieckie badania z lat siedemdziesiątych wykazały, że matki, które przeżyły silny stres we wczesnym okresie ciąży, miały 6--krotnie wyższe szanse urodzenia syna-geja. Profesor Lee Ellis z wydziału socjologii Minot State University w Dakocie Północnej odkrył, że ciężkie przeżycia podczas ciąży prowadzą nieodmiennie do urodzenia syna-geja. Jeżeli płód jest dziewczynką, wówczas córka będzie bardzo kobieca i na pewno czekają ją kłopoty z wyobraźnią przestrzenną. Innymi słowy, będzie bardzo macierzyńska i opiekuńcza, ale nie będzie potrafiła zaparkować równolegle ani znaleźć północy. Brian Gladue z uniwersytetu stanu Dakota Północna wykazał, że mężczyźni heteroseksualni mają lepszą wyobraźnię przestrzenną od homoseksualnych, a lesbijki od kobiet heteroseksualnych. Dlaczego? Więcej męskiego hormonu brało udział w programowaniu ich mózgów. Co może zahamować wydzielanie testosteronu? Główni winowajcy to stres, choroby i niektóre leki.

Poziom stresu rośnie, kiedy spłaty kredytu hipotecznego są za wysokie, grozi ci utrata pracy, kłócisz się z partnerem lub sąsiadami albo cierpisz z powodu śmierci bliskiej osoby. Jeśli właśnie wtedy jesteś na początku ciąży, rośnie ryzyko, że urodzisz syna-geja lub bardzo kobiecą córkę.

Grozi ci to samo, jeśli w tym czasie zachorujesz na grypę lub bierzesz leki hamujące wydzielanie testosteronu. W Chinach, kiedy cesarzowa była brzemienna, nie wolno jej było oglądać czy słyszeć niczego nieprzyjemnego ani używać obraźliwych słów lub wyrażeń. Nie mogła myśleć o rzeczach przykrych i utrzymywać kontaktu z osobami chorymi lub przygnębionymi. Uważano, że w ten sposób chroni się cesarskie dziecko. Współczesne odkrycia potwierdzają mądrość i znaczenie tych środków ostrożności. Od pewnego czasu wiemy o szkodliwym wpływie alkoholu i nikotyny na nie narodzone dziecko oraz o dobroczynnych skutkach właściwej diety i unikania stresu. Najnowsze badania prowadzone przez takich ekspertów jak dr Vivette Glover z londyńskiego szpitala Chelsea dowodzą, że kobiety, które mają ciężkie przeżycia podczas ciąży, rodzą dzieci nie dające sobie rady w trudnych sytuacjach. Dr Glenn Wilson z londyńskiego Instytutu Psychiatrii również bardzo intensywnie zajmował się tą dziedziną. Doszedł do wniosku, że „niektóre leki chemiczne mogą zakłócić działanie testosteronu i w rezultacie może się urodzić gej".

Jeżeli zamierzasz zajść w ciążę, wybierz się na długie wakacje w spokojnym miejscu i unikaj chorych lub niemiłych ludzi.

Jeżeli zatem planujesz urodzenie dziecka, może najpierw się zastanów nad wypoczynkiem i skontroluj otoczenie pod kątem nadmiernego stresu. Odwiedź też lekarza i zasięgnij informacji, czy leki, które przyjmujesz, nie zakłócają wydzielania hormonów.

Jak lesbijki stały się lesbijkami

Jeżeli płód jest pod względem genetycznym dziewczynką (XX) i mózg otrzymuje dawkę męskiego hormonu, to rodzi się kobiece ciało z męskim „oprogramowaniem" mózgu. W dzieciństwie takie dziewczynki bywają nazywane „chłopczycami". Bawią się zazwyczaj brutalniej i bezwzględniej niż ich rówieśniczki. W okresie pokwitania rośnie im więcej włosów na ciele i twarzy niż u innych dziewczynek. Lepiej rzucają do celu i grają w piłkę. Często otoczenie nazywa je „babochłopami". Wysoki odsetek takich kobiet zostaje lesbijkami. Przypadkowa dawka męskich hormonów może trafić do organizmu płodu, jeżeli matka przyjmuje podczas ciąży leki zawierające duże dawki męskich hormonów, na przykład niektóre pigułki antykoncepcyjne czy leki przeciwcukrzycowe.

Kto to taki lesbijka?
Jeszcze jedna kobieta próbująca wykonywać męski zawód.

Przeprowadzono badania wśród kobiet chorych na cukrzycę w latach pięćdziesiątych i sześćdziesiątych, które urodziły córki. Wykazały one niezwykłą liczbę dziewczynek, które po okresie pokwitania stały się lesbijkami, ponieważ w krytycznym okresie rozwoju płodu ich mózgi otrzymały zbyt wiele męskiego hormonu z leków przeciwcukrzycowych. Podobne badania wykonano u kobiet, które rodziły w tym samym okresie, a przedtem otrzymywały żeński hormon estrogen do podtrzymywania ciąży. Miały one od pięciu do dziesięciu razy większe szanse na urodzenie chłopca-geja. Dopiero w okresie pokwitania potężna fala hormonów płynąca przez ciało nastolatka uruchamia „oprogramowanie" mózgu i ujawnia się jego rzeczywista seksualność.

Te odkrycia potwierdzili badacze z Kinsey Institute. Stwierdzili, że matki, które podczas ciąży przyjmowały męskie hormony, rodziły potem córki o dużej pewności siebie i stanowczości. Te dziewczynki często się zajmowały sportami brutalnymi, jak kickboxing czy futbol amerykański. W dzieciństwie często nazywano je chłopczycami. Z kolei matki, które przyjmowały żeńskie hormony, miały bardziej „kobiece" córki oraz synów łagodniejszych i spokojniejszych od ich rówieśników, bardziej zależnych od innych i niezbyt aktywnych fizycznie.

Mózg transseksualny

Transseksualiści od wczesnego dzieciństwa czują, że urodzili się w ciele o niewłaściwej płci. Obszar w mózgu odpowiedzialny za zachowania seksualne to podwzgórze. U kobiet jest ono o wiele mniejsze niż u mężczyzn. W 1995 roku uczony Dick Swaab z Holenderskiego Instytutu Badań Mózgu odkrył, że u męskich transseksualistów podwzgórze było wielkości spotykanej u kobiet lub mniejsze. To kolejny dowód na to, że tożsamość seksualna powstaje w wyniku oddziaływania hormonów płciowych na rozwijający się mózg. Tę teorię pierwszy przedstawił niemiecki uczony dr Gunther Dörner. Stwierdził, że podwzgórze homoseksualistów reagowało po wstrzyknięciu hormonów żeńskich jak podwzgórze kobiet. Swaab zanotował: „Nasze badania wykazały kobiecą budowę mózgu u transseksualistów – mężczyzn pod względem genetycznym". Innymi słowy, jest to mózg kobiety uwięziony w męskim ciele.

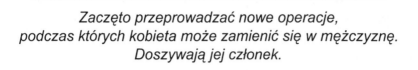

Zaczęto przeprowadzać nowe operacje,
podczas których kobieta może zamienić się w mężczyznę.
Doszywają jej członek.

Psychiatrzy stwierdzają, że osoby transseksualne cierpią na zaburzenia tożsamości płciowej. Około 20% transseksualistów poddaje się operacji zmiany płci. Polega ona na usunięciu jąder, rozcięciu penisa wzdłuż i usunięciu tkanki wewnętrznej. Skóra penisa pozostaje na miejscu. Następnie, po przemieszczeniu przewodu moczowego, chirurg zawija skórę penisa do środka tak, aby wyścielić nią pochwę utworzoną skalpelem. W niektórych wypadkach żołądź penisa staje się łechtaczką i jest zdolny do orgazmu. Tragiczne jest to, że liczba samobójstw wśród transseksualistów jest pięciokrotnie wyższa niż u reszty populacji. Jeden na pięciu próbuje odebrać sobie życie.

Czy jesteśmy niewolnikami naszej biologii

Uczeni wiedzą, jak jeszcze w macicy zmienić płeć szczurów i małp. Istnieją wszakże grupy ludzi twierdzących, że możemy kontrolować nasze upodobania siłą woli lub z wyboru. Upierają się przy tym, że wszyscy potrafimy parkować równolegle lub z taką samą łatwością odczytywać plany miast. Natomiast naukowcy uważają, że to nierealne. Nie trzeba być uczonym, żeby stwierdzić, że króliki nie potrafią latać, kaczki kiepsko biegają, większość kobiet ma trudności z posługiwaniem się mapą, a mężczyźni podczas czytania gazety przejściowo głuchną. Zrozumienie różnic w budowie mózgu czyni nas bardziej tolerancyjnymi dla innych, umożliwia większą kontrolę naszego losu i akceptowanie własnych skłonności oraz wyborów.

Inteligencja człowieka rozwinęła się do tego stopnia, że potrafimy kontrolować nasze emocje lepiej niż inne zwierzęta. Umiemy też przemyśleć nasze wybory. Inne zwierzęta nie myślą, reagują na okoliczności i to czyni z nich niewolników biologii. Biologia jest odpowiedzialna za wiele naszych wyborów, które czasem są dla nas zupełnie niezrozumiałe. Chociaż kontrolujemy się lepiej od innych zwierząt, nadal nie możemy całkowicie o niej zapomnieć. Większość ludzi nie pojmuje, że jesteśmy po prostu jednym z wielu zwierząt, tyle że z lepiej rozwiniętym mózgiem. Dopóki się z tym nie pogodzą, dopóty będą niewolnikami swojej biologii.

Dlaczego geje i lesbijki sprawiają wrażenie, że mają obsesję na punkcie seksu

Podwzgórze jest ośrodkiem seksu i reaguje na testosteron. Mężczyźni nie tylko mają większe podwzgórze, ale także przeciętnie od 10 do 20 razy więcej testosteronu. Oto dlaczego w przeciwieństwie do kobiet są prawie zawsze gotowi do uprawiania seksu.

Wysoki poziom testosteronu rozpala płomień homoseksualistów.

Większość gejów ma popęd płciowy zbliżony do popędu mężczyzn heteroseksualnych. Wbrew rozpowszechnionym stereotypom jedynie mniejszość zdradza typowe kobiece zachowania. Pomnóż, czytelniku, męski popęd płciowy razy dwa i dopiero wtedy zrozumiesz, dlaczego geje sprawiają wrażenie, że myślą wyłącznie o seksie. Żaden z nich nie zrezygnuje ze stosunku, gdyż rządzą nimi męskie hormony. Nie ma w tym nic niezwykłego, że gej ma w życiu mnóstwo partnerów.

Lesbijki również mają wyższy poziom testosteronu w porównaniu z kobietami heteroseksualnymi. To sprawia, że mają też większy popęd płciowy.

Dlaczego czasem trudno odróżnić geja

Mówiąc najogólniej, istnieją dwa główne ośrodki związane z zachowaniem homoseksualnym: „ośrodek łączenia się w pary" oraz „ośrodek zachowania".

„Ośrodek łączenia się w pary" jest położony w podwzgórzu. Decyduje o tym, która płeć wydaje się atrakcyjna. Aby mężczyznę pociągały kobiety, ten ośrodek musi otrzymać testosteron. Wtedy się uruchamia męska konfiguracja. Jeżeli otrzyma niedostateczną ilość męskich hormonów, konfiguracja tego ośrodka pozostanie w większym lub mniejszym stopniu żeńska. Zatem wtedy mężczyznę będą pociągali przedstawiciele tej samej płci.

Natomiast „ośrodek zachowania" w mózgu może otrzymać dość testosteronu, aby nadać mężczyźnie męskie zachowanie, sposób mówienia i mowę ciała. Natomiast jeżeli ilość ta będzie niedostateczna do męskiej konfiguracji, wówczas mężczyzna będzie się zachowywał w sposób typowo kobiecy.

Nadal pozostaje tajemnicą, dlaczego tak się dzieje, że „ośrodek łączenia się w pary" i „ośrodek zachowania" otrzymują różne ilości męskiego hormonu. Natomiast stanowi to dowód, że nie wszyscy zniewieściali mężczyźni są gejami, a nie wszyscy prawdziwi „macho" są heteroseksualni.

Dlaczego jeszcze trudniej odróżnić lesbijkę

Jeżeli do mózgu żeńskiego płodu przypadkiem trafią dodatkowo męskie hormony, to w konsekwencji może zostać zmaskulinizowany „ośrodek łączenia się w pary". Kiedy dziewczynka dorośnie, będą ją pociągały kobiety. Jeżeli jej „ośrodek zachowania" również zostanie zmaskulinizowany, wówczas będzie się zachowywała po męsku, mówiła jak mężczyzna i miała męskie gesty. Otoczenie będzie ją uważało za „babochłopa".

Natomiast jeżeli jej „ośrodek zachowania" nie zostanie przekształcony przez męskie hormony, będzie zachowywała się jak kobieta, chociaż będą pociągały ją inne kobiety. Do takich wniosków doszli uczeni po eksperymentach z samicami szczurów i małp.

Lesbijki typu „babochłop" otoczenie dość łatwo uznaje za ofiary ich biologii, natomiast z trudem przyjmuje, że te bardziej kobiece są również więźniarkami swojej konfiguracji mózgu. Uważa się, że te kobiety musiały „wybrać" miłość lesbijską, ponieważ nie wyglądają na homoseksualistki. Wielu mężczyzn mówi na widok bardzo kobiecej i umalowanej lesbijki: „Założę się, że potrafiłbym ją skłonić, żeby zmieniła zdanie".

W rzeczywistości te kobiety w niewielkim stopniu kontrolują swój los, podobnie jak lesbijki typu „babochłop", bardzo męscy lub zniewieściali homoseksualiści. Nie przeprowadzono tylu badań dotyczących seksualności lesbijek jak homoseksualistów, ale większość uczonych jest zgodna, że lesbijki mogą być kobiece lub zmaskulinizowane, a i tak będą je pociągać kobiety.

Rozdział 9

MĘŻCZYŹNI, KOBIETY
I SEKS

*...Pragnę otwartości, uczciwości i związku monogamicznego.
Nie lubię mężczyzn, którzy chcą się bawić.*

Stella i Norman poznali się na przyjęciu u wspólnego znajomego. Natychmiast się sobie spodobali. Zaczął się szybki i gwałtowny romans. Oboje byli sobą oczarowani i nie mogli się sobą nasycić. Ich specjalnością był „seks domowy": w salonie, sypialni, kuchni, łazience, na schodach i w garażu. Norman stwierdził, że seks jest fantastyczny, a więc Stella jest tą jedyną, wybraną. Dla Stelli też tak było, więc uznała, że jest zakochana. Mieli razem spędzić całe życie.

Dwa lata później ich pożycie nadal było szybkie i gwałtowne. On był szybki, a ona gwałtowna. Stelli wystarczało uprawianie seksu dwa razy w tygodniu, ale Norman chciał to robić codziennie. W końcu zrezygnował dla tego związku z życia kawalera, a więc uznał, że to uczciwa zamiana. Im bardziej nalegał na uprawianie seksu, tym mniej ona tego chciała. Wkrótce kochali się wyłącznie w sypialni i kłócili o drobiazgi. Pocałunki i uściski powoli znikały z ich codziennego życia. Nagle zaczęli dostrzegać w sobie nawzajem wyłącznie wady. Nawet chodzili do łóżka o różnych porach i unikali się nawzajem. Teraz łączył ich wyłącznie „seks korytarzowy". Mijali się na korytarzu i wrzeszczeli do siebie: „Pieprz się!", Norman wciąż mówił o seksie, a Stella miała obiekcje. Pewnego wieczoru jedno z nich poszło na przyjęcie do wspólnego znajomego i poznało kogoś. Natychmiast spodobali się sobie. Zaczął się szybki i gwałtowny romans. Oboje byli sobą oczarowani i nie mogli się sobą nasycić.

Jak zaczął się seks

Życie się zaczęło od jednokomórkowej istoty około 3,5 miliarda lat temu. Istota ta, aby przetrwać, podzieliła się i uzyskała identyczne kopie siebie. Przez miliony lat pozostawała taka sama. Zmieniała swój wygląd, jeśli przypadkiem pojawiała się mutacja w jej budowie lub doświadczenie nauczyło ją czegoś nowego. Życie toczyło się bardzo powoli.

Nagle, około 800 milionów lat temu, komórka nauczyła się zadziwiającej sztuki. W niewiadomy sposób wpadła na to, jak się wymieniać genami z innymi komórkami. Oznaczało to, że wszelkie nowe umiejętności przetrwania mogły być natychmiast przekazywane młodej komórce, co z kolei czyniło ją silniejszą i wytrzymalszą od rodziców. Nie trzeba już było czekać miliona lat na przypadkową mutację zwiększającą szanse przetrwania. Było to ogromne osiągnięcie. Przyśpieszało rozwój nowych komórek. Dzięki temu bardzo szybko powstawały większe i lepsze istoty. A zaczęło się od stworzeń o miękkich ciałach jak robaki i meduzy. Sześćset milionów lat temu pojawiły się zwierzęta z kośćmi i skorupami. Trzysta milionów lat później pierwsza ryba wypełzła na ląd i nauczyła się chodzić. A wszystko było skutkiem wymiany genów.

Seks był teraz na porządku dziennym. Kiedy powstała nowa komórka z silniejszymi genami, rodzice musieli umrzeć. Z dwóch powodów. Po pierwsze, nowa komórka była lepsza od komórek-rodziców, zatem byli niepotrzebni. Po drugie, rodziców trzeba było usunąć, żeby się nie rozmnażali z młodą komórką i nie osłabili jej w ten sposób. Ich śmierć oznaczała, że przetrwa nowy, silniejszy gen, a młoda komórka podzieli się nim z innymi młodymi komórkami. Zatem pierwotną przyczyną uprawiania seksu była wymiana genów z inną istotą, aby powstał silniejszy gen w nowym pokoleniu. Mimo to przez dość długi okres naszej historii nie łączono seksu z dziećmi. Nadal istnieją prymitywne plemiona, które jeszcze nie dopatrzyły się tego związku.

Gdzie jest w mózgu ośrodek seksu

Ośrodek seksu znajduje się w podwzgórzu, które jest częścią mózgu kontrolującą emocje, szybkość bicia serca i ciśnienie krwi. Ma wielkość wiśni, waży około 4,5 grama. Jest większy u mężczyzn, homoseksualistów i transseksualistów.

To obszar w mózgu, w którym hormony, a zwłaszcza testosteron, pobudzają pożądanie płciowe. Łatwiej zrozumieć, dlaczego męski po-

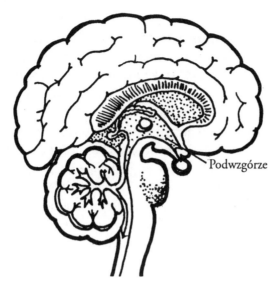

Ośrodek seksu w mózgu – podwzgórze

pęd płciowy jest taki silny, skoro mężczyźni mają od 10 do 20 razy więcej testosteronu i większe podwzgórze. Oto przyczyna, dla której mogą uprawiać seks właściwie zawsze i prawie w każdym miejscu. Należy do tego dodać, że od pokoleń są zachęcani przez społeczeństwo, aby „rozsiewali swoje nasienie", z kolei kobiety aktywne seksualnie są potępiane. Nic więc dziwnego, że różnica w podejściu do seksu jest od zawsze kością niezgody między mężczyznami a kobietami.

Dlaczego mężczyźni nie potrafią się opanować

Entuzjastyczny i impulsywny męski popęd płciowy ma określony cel. Zapewnienie przetrwania gatunku. Jak większość samców ssaków, mężczyzna ewoluował w taki sposób, aby osiągnąć sukces. Po pierwsze, jego popęd musiał być nastawiony na cel. Nic nie powinno go rozpraszać. To umożliwiało uprawianie seksu niemal w każdych warunkach, na przykład w obecności wrogów lub wszędzie tam, gdzie pojawiała się okazja...

*Mężczyzna musiał mieć jak najwięcej orgazmów
w jak najkrótszym czasie, aby uniknąć schwytania
przez wrogów lub rozszarpania przez drapieżniki.*

Mężczyzna musiał również rozsiewać swoje nasienie jak najdalej i jak najczęściej. Uczeni z Kinsey Institute z USA, jedni z najlepszych w badaniach nad seksem, stwierdzili, że gdyby nie zasady społeczne, prawie wszyscy mężczyźni byliby rozwiąźli. Tak było w 80% społeczeństw przez większą część istnienia rasy ludzkiej. Natomiast od początku ery monogamii biologiczne potrzeby mężczyzn zawsze powodowały kłopoty par próbujących budować stały związek. To najważniejsza przyczyna małżeńskich kłótni.

Dlaczego kobiety są wierne

Kobiety mają znacznie mniejsze podwzgórze i o wiele niższą ilość testosteronu. Oto dlaczego charakteryzują się znacząco słabszym popędem płciowym i są mniej agresywne od mężczyzn. Dlaczego Natura, pragnąc zapewnić przetrwanie gatunku, nie stworzyła szalonej nimfomanki? Odpowiedź na to pytanie jest oczywista. Chodzi o długi okres od poczęcia do osiągnięcia przez dziecko samodzielności.

Na przykład u królików ciąża trwa około sześciu tygodni, a nowo narodzone króliki już po dwóch tygodniach same się wyżywią i ukryją przed drapieżnikiem. Ojciec królik nie musi ich pilnować, bronić czy karmić. Słoń lub jeleń pobiegnie za stadem wkrótce po urodzeniu. Nawet nasz najbliższy kuzyn, szympans, przeżyje osierocony w wieku 6 miesięcy. Przez znaczną część dziewięciomiesięcznej ciąży kobiety mają ograniczoną swobodę ruchów. Musi minąć około pięciu lat, zanim dziecko będzie potrafiło samodzielnie się nakarmić i obronić. Z tego właśnie powodu kobiety bardzo dokładnie analizują charakter przyszłego ojca pod kątem umiejętności dostarczania pożywienia, zapewniania schronienia i bezpieczeństwa przed wrogami.

*Niektórzy mężczyźni sądzą,
że rodzicielstwo kończy się na poczęciu.*

Mózg kobiety został tak zaprogramowany, aby mogła ona znaleźć mężczyznę, który jest gotów do podjęcia odpowiedzialności i zostanie przy kobiecie wystarczająco długo, aby wychować dzieci. Tego właśnie kobiety szukają w partnerach.

Mężczyźni to kuchenki gazowe, a kobiety piecyki elektryczne

Męski popęd płciowy można porównać do kuchenki gazowej. Zapala się natychmiast i w ciągu kilku minut działa na pełną moc. Można ją wyłączyć od razu po ugotowaniu posiłku. Natomiast popęd płciowy u kobiet przypomina piecyk elektryczny. Grzeje się powoli i o wiele dłużej stygnie.

Poniższy wykres ukazuje popęd płciowy przeciętnego mężczyzny i kobiety w ciągu życia. Nie uwzględniono na nim okresów, kiedy popęd

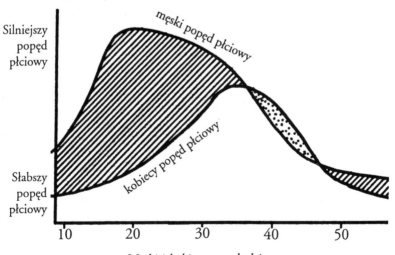

*Męski i kobiecy popęd płciowy
(źródło: Pease International Research, Wielka Brytania)*

płciowy jest wyższy lub niższy z powodu czynników zewnętrznych, takich jak poród, śmierć, zaloty, emerytura itp. Wykres jest uproszczony, aby podkreślić istniejące różnice.

Z upływem lat u mężczyzny powoli obniża się poziom testosteronu. Z tego względu słabnie popęd płciowy. U przeciętnej kobiety popęd płciowy stopniowo rośnie, tak że szczyt jej potrzeb seksualnych przypada na wiek 36–38 lat. Oto przyczyna związków starszych kobiet z młodszymi mężczyznami. Młodzi mężczyźni mają taki poziom fizycznej sprawności, jakiego potrzebuje starsza kobieta. Możliwości seksualne dziewiętnastolatka bardziej odpowiadają potrzebom kobiety dobiegającej czterdziestki. Z wykresu wynika również, że popęd płciowy czterdziestolatka jest zbieżny z popędem dwudziestoletniej kobiety. To z kolei wyjaśnia związki starszych mężczyzn z młodymi kobietami. Zazwyczaj w małżeństwach osób starszych z młodszymi występuje różnica wieku około 20 lat. Kiedy piszemy, że popęd płciowy u mężczyzny osiąga szczyt w wieku 19 lat, a potem słabnie, mówimy o jego możliwościach fizycznych. Zainteresowanie seksem zazwyczaj nie zmniejsza się przez całe życie. Oznacza to, że mężczyzna chciałby uprawiać seks tak samo często w wieku 70 lat, jak przed trzydziestką, ale nie ma już takich samych możliwości fizycznych. Kobietę może bardzo interesować seks, jeszcze zanim skończy dwadzieścia lat, a to ze względu na związek seksu z miłością, ale nie ma zbyt silnej potrzeby uprawiania go. Po trzydziestce może interesować się seksem w tym samym stopniu co kiedyś, ale teraz ma na to większą ochotę.

Dlaczego kłócimy się o seks

Przypominamy, że omawiamy tutaj przeciętny popęd płciowy kobiet i mężczyzn. Między poszczególnymi osobami mogą występować ogromne różnice.

Kobieta może mieć silny pociąg płciowy, a mężczyzna słaby, ale wyjątki nie są sprzeczne z regułą. Na ogół większość mężczyzn ma silny popęd płciowy, a większość kobiet słabszy. Badania prowadzone przez Kinsey Institute wykazały, że 37% mężczyzn myśli o seksie co 30 minut, a zaledwie 11% kobiet robi to równie często. Stale wysoki poziom testosteronu utrzymuje u mężczyzn silny popęd płciowy. To wyjaśnia, dlaczego kiedy przychodzi pora na seks, on zawsze jest gotowy.

....

Kiedy chodzi o seks, kobieta potrzebuje powodu, a mężczyzna miejsca.

....

Obszar zakreślony na wykresie ze strony 219 to okres, podczas którego większość kobiet i mężczyzn kłóci się ze sobą o seks. Aż do czterdziestki kobieta narzeka, że mężczyzna ciągle wywiera na nią presję i żąda współżycia, a to wywołuje żal i pretensje u obu stron. Często oskarża go o „wykorzystywanie". Dopiero tuż przed ukończeniem czterdziestego roku życia jej popęd płciowy zaczyna dorównywać jego potrzebom, a czasem je przewyższa. W ten sposób Natura nakłania ją, aby wykorzystała ostatnią szansę urodzenia dziecka przed początkiem menopauzy. Mężczyznę tuż po czterdziestce często zaskakuje taka zmiana postawy. Jego popęd płciowy może być słabszy niż u kobiety w tym samym wieku. Na dodatek ona jest coraz bardziej pewna siebie. Wtedy też wielu mężczyzn narzeka, że musi „wykazywać się na żądanie". Teraz role się odwracają. Polecamy lektury *Good Loving, Great Sex* dr Rosie King oraz *Mars i Wenus w sypialni* dr. Johna Graya. Obie książki zawierają doskonałe techniki oraz strategie pomagające w pokonaniu różnic w popędzie płciowym. Większość par niewłaściwie reaguje na te różnice. Spodziewają się, że partner zrozumie ich potrzeby, ale Natura nie tak to zaplanowała.

Kobiety i mężczyźni mają różny popęd płciowy. Większość par doświadcza tych różnic w określonych dniach tygodnia, miesiąca i roku. Obecnie istnieje bardzo modne twierdzenie, że kobiety i mężczyźni tak samo interesują się seksem albo że normalne pary są doskonale dobrane pod względem seksualnym. W prawdziwym życiu tak nie jest.

Wbrew temu, co piszą poeci i o czym rozmyślają romantycy, popęd płciowy jest skutkiem działania hormonów wydzielanych na polecenie mózgu. Testosteron jest głównym hormonem odpowiedzialnym za potrzebę, którą nazywamy popędem płciowym. Jak to omówiliśmy w rozdziale 7, miłość to połączenie reakcji chemicznych i elektrycznych. Zatem ci, którzy uważają, że miłość jest uczuciem pochodzącym z głowy, częściowo mają rację. U kobiet, kiedy sprzęgną się takie psychiczne czynniki jak zaufanie, poczucie bliskości i ogólnego dobrego samopoczucia, powstają sprzyjające warunki, w których mózg może uruchomić wydzielanie mieszaniny hormonów. Mężczyźni wydzielają tę mieszaninę zawsze i wszędzie.

Popęd płciowy a stres

Na popęd płciowy kobiety zdecydowany wpływ mają wydarzenia i doświadczenia z jej życia. W ogóle nie będzie brała seksu pod uwagę, jeżeli grozi jej zwolnienie z pracy, otrzymała ważne zlecenie, podwojono jej raty za dom, dzieci są chore, przemokła na deszczu lub pies uciekł. Potrafi myśleć tylko o tym, żeby się położyć i zasnąć.

Kiedy takie same sytuacje wydarzą się w życiu mężczyzny, seks dla niego jest tabletką nasenną. Oto najlepszy sposób na pozbycie się napięcia nagromadzonego w ciągu dnia. W rezultacie mówi kobiecie kilka przykrych słów, ona nazywa go nieczułym kretynem, on ją „górą lodową" i idzie spać na kanapę. Brzmi znajomo? Ciekawe jest to, że kiedy zapytać mężczyznę o jego związek, zazwyczaj rozważa go w kategoriach usług wyświadczonych mu przez partnerkę w tym samym dniu. Na przykład czy przyszykowała mu śniadanie, wyprasowała koszulę lub wymasowała głowę. Kobieta zaś opisuje związek, opierając się na niedawnych wydarzeniach. Na przykład czy był czuły przez kilka ostatnich dni, czy pomagał jej w domu oraz ile poświęcał jej uwagi. Mężczyźni na ogół nie rozumieją tej różnicy. On może przez cały dzień zachowywać się jak wzorowy dżentelmen, a mimo to ona nie pójdzie z nim do łóżka, bo nadal ma do niego żal o to, że przed dwoma tygodniami obraził jej matkę.

Jak często się kochamy

W latach 1997–1998 przeprowadzono w Australii ankietę dotyczącą częstotliwości współżycia. Osoby, które wzięły w niej udział, wybrano losowo. Odpowiadały anonimowo, a więc zakładano, że piszą prawdę.

Wiek	Częstotliwość współżycia
20 lat	144 razy rocznie
30 lat	112 razy rocznie
40 lat	78 razy rocznie
50 lat	63 razy rocznie
60 lat	61 razy rocznie

Należy pamiętać, że są to wielkości przeciętne. Niektórzy 65-latkowie robią to sześć razy w tygodniu, a z kolei dwudziestolatkowie w ogóle nie uprawiają seksu, ale raczej są to wyjątki niż reguła. Ciekawe jest to, że 81% par twierdzi, iż są zadowolone ze swojego życia miłosnego. Jeżeli założymy, że mówią prawdę, oznacza to, że toczą negocjacje, aby jakoś znaleźć ujście dla nadmiaru męskiego popędu płciowego. Odsetek par zadowolonych ze swojego życia płciowego w krajach Zachodu zbliża się zazwyczaj do 60. Amerykańskie badania wykazały, że wszyscy biali mężczyźni uprawiają seks mniej więcej z tą samą częstotliwością. Kobiety latynoskie robią to częściej od kobiet czarnych lub białych (które współżyją mniej więcej tak samo często). Za to czarne kobiety mają o 50% więcej szans na osiągnięcie orgazmu przy każdym stosunku. Azjaci uprawiają seks najrzadziej, a ma to związek z ich niskim poziomem testosteronu.

Seks a mózg

Amerykańskie czasopismo „Demographics" opublikowało odkrycia grupy uczonych, którzy w 1997 roku przebadali 10 000 osób dorosłych i zauważyli zależność między popędem płciowym a inteligencją. Stwierdzili, że najbardziej zdolni najrzadziej uprawiali seks. Intelektualiści po studiach podyplomowych kochali się 52 razy rocznie, a zwykli magistrowie robili to 61 razy. Natomiast wagarowicze kochali się średnio 59 razy. Mężczyźni pracujący od 9 do 17 współżyli 48 razy rocznie, a 82 razy mężczyźni spędzający w pracy ponad 60 godzin tygodniowo. Prawdopodobnie podwyższony poziom testosteronu ma wpływ zarówno na ich pracowitość, jak i na popęd płciowy.

Entuzjaści jazzu kochają się o 34% częściej od wielbicieli muzyki pop. Zwolennicy muzyki klasycznej kochają się najrzadziej.

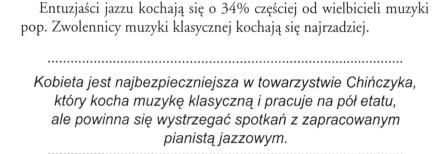

Kobieta jest najbezpieczniejsza w towarzystwie Chińczyka, który kocha muzykę klasyczną i pracuje na pół etatu, ale powinna się wystrzegać spotkań z zapracowanym pianistą jazzowym.

Testosteron wydziela się u mężczyzn w 5–7 falach dziennie. Najwyższy poziom jest o świcie – mniej więcej dwukrotnie wyższy niż o innej porze dnia. To właśnie wtedy mężczyzna wyruszał na polowanie. Wieczorem poziom testorenu jest niższy o 30%. To pora, kiedy powinien się gapić w płomienie ogniska.

„Obudziłem się o szóstej rano, a żona dźgała mnie w plecy kijem od szczotki – opowiadał nam pewien mężczyzna po jednym z wykładów. – Kiedy zapytałem, co robi, odparła: «Sam zobacz, jak to jest»".

Jak seks dobroczynnie wpływa na zdrowie

Istnieje mnóstwo dowodów na to, że seks naprawdę służy zdrowiu. Miłosne zapasy średnio trzy razy w tygodniu prowadzą do spalenia średnio 35 000 kilodżuli, co odpowiada przebiegnięciu 130 kilometrów rocznie. Uprawianie seksu podwyższa poziom testosteronu, co wzmacnia kości i mięśnie oraz dostarcza tak zwanego dobrego cholesterolu. Seksuolog dr Beverly Whipple twierdzi, że endorfiny, czyli występujące w organizmie substancje przeciwbólowe, są uwalniane podczas uprawiania seksu i bardzo skutecznie łagodzą bóle głowy, kręgosłupa oraz artretyczne.

Hormon dehydroepiandrosteron jest wydzielany tuż przed orgazmem. Poprawia postrzeganie, wzmacnia układ odpornościowy, hamuje rozwój guzów i odbudowuje kości. Natomiast w ciele kobiety jest wydzielana oksytocyna. To hormon, który pobudza pragnienie dotykania. Jest również wydzielany w dużych ilościach podczas współżycia. Rośnie wtedy także poziom estrogenów. Dr Harold Bloomfield w książce *The Power of Five* wykazał, jaki związek ma poziom estrogenów z mocniejszymi kośćmi i sprawniejszym układem krążenia. Wszystkie te hormony chronią serce i wydłużają życie, zatem im więcej seksu, tym mniej stresu i więcej lat. Lista dobroczynnych skutków uprawiania seksu z każdym dniem staje się coraz dłuższa.

Monogamia i poligamia

Poligamia oznacza związek mężczyzny lub kobiety z wieloma partnerami jednocześnie. Być może doszedłeś już do wniosku, czytelniku, że gatunek ludzki nie jest monogamiczny z natury. Z całą pewnością przed rozpowszechnieniem ideologii judeochrześcijańskiej ponad 80% społeczeństw było poligamicznych, głównie ze względu na przetrwanie.

....

Wielu mężczyzn sądzi, że monogamia to gatunek drewna.

....

Monogamia oznacza, że jeden samiec jest na stałe związany z jedną samicą. U niektórych gatunków jest to naturalne, na przykład u lisów, gęsi i orłów. Zwierzęta monogamiczne są na ogół tej samej wielkości i dzielą się obowiązkami rodzicielskimi. W gatunkach poligamicznych samiec jest na ogół większy, bardziej kolorowy, agresywniejszy, a jego wkład w opiekę nad potomstwem jest minimalny. Później od samic dojrzewa seksualnie. W ten sposób unika się konfliktów między starszymi a młodszymi, mniej doświadczonymi samcami, które mają mniejsze szanse na przeżycie walki. Mężczyźni pod względem fizycznym odpowiadają opisowi gatunku poligamicznego. Nic więc dziwnego, że muszą walczyć ze sobą, aby pozostać monogamistami.

Dlaczego mężczyźni są rozpustni

Jak małżeństwo pasuje do trybu życia gatunku, w którym występuje biologicznie rozpustny samiec?

Swoboda seksualna jest zaprogramowana w mózgu mężczyzny i jest dziedzictwem jego ewolucyjnej przeszłości. W całej historii ludzkości wojny przyczyniały się do zmniejszania jej liczebności, dlatego miało sens jak najszybsze dodawanie społeczności nowych członków. Z bitwy wracało na ogół mniej mężczyzn, niż na nią wyruszyło. Oznaczało to, że zawsze pozostawała liczna grupa wdów. Dlatego stworzenie haremu dla mężczyzn wracających do domu było skuteczną techniką ocalenia plemienia.

Urodzenie chłopca zawsze uważano za cudowne wydarzenie, ponieważ dodatkowi mężczyźni byli potrzebni do obrony społeczności. Dziewczęta przynosiły rozczarowanie, ponieważ w plemieniu zawsze występował nadmiar kobiet. Tak było przez setki tysięcy lat. W rezultacie współczesny mężczyzna jest wyposażony w duże podwzgórze i ogromną ilość testosteronu po to, aby mógł zaspokajać ewolucyjną potrzebę prokreacji. Oznacza to, że mężczyźni, tak jak większość naczelnych i innych ssaków, nie są biologicznie przystosowani do pełnej monogamii.

Cały czas tego dowodzi olbrzymi przemysł erotyczny skierowany na mężczyzn. Praktycznie cała pornografia, filmy erotyczne, prostytucja i strony internetowe są przeznaczone dla mężczyzn. Wskazuje to, że co prawda większość mężczyzn pozostaje w związku monogamicznym, lecz uwarunkowanie ich mózgu domaga się poligamicznego pobudzenia psychicznego. Należy zrozumieć, że kiedy omawiamy męską potrzebę swobody seksualnej, chodzi o skłonności biologiczne. Nie polecamy zachowań lubieżnych ani nie dostarczamy mężczyznom usprawiedliwienia dla ich zdrad. Żyjemy w świecie, który jest zupełnie inny niż świat naszej przeszłości. Często się zdarza, że nasza biologia stoi w całkowitej sprzeczności z naszymi oczekiwaniami i wymaganiami.

....

Biologia człowieka jest niebezpiecznie przestarzała.

....

Fakt, że coś jest instynktowne lub naturalne, nie oznacza, że jest dla nas dobre. Zaprogramowanie mózgu ćmy sprawia, że instynktownie leci w stronę światła. Umożliwia jej to poruszanie się w nocy przy świetle księżyca i gwiazd. Niestety współczesna ćma żyje w świecie, który zdecydowanie się różni od świata jej przeszłości. Obecnie mamy specjalne urządzenia do likwidacji ciem i komarów. Ćma, robiąc to, co jest dla niej naturalne i instynktowne, wlatuje do urządzenia i ginie na miejscu. Jeśli współcześni mężczyźni zrozumieją swoje biologiczne odruchy, mają szansę uniknąć samozagłady w wyniku czynienia tego, co jest naturalne.

Nie patrz teraz, ale właśnie przybył boski dar dla pawi!

Istnieje niewielki odsetek kobiet, które mają podobną swobodę obyczajów jak mężczyźni, ale zazwyczaj ich motywacja jest inna. Oprogramowanie mózgu broniącej gniazda ludzkiej samicy reaguje na wiele czynników służących podnieceniu seksualnemu, nie tylko na obietnicę stosunku. Kobiety pragną związku lub przynajmniej szansy na jakąś emocjonalną więź, zanim poczują ochotę na seks. Mężczyźni nie zdają sobie sprawy, że kiedy ona poczuje, iż powstała więź emocjonalna, będzie z radością mu się oddawała przez najbliższe trzy–sześć miesięcy. Poza niewielkim odsetkiem nimfomanek większość kobiet czuje najsilniejszą potrzebę uprawiania seksu w okresie owulacji, która może trwać kilka dni lub kilka godzin.

Gdyby mężczyźni się nie hamowali, większość wpadłaby w otchłań bez dna bezmyślnego cudzołóstwa gwarantującego plemieniu przetrwanie. Ankieta przeprowadzona przez Amerykański Instytut Zdrowia wykazała, że 82% chłopców w wieku 16–19 lat spodobał się pomysł uczestnictwa w orgii z osobami obcymi. Tylko 2% dziewcząt uważało tak samo. Reszta uznała tę myśl za odrażającą.

Efekt koguta

Kogut jest bardzo pobudliwym samcem, który może kopulować z kurami niemal bez przerwy, ponad 60 razy podczas jednego parzenia. Natomiast nie może łączyć się z tą samą kurą częściej niż pięć razy dziennie. Przy szóstym razie całkowicie traci zainteresowanie i nie udaje mu się „stanąć na wysokości zadania". Ale kiedy zobaczy nową kurę, wspina się na nią z takim samym entuzjazmem, jak robił to z pierwszą. Zjawisko to jest znane jako „efekt koguta".

Byk traci zainteresowanie po siedmiu kopulacjach z tą samą krową, ale rozpali się ponownie, kiedy wprowadzi się do niego nową samicę. Zanim „obsłuży" dziesiątą nową krowę, daje robiący wrażenie popis.

Baran nie połączy się z tą samą owcą więcej niż pięć razy, ale z ogromną chęcią będzie się parzył z innymi owcami. Nawet jeśli wcześniejsze partnerki zostały uperfumowane lub nałożono im na łby worki, baran nie może wykonać zadania. Nie uda się go oszukać. Oto jak Natura pilnuje, aby męskie nasienie zostało rozsiane jak najdalej, dzięki czemu uzyska się jak najwyższą liczbę poczęć i zapewni gatunkowi przetrwanie.

Dla zdrowego młodego człowieka ta liczba również wynosi około pięciu. W dobrym dniu może uprawiać seks pięciokrotnie z tą samą kobietą, ale zazwyczaj szósty raz już nie daje rady. Wystarczy przyprowadzić nową partnerkę, aby gwałtownie obudziło się jego zainteresowanie (oraz fragmentów jego anatomii).

Męska potrzeba uprawiania seksu jest tak silna, że dr Patrick Games z Sexual Recovery Institute w Los Angeles ocenia, że około 8% mężczyzn jest uzależnionych od seksu, ale dotyczy to jedynie 2% kobiet.

Dlaczego mężczyźni chcą, aby kobiety ubierały się jak ladacznice (ale nigdy publicznie)

Mózg mężczyzny potrzebuje różnorodności. Jak większość samców ssaków mężczyzna jest tak wstępnie zaprogramowany, aby wyszukiwał i łączył się z jak największą liczbą zdrowych samic. Oto dlaczego mężczyźni tak uwielbiają seksowną bieliznę w monogamicznym związku. W przeciwieństwie do pozostałych ssaków mężczyzna może sam siebie oszukać, że ma harem różnych kobiet, pod warunkiem że jego partnerka będzie zmieniać ubrania i bieliznę. To jest jego sposób na zakładanie jej worka na głowę. Większość kobiet wie, jaki wpływ wywiera na mężczyzn bielizna, ale niewiele rozumie, dlaczego jest taki silny.

Co roku przed świętami działy z bielizną w sklepach towarowych są pełne mężczyzn, którzy nieśmiało krążą w poszukiwaniu seksownego prezentu dla partnerki. W styczniu kobiety stoją w kolejce do działu zwrotów w tym samym domu towarowym. „To nie dla mnie – powtarzają. – On chce, żebym się ubierała jak ladacznica!" Natomiast ladacznica to zawodowa sprzedawczyni seksu, która zbadała potrzeby rynku i jest gotowa do zawarcia transakcji. Pewne badania amerykańskie wykazały, że kobiety, które noszą erotyczną bieliznę, mają na ogół wierniejszych partnerów niż kobiety, które wolą bieliznę w kwiatki. To jeden ze sposobów, w jaki można zareagować na potrzebę zmiany u mężczyzny w monogamicznym związku.

Dlaczego mężczyźni robią to w trzy minuty

Od startu bez rozgrzewki do orgazmu średni czas zdrowego mężczyzny wynosi dwie i pół minuty. Dla zdrowej kobiety to 13 minut. Dla większości ssaków kopulacja trwa krótko, ponieważ kiedy są zajęte sobą, narażają się na atak drapieżników. Szybkość. Oto jak Natura zadbała o przetrwanie gatunku.

„Jesteś kiepskim kochankiem!" – zawołała.
„Jak możesz tak twierdzić po dwóch minutach?" – zapytał.

W zależności od wieku, zdrowia i nastroju mężczyzna może uprawiać seks kilka razy dziennie, utrzymując erekcję przez zmienny okres. To robi wrażenie w porównaniu z samcem pawiana, który parzy się mniej więcej przez 10–20 sekund i wykonuje przez ten czas od czterech do ośmiu pchnięć na stosunek. Osiągnięcia człowieka blędną jednak przy dzikim szczurze, którego rekord wynosi ponad 400 połączeń w ciągu 10 godzin. Natomiast pierwsze miejsce w królestwie zwierząt przypada pewnemu gatunkowi myszy, która parzy się ponad 100 razy na godzinę.

Gra o jaja

„Trzeba mieć niezłe jaja, żeby to zrobić!" To znane powiedzenie wskazuje, jak nieświadomie zauważamy zależność między wielkością jąder a pewnością siebie. W całym świecie zwierząt rozmiar jąder w stosunku do całkowitej masy ciała jest głównym czynnikiem określania poziomu testosteronu. Aczkolwiek wielkość jąder niekoniecznie musi mieć związek z rozmiarami ciała. Na przykład goryl waży cztery razy tyle, co szympans, ale jądra szympansa są czterokrotnie cięższe. Jądra wróbla są ośmiokrotnie większe w stosunku do masy ciała niż jądra orła. W wyniku tego wróbel jest jednym z największych lubieżników wśród ptaków. Właśnie o to chodzi: rozmiar jąder określa poziom wierności samca, inaczej monogamię. Afrykański szympans karłowaty ma największe jądra ze wszystkich naczelnych i łączy się z każdą samicą znajdującą się w zasięgu wzroku. Za to potężny goryl, ze swoimi stosunkowo niewielkimi jądrami, będzie miał szczęście, jeśli zrobi to raz w roku, mimo że ma własny harem. Biorąc pod uwagę stosunek rozmiaru jąder do masy ciała, ludzie, jak na naczelne, mają jądra średniej wielkości. Oznacza to, że wydzielają dość testosteronu, aby to zachęcało ich do swobody obyczajów, ale za mało, aby mogli zachować monogamię zgodnie z surowymi zasadami narzuconymi przez kobiety, religię lub społeczeństwo, w którym żyją.

W świetle tego wszystkiego miałoby sens, gdyby tacy przywódcy polityczni jak Bill Clinton, John F. Kennedy, Bob Hawke i Saddam Husajn mieli większe jądra od przeciętnych, chociaż nie zbliżyliśmy się do nich na tyle, żeby to sprawdzić.

Co za tym idzie, ich popęd płciowy byłby większy od przeciętnego i potrzebowałby ujścia. Społeczeństwo oddaje władzę w ręce mężczyzn o dużych jądrach i silnym popędzie płciowym, a potem wymaga od nich, aby zachowywali się z powściągliwością płciową wykastrowanego kota. W rzeczywistości to właśnie dzięki silnemu popędowi płciowemu dotarli na szczyty władzy i czasem może to doprowadzić, jak na ironię, do ich upadku.

....

Ray puszcza kasetę wideo ze swojego ślubu od tyłu.
Twierdzi, że robi to po to, aby zobaczyć,
jak wychodzi z kościoła jako wolny człowiek.

....

Jest tylko jeden gwarantowany sposób na rozwiązanie problemu męskiej niewierności – kastracja. Mężczyzna nie tylko pozostałby monogamiczny, ale nie musiałby się tak często golić, na pewno by nie wyłysiał i żyłby dłużej. Badania mężczyzn w klinikach psychiatrycznych dowodzą, że po kastracji mężczyźni żyli do 69 roku życia, natomiast ci, u których nadal przez ciało płynie testosteron, dożywają zaledwie 56 roku życia. To samo dotyczy twojego kota.

Możemy się spodziewać, że następne pokolenia mężczyzn będą miały mniejszą potencję niż dzisiejsze. Od lat stopniowo zmniejsza się wielkość jąder oraz liczba plemników w spermie. Istnieją dowody wskazujące, że nasi przodkowie mieli o wiele większe jądra niż współcześni mężczyźni, którzy w porównaniu z naczelnymi wytwarzają o wiele mniej nasienia na gram tkanki niż goryl czy szympans. Średnia liczba plemników wynosi obecnie połowę tego, co wytwarzali mężczyźni w latach czterdziestych naszego wieku. Zatem dzisiejsi mężczyźni są mniej męscy niż ich dziadkowie.

Jądra mają swój rozum

Dr Robin Baker z wydziału biologii na brytyjskim uniwersytecie w Manchesterze przeprowadził niezwykłe badania. Wykazał, że mózg mężczyzny podświadomie wyczuwa na podstawie zachowania kobiety, kiedy zbliża się u niej owulacja. Jego ciało wówczas oblicza i uwalnia dokładnie taką ilość nasienia, jaka będzie niezbędna w danym momencie, aby była największa szansa na zapłodnienie. Na przykład, jeżeli para uprawia seks codziennie, w czasie owulacji jego ciało wytworzy 100 milionów plemników podczas jednego stosunku. Gdyby nie widział jej przez trzy dni, wydzieliłby 300 milionów plemników podczas stosunku, a jeśli pięć dni – 500 milionów plemników. Nawet gdyby codziennie współżył z inną kobietą. Opierając się na biologicznych obliczeniach mózgu, ciało mężczyzny uwalnia tyle nasienia, aby doprowadzić do poczęcia i pokonać inne, konkurencyjne nasienie, które może się znajdować w pochwie.

Mężczyźni a oglądanie się za innymi

Mężczyźni są pobudzani za pośrednictwem wzroku, kobiety słuchu. Męski mózg jest tak zaprogramowany, żeby zwracać uwagę na kobiece kształty. Dlatego erotyczne zdjęcia wywierają na nich tak wielki wpływ. Kobiety, wyposażone w większy zakres odbiorników informacji zmysłowej, pragną słyszeć czułe słowa. Kobieca wrażliwość na wspaniałe komplementy jest tak silna, że wiele kobiet zamyka oczy, kiedy ich ukochany szepce słodkie głupstwa. Wybory Miss Universum przyciągają ogromną widownię kobiet i mężczyzn, ale badania wykazują, że częściej oglądają je mężczyźni. Dla mężczyzn są atrakcyjne kobiece kształty, a wybory są akceptowanym społecznie sposobem na oglądanie się za innymi. Dla kontrastu wybory Mistera Universum prawie nikomu się nie podobają i bardzo rzadko są pokazywane w telewizji. To skutek tego, że ani kobiety, ani mężczyźni nie są zainteresowani biernym męskim kształtem. Atrakcyjność mężczyzny zazwyczaj zależy od jego umiejętności i sprawności fizycznej.

Kiedy przechodzi obok zgrabna kobieta, mężczyzna, któremu brakuje widzenia obwodowego, odwraca głowę, żeby na nią spojrzeć, i zapada w trans. Przestaje mrugać i do ust napływa mu ślina. Jest to reakcja, którą kobiety nazywają „ślinieniem się". Kiedy para idzie ulicą, a po drugiej stronie nadchodzi Miss Minispódniczki, kobieta dzięki widzeniu obwodowemu o krótkim zasięgu dostrzega ją wcześniej od mężczyzny. Dokonuje szybkich porównań własnej osoby z domniemaną rywalką i zazwyczaj siebie ocenia niżej. Kiedy mężczyzna wreszcie dostrzeże tamtą, otrzymuje negatywną reakcję ze strony swojej partnerki za oglądanie się za inną. W takiej sytuacji kobiecie zazwyczaj przychodzą do głowy dwie przykre myśli: po pierwsze, błędnie uważa, że jej mężczyzna wolałby być z tamtą, a nie z nią; a po drugie, że nie jest tak atrakcyjna fizycznie jak jej rywalka. Mężczyzn pociągają krągłości, długie nogi i kształty. Każda kobieta o odpowiednich kształtach i proporcjach zwróci jego uwagę.

To nie oznacza, że mężczyzna pragnie natychmiast pomknąć z tamtą kobietą do łóżka. Jest to raczej przypomnienie, że jest samcem, a jego ewolucyjna rola polegała na szukaniu okazji powiększenia liczebności plemienia. W końcu nawet nie zna tamtej kobiety i nie mógłby myśleć o długotrwałym związku. Ta sama zasada dotyczy mężczyzny oglądającego rozkładówkę w czasopiśmie dla panów. Kiedy patrzy na nagie ciało, nie zastanawia się, czy dziewczyna ze zdjęcia ma miłą osobowość, umie gotować i gra na fortepianie. Patrzy na jej kształty, krągłości itp. To wszystko. Dla niego to prawie to samo co podziwianie szynki z kością wiszącej w witrynie sklepu. Nie próbujemy usprawiedliwić niegrzecznego, bezczelnego gapienia się, jakie uprawiają niektórzy mężczyźni. Wyjaśniamy tylko, że jeżeli mężczyzna zostanie przyłapany na oglądaniu się za inną, to nie oznacza, że nie kocha swojej partnerki. Po prostu zadziałała jego biologia. Należy przy tym podkreślić, że badania wykazują, iż w miejscach publicznych, jak plaża czy basen, kobiety przyglądają się mężczyznom częściej niż mężczyźni kobietom.

Co powinni zrobić mężczyźni

Jednym z największych prezentów, jakim mężczyzna może obdarować kobietę, jest nieoglądanie się za inną, zwłaszcza publicznie, ale powiedzenie jednocześnie komplementu. Na przykład: „Rzeczywiście, ma piękne nogi, ale założę się, że brakuje jej poczucia humoru... to nie ta sama liga co ty, skarbie..." Jeśli taką postawą wykaże się mężczyzna w obecności innych, zwłaszcza jej znajomych, przyniesie mu to ogromne zyski. Kobiety powinny zrozumieć, że to biologia zmusza mężczyznę do wpatrywania się w określone kobiece kształty i krągłości, więc nie powinny czuć się zagrożone. W bardzo prosty sposób mogą uwolnić mężczyznę od napięcia. Wystarczy, że pierwsze zauważą inną kobietę i wygłoszą jakąś uwagę na jej temat. Mężczyźni powinni jednak pojąć, że nie ma kobiety, która akceptowałaby oglądanie się za innymi.

Czego naprawdę pragniemy w stałym związku

Ta lista powstała w wyniku ankiety przeprowadzonej wśród 15 000 mężczyzn i kobiet w wieku od 17 do 60 lat. Wymieniono w niej cechy, których kobiety szukają u partnera w stałym związku, a także cechy, których kobiety szukają zdaniem mężczyzn.

Aczkolwiek były to badania amerykańskie (inne, które analizowaliśmy, nie miały naukowych podstaw), wykazały, że mężczyźni całkiem dobrze rozumieją, czego kobieta szuka w partnerze. Co prawda umieścili dość wysoko „ładne ciało", a dla kobiet nie miało to tak dużego znaczenia. 15% mężczyzn uważało, że duży penis jest dla kobiety ważny, ale tylko 2% kobiet stwierdziło, że tak jest w istocie. Niektórzy

A	B
Czego kobiety szukają	**Czego kobiety szukają, zdaniem mężczyzn**
1. Osobowość	1. Osobowość
2. Poczucie humoru	2. Ładne ciało
3. Wrażliwość	3. Poczucie humoru
4. Inteligencja	4. Wrażliwość
5. Ładne ciało	5. Uroda

mężczyźni do tego stopnia są przekonani, iż rozmiar penisa ma decydujące znaczenie, że sprzęt do jego przedłużania można kupić we wszystkich sex-shopach na świecie.

A teraz sprawdźmy, czego mężczyźni szukają u partnerki w stałym związku, a jakie, zdaniem kobiet, są przez nich poszukiwane cechy.

C	D
Czego szukają mężczyźni	**Czego szukają mężczyźni, zdaniem kobiet**
1. Osobowość	1. Uroda
2. Uroda	2. Ładne ciało
3. Inteligencja	3. Piersi
4. Poczucie humoru	4. Tyłek
5. Ładne ciało	5. Osobowość

Jak widać, kobiety o wiele gorzej zdają sobie sprawę z kryteriów branych przez mężczyzn pod uwagę przy poszukiwaniu partnerki do stałego związku. Opierają swoje założenia na zachowaniu mężczyzn, a oni z upodobaniem przyglądają się kobiecemu ciału. Lista A to spis wymagań kobiety wobec mężczyzny w stałym i przelotnym związku, ale dla mężczyzny jest inaczej. Lista D wymienia cechy, których mężczyzna szuka, kiedy po raz pierwszy spotka kobietę, natomiast cechy z listy C pragnie zobaczyć u partnerki w stałym związku.

Dlaczego mężczyźni chcą tylko jednego

Mężczyźni chcą seksu, a kobiety miłości. Wiadomo to od tysięcy lat, ale rzadko dochodzi do omawiania przyczyny takiego stanu rzeczy. To stałe źródło konfliktów i pretensji między kobietami a mężczyznami. Kiedy spytamy kobiety, jaki ma być jej stały partner, zazwyczaj odpowie, że musi mieć szerokie ramiona, szczupłą talię, ładnie zbudowane ręce i nogi – to wyposażenie niezbędne przy chwytaniu dużych zwierząt – a do tego ma być czuły, łagodny, wrażliwy na jej potrzeby i umieć prowadzić rozmowę, a to wyłącznie kobiece atrybuty. Niestety połączenie męskiego ciała i kobiecych wartości można znaleźć niemal wyłącznie u gejów lub zniewieściałych mężczyzn.

Mężczyznę trzeba przeszkolić w sztuce sprawiania przyjemności kobiecie, ponieważ nie przychodzi mu zbyt łatwo. Jest łowcą – został zaprogramowany do rozwiązywania problemów, przynoszenia pożywienia i pokonywania wrogów. Pod koniec dnia ma ochotę wyłącznie gapić się w ogień i wykonać kilka pchnięć biodrami, żeby jego plemię było liczne. Aby kobieta poczuła ochotę na seks, musi się czuć kochana, uwielbiana, ważna. Tu tkwi haczyk, z którego większość ludzi nie zdaje sobie sprawy. Mężczyzna musi najpierw uprawiać seks, aby uporządkować swoje uczucia. Niestety, kobieta potrzebuje, aby zrobił to najpierw, zanim ona podnieci się na tyle, żeby chciała uprawiać seks. Mężczyzna jest zaprogramowany do polowania. Jego ciało przystosowano tak, aby mógł to robić bez względu na mróz czy skwar. Jego skóra jest pozbawiona wrażliwości, aby nie osłabiły go rany, oparzenia czy odmrożenia. W przeszłości świat mężczyzny wypełniała walka i śmierć. Nie było w nim miejsca na wrażliwość na cudze potrzeby, porozumiewanie się czy uczucia. Gdyby spędzał czas na kontaktach i wyrażaniu współczucia, mógłby stracić koncentrację i zostawić plemię nie chronione przed atakiem. Kobieta powinna zrozumieć, że współcześni mężczyźni są obarczeni dziedzictwem biologii. Może opracować stosowne strategie, żeby sobie z tym poradzić.

Matki przekazywały córkom, że mężczyźni chcą tylko jednego – seksu – ale nie jest tak do końca. Mężczyzna pragnie miłości, ale może ją otrzymać wyłącznie poprzez seks.

Seksualne priorytety mężczyzn i kobiet są przeciwstawne, a więc nie ma sensu karać się za to nawzajem. Nikt nic nie może na to poradzić. Tak po prostu zostaliśmy stworzeni. Poza tym przeciwieństwa się przyciągają. To tylko w parze dwóch gejów lub dwóch lesbijek potrzeby seksualne są dokładnie takie same. Oto dlaczego homoseksualiści o wiele rzadziej kłócą się o seks i miłość niż heteroseksualiści.

Dlaczego seks nagle zamiera

Ten, kto pierwszy powiedział, że przez żołądek można trafić do serca mężczyzny, celował za wysoko. Po upojnym stosunku ujawnia się u niego łagodniejsza, kobieca strona. Słyszy śpiew ptaków, zachwycają go barwy liści, czuje zapach kwiatów i wzruszają go słowa piosenki. Przed seksem zauważył ptaki tylko dlatego, że zabrudziły karoserię samochodu. Tymczasem powinien zrozumieć, że kobieta pragnie zobaczyć właśnie tę jego stronę „po stosunku" i uważa ją za niezwykle pociągającą. Gdyby udało mu się przećwiczyć takie zachowanie, zdołałby podniecić kobietę przed uprawianiem seksu. Jednocześnie kobieta powinna zrozumieć znaczenie miłości fizycznej dla mężczyzny. Kiedy ujrzy jego łagodniejszą stronę, niech mu wyjaśni, jaka jest dla niej pociągająca.

Na początku nowego związku seks zawsze jest wspaniały i nie brakuje miłości. Ona chętnie się z nim kocha, a on ją obdarowuje miłością. Jedno uzupełnia drugie... Natomiast po kilku latach mężczyzna za bardzo się przejmuje przynoszeniem zdobyczy, a kobieta obroną gniazda. Właśnie dlatego seks i miłość nagle i jednocześnie znikają. Mężczyźni i kobiety ponoszą wspólną odpowiedzialność za szczęśliwe życie uczuciowe, ale kiedy coś nie wychodzi, na ogół winią siebie nawzajem. Mężczyźni powinni zrozumieć, że kobieta potrzebuje uwagi, pochwał, rozpieszczania i mnóstwa czasu, zanim rozpali swój elektryczny piecyk. Kobiety zaś muszą pamiętać, że są to uczucia, które on prawdopodobnie wyrazi po wspaniałych chwilach miłości fizycznej. Z kolei on powinien zapamiętać, jak się czuł po współżyciu, i przywołać te uczucia następnym razem, kiedy będzie chciał się kochać. Ona natomiast powinna być przygotowana, żeby mu pomóc.

Kluczem jest seks. Kiedy seks jest wspaniały, cały związek radykalnie się poprawia.

Czego mężczyźni oczekują od seksu

Dla mężczyzny to prosta sprawa – uwolnienie nagromadzonego napięcia poprzez orgazm. Po stosunku mniej waży (niektórzy twierdzą, że tak jest, bo ma pusty mózg), ponieważ stracił część siebie i potrzebuje czasu na odpoczynek. Oto dlaczego mężczyźni po współżyciu zasypiają. Często wtedy ona się złości i uważa, że on jest egoistą i nie dba o jej potrzeby.

Mężczyźni poza tym wykorzystują seks do powiedzenia fizycznie tego, czego nie potrafią wyrazić. Kiedy mają problemy, na przykład w znalezieniu nowej pracy, spłacie debetu w banku lub rozwiązaniu sporu, będą chcieli się kochać, aby osłabić intensywność swoich emocji.

Kobiety zazwyczaj tego nie rozumieją i mają żal o to, że zostały „wykorzystane". Nie zauważają, że mężczyzna miał kłopot, z którym nie umiał sobie poradzić.

Mężczyźni fantazjują o uprawianiu seksu z dwiema kobietami. Kobiety też o tym fantazjują: nareszcie będą miały z kim pogadać, kiedy on zaśnie.

Istnieje kilka męskich problemów, których nie rozwiąże najwspanialszy seks. Badania wykazują, że mężczyzna, który tłumi potrzeby seksualne, ma zaburzenia słuchu, rozumowania, kierowania pojazdami lub ciężkim sprzętem. Cierpi również na zakłócenia poczucia czasu. Trzy minuty ciągną się jak kwadrans. Jeżeli kobiecie zależy na przemyślanej decyzji mężczyzny, niech odłoży dyskusję na chwile po współżyciu, kiedy on będzie już myślał logicznie.

Czego kobiety oczekują od seksu

Mężczyzna czuje się spełniony poprzez seks, kiedy uwolni się od napięcia. Potrzeby kobiety są przeciwstawne. Musi czuć, jak przez dłuższy czas napięcie narasta, a warunek wstępny to rozmowa i dużo uwagi. On chce się oczyścić, ona napełnić. Kiedy mężczyzna zrozumie tę różnicę, staje się czulszym kochankiem. Kobieta potrzebuje co najmniej 30 minut gry wstępnej, zanim jest gotowa do uprawiania seksu... Mężczyźnie wystarczy 30 sekund i na ogół traktuje drogę do jej mieszkania jako grę wstępną.

Adam pierwszy wszedł na szczyt, jak to mężczyzna.

Po współżyciu kobieta czuje oszołomienie po dużej dawce hormonów i jest gotowa zdobywać świat. Chce się dotykać, przytulać i rozmawiać. Natomiast mężczyzna, jeśli od razu nie zasnął, czasem się wycofuje, wstaje i coś robi, na przykład zmienia żarówkę lub parzy kawę. On musi czuć, że cały czas się kontroluje, a podczas orgazmu na chwilę traci tę kontrolę. Jeżeli wstanie i zacznie coś robić, odzyska panowanie nad sobą.

Dlaczego mężczyźni nic nie mówią podczas uprawiania seksu

Mężczyzna może robić tylko jedną rzecz naraz. Podczas erekcji nie umie mówić, słuchać ani prowadzić samochodu. Dlatego rzadko rozmawia podczas uprawiania seksu. Czasem ona musi posłuchać jego oddechu, żeby się zorientować, na jakim partner jest etapie. On uwielbia słuchać, jak ona mówi „brzydko" o tym, co jest gotowa zrobić dla niego, ale przed stosunkiem, a nie w trakcie. Może stracić poczucie kierunku (oraz erekcję), jeżeli podczas stosunku ona do niego coś mówi. Wtedy używa prawej półkuli, a badania mózgu wykazały, że jest tak skupiony na tym, co robi, iż praktycznie staje się głuchy.

Jeżeli mężczyzna ma mówić podczas stosunku, musi uruchomić lewą półkulę. Kobieta może jednocześnie uprawiać seks i rozmawiać.

Dla kobiety rozmowa odgrywa kluczową rolę w grze wstępnej, ponieważ słowa są dla niej bardzo ważne. Jeżeli podczas współżycia on przestaje mówić, ona może pomyśleć, że stracił dla niej zainteresowanie. Mężczyzna, jeśli chce zaspokoić potrzeby kobiety, powinien ćwiczyć prawienie słodkich słówek podczas gry wstępnej. Natomiast kobieta powinna zrezygnować z mówienia podczas seksu. Aby podtrzymać jego zainteresowanie, wystarczy, że będzie wydawać różne odgłosy. Bardzo dużo „oooch" i „aaach" daje mężczyźnie pozytywną informację zwrotną, potrzebną mu do poczucia spełnienia. Kiedy ona mówi podczas stosunku, on czuje się zobowiązany odpowiedzieć i w tym momencie może się zagubić.

Kobiecy mózg nie jest przystosowany do tak gwałtownego reagowania na substancje chemiczne związane z popędem płciowym jak mózg mężczyzny. Podczas współżycia kobieta doskonale zdaje sobie sprawę z dźwięków dochodzących z zewnątrz lub zmian w otoczeniu, natomiast mężczyzna pozostaje skupiony i nic go nie rozprasza. Tutaj włącza się biologia kobiety – obrończyni gniazda – ona kontroluje dźwięki, żeby się upewnić, że nikt i nic się nie zakrada, żeby porwać jej potomstwo. Wielu mężczyzn przekonało się o tym na własnej skórze, kiedy próbowali przekonać kobietę do stosunku na otwartej przestrzeni, w pokoju z cienkimi ścianami lub za nie zamkniętymi drzwiami. Na ogół kończyło się to kłótnią. To ciekawe, że ten wrodzony lęk stanowi jednocześnie jedną z najbardziej skrywanych fantazji seksualnych kobiet – uprawianie miłości w miejscu publicznym.

Cel orgazmu

„Ona wykorzystuje mnie, kiedy tylko chce, a potem zapomina o mnie. Nie cierpię być obiektem seksualnym!" Tych słów nigdy nie powiedział żaden mężczyzna. Męskim kryterium spełnienia jest orgazm i on błędnie zakłada, że to samo dotyczy kobiety. Zastanawia się: Jak ona może się czuć spełniona bez orgazmu? Nie potrafi sobie wyobrazić siebie w takiej sytuacji, dlatego wykorzystuje orgazm kobiety jako miarę własnego sukcesu w roli kochanka. Te oczekiwania składają na barki kobiet ogromny ciężar odpowiedzialności i w rzeczywistości zmniejszają ich szansę na orgazm. Ona potrzebuje uczucia bliskości i ciepła oraz zbudowania napięcia koniecznego do wspaniałego seksu. Dla niej orgazm jest premią, a nie celem samym w sobie. Mężczyzna zawsze potrzebuje orgazmu, kobieta zaś nie. On widzi kobietę jako swoje seksualne lustro i poświęca całe lata na pchnięcia i pompki, sądząc, że tego właśnie kobieta pragnie. Wystarczy obejrzeć wykres i przestudiować szczyty i spadki w popędzie płciowym kobiety w ciągu roku. Szczyt przypada

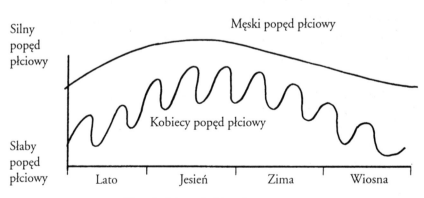

Popęd płciowy kobiety i mężczyzny
(źródło: Pease International Research, Wielka Brytania)

wtedy, kiedy ona najbardziej chciała osiągnąć orgazm – mniej więcej w okresie owulacji – oraz spadki, kiedy potrzebuje przytulania i dotykania bez podtekstu erotycznego.

Dość rozpowszechniona męska fantazja to zmysłowa nieznajoma, która podchodzi do niego i okazuje się, że nie może mu się oprzeć. On zaspokaja każdą jej zachciankę – każdą j e j zachciankę. Dla mężczyzny miara jego sprawności jako kochanka jest związana bezpośrednio z j e j poziomem satysfakcji i dlatego on cały czas kontroluje jej reakcje, żeby sprawdzić, jak dobrze mu idzie.

....

Mężczyźni nie udają orgazmu. Żaden z nich nie chce przybierać takiej miny.

....

Mężczyzna na ogół nie potrafi rozpoznać uczuć kobiety podczas stosunku. To jeszcze jedna przyczyna, dla której jej orgazm jest dla niego taki ważny. Jest dowodem, że odwalił kawał dobrej roboty. Osiągnął cel. Nie rozumie, że obowiązkowy orgazm jest męskim kryterium sukcesu, a niekoniecznie kobiecym. W opinii kobiet orgazm to nieoczekiwana premia, a nie miara.

Co nas podnieca

Oto lista rzeczy podniecających obie strony i dowód na niezrozumienie potrzeb seksualnych partnerów. Ta lista jest bezpośrednim odzwierciedleniem oprogramowania mózgu obu płci. Kobiety są słuchowcami i „dotykowcami". Chcą pieszczot i romantyczności.

Co podnieca kobiety?	Co podnieca mężczyzn?
1. Romantyczność	1. Pornografia
2. Przywiązanie	2. Nagość kobiety
3. Porozumienie	3. Seksualna różnorodność
4. Bliskość	4. Bielizna
5. Dotknięcia bez podtekstu seksualnego	5. Jej przystępność

Biologicznym zadaniem mężczyzny jest znalezienie jak największej liczby zdrowych kobiet i udzielenie im pomocy w poczęciu. Biologiczną rolą kobiety jest rodzenie dzieci i znalezienie partnera, który zostanie przy niej na tyle długo, aby je wspólnie wychowali. Nadal te odwieczne siły kierują obojgiem, mimo iż żyjemy w stuleciu, w którym prokreacja dla przetrwania straciła na znaczeniu. Przywiązanie tak podnieca kobiety, ponieważ romantyczność zawiera subtelną obietnicę gotowości mężczyzny do wychowania potomstwa. I dlatego kobiety potrzebują monogamii. Szczegółowo omówimy to w następnym rozdziale.

Jeśli kobieta krytykuje mężczyznę za potrzebę pobudzenia drogą wzrokową, to tak, jakby mężczyzna krytykował kobietę za chęć prowadzenia rozmowy lub pójście na kolację. Rozwiązanie: robić jedno i drugie.

Dlaczego mężczyźni są tak surowo traktowani

Rzeczy, które podniecają mężczyzn, są często opisywane przez kobiety jako brudne, odrażające, niesmaczne lub perwersyjne. Na ogół kobiet nie podnieca to, co jest na męskiej liście, natomiast mężczyźni słabo reagują na rzeczy wymienione na liście kobiet.

Opinia publiczna najczęściej gloryfikuje w filmach, powieściach i ogłoszeniach rzeczy podniecające kobiety, natomiast potępia męską listę jako pornograficzną lub prymitywną. Natomiast z biologicznego punktu widzenia obie strony potrzebują tych czynników, aby się podniecić. Publiczna krytyka męskich „podniecaczy" prowadzi do tego, że mężczyźni ukrywają egzemplarze „Playboya" i zaprzeczają, że miewają fantazje seksualne. Wiele ich potrzeb pozostaje nie spełnionych. Często mają poczucie winy lub żalu. Kiedy kobieta i mężczyzna rozumieją początki oraz ewolucję swoich pragnień, łatwiej im przychodzi je zaakceptować bez gniewu, pretensji czy poczucia winy. Nikt nie powinien robić tego, co nie sprawia mu przyjemności. Natomiast szczera rozmowa o swoich potrzebach mogłaby polepszyć związek. Być może mężczyzna zrozumiałby, że zorganizowanie romantycznej kolacji we dwoje lub krótkiego wypadu w weekend to dla niego o wiele mniejszy wysiłek niż dla niej założenie podwiązek i huśtanie się na żyrandolu.

Mit o afrodyzjaku

Po badaniach naukowych okazało się, że nie skutkuje żaden z setek popularnych afrodyzjaków. Działają tylko dzięki efektowi placebo. Jeśli wierzysz, że działa, prawdopodobnie tak będzie. Niektóre tak zwane afrodyzjaki mogą tłumić lub hamować pociąg płciowy, zwłaszcza wtedy kiedy podrażniają nerki, wywołują swędzenie lub pokrzywkę. Jedyne afrodyzjaki, których działanie jest gwarantowane, znajdują się na listach rzeczy podniecających wymienianych przez obie strony.

Mężczyźni i ich pornografia

Mężczyźni uwielbiają pornografię, a kobiety jej nie cierpią. Pornografia odpowiada męskim potrzebom, ponieważ pokazuje wyraźne obrazy kształtów, żądzy i seksu. Natomiast kobiety patrzą na pornografię jako na formę dominacji niewrażliwych mężczyzn nad kobietami. Nie ma dowodów na istnienie związku między pornografią a zbrodniami na tle seksualnym. Natomiast pornografia może wywierać szkodliwy wpływ tylko z tego powodu, że ukazuje mężczyzn, którzy niczym osły mogą godzinami pchać i dźgać bez przerwy. Taki obraz znacząco oddziałuje na męskie oczekiwania co do własnych możliwości.

....

Jaka jest różnica między erotyką a perwersją?
Erotyka jest wtedy, kiedy używasz piórka,
perwersja – kiedy używasz całego kurczaka.

....

Pornografia również sugeruje, że kobieta ma takie same wizualne i fizyczne kryteria podniecenia jak mężczyzna, a także że jej popęd płciowy jest równie silny, a może nawet silniejszy. To może mieć szkodliwy wpływ na kobiety. Ukazywanie ich w roli przedmiotu seksualnego z całkowicie nierealistycznym zapotrzebowaniem na miłość fizyczną może doprowadzić do obniżenia ich samooceny. Badania wśród 18–23-latków wykazują, iż 50% mężczyzn uważa, że ich życie płciowe nie jest tak udane, jak to bywa przedstawiane w filmie, telewizji i w czasopismach, natomiast 62% kobiet sądzi, że jest równie dobre lub nawet lepsze. Wszystko więc wskazuje na to, że pornografia ma większy wpływ na oczekiwania mężczyzn co do własnych możliwości niż na kobiety.

Czy istnieją kobiety – maniaczki seksualne

Gdyby wylądowali na Ziemi kosmici i przejrzeli wybór czasopism dla pań i dla panów, książek i filmów, doszliby do wniosku, że kobiety mają obsesję na punkcie seksu, przeżywają wielokrotne orgazmy i nie można ich zadowolić. Gdyby następnie przeczytali lub obejrzeli produkowane taśmowo dzieła pornograficzne, zostaliby przekonani, że kobiety mają nie zaspokojony apetyt na seks i są gotowe oddać się każdemu mężczyźnie bez względu na okoliczności. Oto obraz tworzony przez media, według którego współczesne kobiety powinny żyć. W rzeczywistości nie nasycone maniaczki seksualne to wytwór wyobraźni mężczyzn. Ocenia się, że jest ich niecały procent. Współczesna kobieta nie wierzy mężczyźnie, kiedy ten ją przekonuje, że podoba mu się nago. To wyobrażenie wpływa negatywnie na obecne pokolenia, ponieważ ich rodzice i dziadkowie nigdy nie byli narażeni na pomysł, że kobieta ma równie silny popęd płciowy jak mężczyzna. Kobiety często czują się nienormalne lub oziębłe, ponieważ ich zachowania nie przypominają obrazów stworzonych przez media. Mężczyźni zostali oszukańczo przekonani, że kobiety obecnie mają silny popęd płciowy i złoszczą się lub czują sfrustrowani, kiedy ich partnerka nie dość często inicjuje seks. W czasopismach pojawiają się takie tytuły: „Po pięciu dniach będziesz miała wielokrotny orgazm!", „Jak pójść do łóżka z europejskim kochankiem!", „Seks tantryczny – trwa wiele godzin!", „Miałam 300 kochanków w trzy lata!" i „Jak utrzymać jego erekcję przez całą noc!", nic dziwnego, że wszyscy uwierzyli, że kobiety myślą wyłącznie o seksie.

....

Ruchy kobiece zmieniły podejście kobiet do ich seksualności, ale nie zwiększyły ich potrzeby uprawiania miłości.

....

Prawdopodobnie popęd płciowy kobiety pozostaje taki sam od tysięcy lat, a zmieniło się jedynie to, że teraz można o nim otwarcie mówić. Potrzeby współczesnej kobiety raczej nie różnią się od potrzeb jej matki i babki, ale starsze pokolenia kobiet je tłumiły, a już na pewno nie dyskutowały o nich. Niewątpliwie frustracje seksualne były o wiele większe przed pojawieniem się pigułki antykoncepcyjnej. Ale nie tak wielkie, jak przekonują nas współczesne media.

Przy zapalonym czy przy zgaszonym świetle

Wiemy już, że jeżeli chodzi o seks, mężczyźni są wzrokowcami. Chcą widzieć kształty, krągłości, nagość, pornografię. Kinsey ustalił, że 76% mężczyzn pragnie się kochać przy zapalonym świetle. Dotyczy to tylko 36% kobiet. Na ogół kobiet nie pobudza nagość, chyba że jest to naga para w romantycznej scenie. Mężczyznę zazwyczaj bardzo podnieca widok nagiej kobiety. Natomiast kobieta, widząc nagiego mężczyznę, na ogół wybucha śmiechem.

Kobiety uwielbiają słowa i uczucia. Wolą uprawiać miłość przy zgaszonym świetle lub z zamkniętymi oczami, ponieważ to bardziej odpowiada ich doskonale nastrojonemu wyposażeniu zmysłowemu. Łagodne głaskanie, delikatne muśnięcia i szeptanie słodkich głupstw podnieci większość kobiet. Rozkładówki z nagimi mężczyznami pojawiają się coraz częściej w kobiecych pismach, które próbują nas przekonać, że kobiece podejście do nagości jest takie samo jak męskie. Te rozkładówki znikają równie szybko, jak się pojawiają, ponieważ dowiedziono, że powiększają liczbę czytelników... wśród gejów.

....

Większość kobiet woli się kochać przy zgaszonym świetle...
Nie mogą znieść widoku zadowolonego z siebie
mężczyzny.
Mężczyźni wolą seks przy zapalonym świetle. Wtedy nie
pomylą imienia kobiety.

....

Nie powiodły się wszystkie próby sprzedaży pornografii kobietom, aczkolwiek pod koniec lat dziewięćdziesiątych zanotowano poważny wzrost nakładów kalendarzy z półnagimi mężczyznami, które nawet przewyższyły sprzedaż kalendarzy z nagimi kobietami. Okazało się, że kupują je trzy kategorie klientów: nastolatki, które chcą mieć fotografie swoich ulubionych gwiazd filmowych lub muzycznych, kobiety, które przeznaczają je na żartobliwy prezent dla koleżanki, oraz geje.

Rozdział 10

MAŁŻEŃSTWO, MIŁOŚĆ
I ROMANS

Czekając na odpowiedniego kandydata

O d dłuższego czasu w egzystencji gatunku ludzkiego przeważa życie w parach, to znaczy jeden mężczyzna i jedna kobieta. Wcześniej na ogół mężczyzna zatrzymywał ulubioną kobietę, ale jeśli było go stać na utrzymanie większej liczby innych kobiet, miał ich jeszcze kilka. Do tego nieograniczoną liczbę przelotnych stosunków na boku.

Współczesny model małżeństwa jest wynalazkiem ideologii judeochrześcijańskiej, która miała jeden cel: werbunek. Dzięki przekonaniu dwojga dorosłych osób do przestrzegania określonego kanonu zasad, w tym posłuszeństwa Bogu, potomstwo pochodzące z tego małżeństwa niejako automatycznie rodziło się w wierze rodziców.

....

Małżeństwo ma dobrą stronę. Uczy cię lojalności, szacunku dla starszych, tolerancji, powściągliwości oraz innych ważnych cech, które nie byłyby ci potrzebne, gdybyś pozostał samotny.

....

Zawsze wtedy, kiedy jakaś działalność człowieka jest związana ze skomplikowanymi rytuałami i publicznymi deklaracjami, zwykle jest sprzeczna z naszą biologią i zmusza nas do robienia czegoś, czego z natury nie robimy. Nierozłączki czerwonoczelne nie potrzebują zawiłej ceremonii „zaślubin". Monogamia to ich naturalny stan. Natomiast naleganie, aby poligamiczne zwierzę jak baran zgodziło się na małżeństwo tylko z jedną owcą, jest wręcz idiotyczne. Nie chcemy przez to powiedzieć, że na małżeństwo nie ma miejsca we współczesnym społeczeństwie. My, autorzy, sami jesteśmy małżeństwem, uważamy jednak, że ważne jest zrozumienie jego historii i związku z naszą biologią.

Zatem jaką korzyść z małżeństwa odnosi mężczyzna? W kategoriach podstawowych, ewolucyjnych, małżeństwo nic mu nie daje. Jest jak kogut. Pragnie rozsiewać swoje genetyczne nasienie jak najszerzej i najczęściej, jak to możliwe. Mimo to większość ich nadal się żeni, rozwiedzeni żenią się powtórnie lub żyją w stałych związkach. To dowód, w jak niezwykły sposób społeczeństwo potrafi zmusić do powściągliwości biologicznie rozpustnych mężczyzn.

Seks to cena, którą kobiety płacą za małżeństwo.
Małżeństwo jest ceną, którą mężczyźni płacą za seks.

Kiedy zada się mężczyznom pytanie: „Co ci daje małżeństwo?", większość zacznie coś mamrotać o ciepłym domostwie, gotowanym posiłku i uprasowanych koszulach. Zasadniczo rzecz ujmując, chodzi im o skrzyżowanie matki i osobistej służącej. Zygmunt Freud stwierdził, że takich mężczyzn łączy z żonami stosunek typu matka/syn. Tylko 22% mężczyzn wspomina, że partnerka jest jednocześnie ich najlepszą przyjaciółką. Najlepszym przyjacielem mężczyzny jest na ogół inny mężczyzna, ponieważ oni dobrze rozumieją własny sposób myślenia. Kiedy spytamy kobietę: „Kto jest twoim najlepszym przyjacielem?", 86% wymienia inną kobietę. Innymi słowy przyjaciel to ktoś o podobnym zaprogramowaniu mózgu.

Mężczyzna, idąc nawą główną do ołtarza, może sądzić, że oto jest początek nie kończących się dostaw seksu na żądanie, ale kobiety mają inne zapatrywania na tę sprawę. Ankiety rzeczywiście wykazują, że żonaci mężczyźni uprawiają seks częściej niż samotni. Żonaci między 25 a 50 rokiem życia robią to przeciętnie trzy razy w tygodniu. To przydarza się zaledwie połowie kawalerów. Samotny mężczyzna kocha się średnio raz w tygodniu. W 1997 roku w Australii 21% samotnych mężczyzn w ogóle nie uprawiało seksu w roku przeprowadzania ankiety, a przytrafiło się to jedynie 3% żonatych.

Jak już zostało dowiedzione, seks ma dobroczynny wpływ na ogólny stan zdrowia. Kawalerzy lub wdowcy o wiele częściej umierają przedwcześnie niż żonaci.

Dlaczego kobiety potrzebują monogamii

Mimo iż w zachodnich społeczeństwach z prawnego punktu widzenia małżeństwo przeobraziło się w bezzębnego tygrysa, nadal wyjście za mąż pozostaje ambicją większości kobiet i wstępuje ich w związki małżeńskie 91%. Dla kobiety małżeństwo jest deklaracją, którą mężczyzna ogłasza światu, że uważa ją za „niezwykłą" i zamierza utrzymać z nią związek monogamiczny. To uczucie bycia „niezwykłą" wywiera poważny wpływ na chemiczne działanie mózgu kobiety. Zostało to potwierdzone przez badania, wykazujące, że liczba orgazmów jest cztero-, a nawet pięciokrotnie wyższa w małżeńskim łóżku, a od dwóch do trzech razy wyższa w związku monogamicznym.

Starsze pokolenie uważa, że dla młodych małżeństwo jest instytucją przestarzałą. Natomiast ankieta przeprowadzona w 1998 roku wśród 2344 studentów w wieku od 18 do 23 roku życia, w której wzięło udział tyle samo kobiet co mężczyzn, wykazała, że tak nie jest. Zapytano ich o zobowiązania, a wtedy 84% kobiet i 70% mężczyzn stwierdziło, że kiedyś wstąpi w związek małżeński. Tylko 5% mężczyzn i 2% kobiet sądziło, że małżeństwo należy do przeszłości.

Przyjaźń okazała się ważniejsza od związku seksualnego dla 92% przedstawicieli obu płci. Kiedy pytano o pogląd na pozostanie w związku z jedną osobą do końca życia, ten pomysł się spodobał 86% kobiet i 75% mężczyzn. Tylko 35% par uważało, że ich związki są lepsze od małżeństw ich rodziców. Wierność zajmowała wysokie miejsce na kobiecej liście wymagań. 44% kobiet poniżej trzydziestego roku życia uznało, że odeszłoby ze związku, w którym mężczyzna byłby niewierny. Odsetek ten spadł do 32% wśród kobiet powyżej 30 roku życia. Wśród kobiet czterdziestoletnich tylko 28% zakończyłoby związek, a jedynie 11% sześćdziesięciolatek uważało tak samo. Oto dowód, że im młodsze kobiety, tym bardziej bezkompromisowo podchodzą do zdrady i tym ważniejsza jest wierność i monogamia w ich systemie wartości.

Tej różnicy mężczyźni nie potrafią zrozumieć. Większość uważa, że przelotny romans nie będzie miał żadnego wpływu na ich związek, ponieważ na ogół nie mają kłopotu z odróżnieniem miłości od seksu. Natomiast dla kobiet seks i miłość są ze sobą ściśle związane. Romans z inną kobietą będą traktowały jak ostateczną zdradę i doskonały powód do zerwania związku.

Dlaczego mężczyźni unikają zobowiązań

Mężczyzna żonaty lub pozostający w stałym związku zawsze w duchu się martwi, że kawalerowie częściej się kochają i lepiej się bawią. Wyobraża sobie szalone przyjęcia samotnych, łączenie się w pary bez zobowiązań i baseny pełne nagich supermodelek. Obawia się, że okazje przelatują mu koło nosa i wszystko go omija. To nie ma żadnego znaczenia, że kiedy był kawalerem, podobne okazje jakoś nigdy się nie pojawiały. Zapomina o samotnych wieczorach przy talerzu zimnej fasoli z puszki, o upokarzających odtrąceniach przez kobiety w obecności znajomych i długich okresach bez seksu. Nie potrafi nic poradzić na to, że się martwi, iż zobowiązanie oznacza, że wszystko go ominie.

Mężczyźni wolą zaczekać na idealną partnerkę, ale na ogół dostają starszą.

Gdzie w mózgu znajduje się ośrodek miłości

Amerykańska antropolog, dr Helen Fisher z Rutgers University w New Jersey, prowadzi pionierskie prace dotyczące położenia w mózgu ośrodka miłości. Aczkolwiek jej badania są nadal na etapie początkowym, ustaliła lokalizację w mózgu trzech typów emocji – pożądania, zauroczenia i przywiązania. Każda z tych emocji ma określony zestaw wydzielanych substancji chemicznych, które pojawiają się w mózgu, kiedy jego właścicielowi ktoś się spodoba. Posługując się kategoriami biologicznymi, te trzy składniki miłości wykształciły się w trakcie ewolucji, aby odegrać zasadniczą rolę – doprowadzić do rozmnażania. Po zapłodnieniu system sam się wyłącza i kończy się miłość.

Pierwszy etap – pożądanie – jest to wcześniej omówiony pociąg fizyczny i niewerbalny. Fisher twierdzi, że „zauroczenie to etap, w którym ciągle myślimy o danej osobie i nie możemy o niej zapomnieć. Mózg koncentruje się na pozytywnych cechach ukochanej (ukochanego), a ignoruje jej (jego) złe nawyki".

Zauroczenie to podjęta przez mózg próba stworzenia więzi z ewentualnym partnerem. Jest to tak potężne uczucie, że wywołuje niewiarygodną euforię. Kiedy ktoś zostanie odtrącony, może to spowodować głęboką rozpacz i doprowadzić do obsesji. W wypadkach ekstremalnych może się skończyć morderstwem. Na etapie zauroczenia jest uwalnianych do mózgu kilka bardzo silnych substancji chemicznych, które wywołują uczucie uniesienia. Dopamina poprawia nastrój, fenyletylamina podnosi poziom podniecenia, serotonina stwarza poczucie emocjonalnej stabilizacji, a noradrenalina wywołuje przekonanie, że wszystko można zdobyć. Osoba uzależniona od seksu to ktoś, kto nie potrafi żyć bez hormonalnego koktajlu towarzyszącego zauroczeniu i cały czas chce pozostawać w stanie uniesienia. Ale zauroczenie to uczucie przejściowe, trwające średnio od 3 do 12 miesięcy, a które większość ludzi myli z miłością. To jednak w rzeczywistości biologiczna sztuczka Natury, gwarantująca, że mężczyzna i kobieta będą ze sobą na tyle długo, aby doszło do poczęcia. Niebezpieczeństwo tego etapu polega na tym, iż kochankowie wierzą, że są doskonale dobrani pod względem popędu płciowego tylko dlatego, że robią to bez przerwy, jak króliki. Prawdziwe różnice w popędzie płciowym ujawnią się po zakończeniu fazy zauroczenia, w chwili kiedy zaczyna się etap przywiązania.

Zauroczenie to biologiczna sztuczka Natury, gwarantująca, że mężczyzna i kobieta będą ze sobą na tyle długo, aby doszło do poczęcia.

Kiedy rzeczywistość wygrywa z zauroczeniem, może dojść do odrzucenia przez partnera. Może też się zacząć trzeci etap: przywiązanie. Jego celem głównym jest budowanie więzi współpracy, która przetrwa wystarczająco długo, aby para wychowała dzieci. Fisher się spodziewa, że dzięki dalszym badaniom i szybkiemu rozwojowi technologii wkrótce znajdzie sposób na ustalenie położenia w mózgu ośrodka miłości oraz innych emocji. Zrozumienie tych trzech etapów ułatwi poradzenie sobie z zauroczeniem i przygotowanie na jego ewentualne zakończenie.

Miłość – dlaczego mężczyźni się zakochują, a kobiety odkochują

Mówi się, że miłość mąci w głowie i to szczególnie dotyczy mężczyzn. Przepełnia ich testosteron, który łatwo ich wprowadza w fazę pożądania. Podczas zauroczenia są tak rozpaleni przez ten hormon, że nie potrafią powiedzieć, gdzie jest góra, a gdzie dół. Kiedy objawi się rzeczywistość, może wyjątkowo mocno uderzyć. Kobieta, która była tak podniecająca wczoraj o północy, po wschodzie słońca może już wcale nie wydawać się ani tak atrakcyjna, ani tak inteligentna. Ze względu na to, że w mózgu kobiety ośrodki emocji i rozumowania są lepiej połączone, a ponadto nie podlega ona panowaniu testosteronu, łatwiej potrafi ocenić, czy ten mężczyzna jest dla niej odpowiednim partnerem. Oto dlaczego kobiety tak często odchodzą, a mężczyźni nie rozumieją, co się stało. Kobiety starają się zrywać łagodnie. W liście pożegnalnym niektóre zapewniają, że zawsze będą go kochać.

Dlaczego mężczyźni nie potrafią powiedzieć: „kocham cię"

Kobieta nigdy nie miewa trudności z powiedzeniem: „Kocham cię". Zaprogramowanie mózgu sprawia, że jej świat jest pełen uczuć, chęci porozumienia i słów. Wie, kiedy czuje się pożądana i adorowana, a jeśli znajduje się na etapie przywiązania, to jest prawdopodobnie zakochana. Natomiast mężczyzna nie do końca jest pewien, czym jest miłość. Często myli pożądanie i zauroczenie z miłością. Wie tylko tyle, że nie może oderwać od niej rąk... więc może to miłość? Jego mózg został oślepiony przez testosteron, stale ma wzwód i nie może rozsądnie myśleć. Czasem po wielu latach mężczyzna sobie uświadamia, że był zakochany, ale przychodzi to po wielu latach. Kobiety wcześniej wiedzą, kiedy miłość już się skończyła, i dlatego na ogół to one zrywają.

Wielu mężczyzn boi się zobowiązań. Boją się, że słowo na „m" więzi ich do końca życia i oznacza koniec marzeń o basenach pełnych supermodelek.

Kobiety wiedzą, kiedy miłość już się skończyła.
Oto dlaczego najczęściej zrywają związek.

Kiedy mężczyzna wreszcie zbierze się na odwagę i powie słowo na „m", pragnie mówić o swojej miłości wszystkim i wszędzie. Natomiast na ogół nie zauważa, że może w ten sposób zwiększyć szansę kobiety na orgazm.

Jak mężczyźni oddzielają miłość od seksu

Kobieta szczęśliwa w małżeństwie rzadko miewa romans, ale szczęśliwie zakochany i zdradzający mężczyzna jest zjawiskiem powszechnym. Ponad 90% romansów inicjują mężczyźni, za to ponad 80% jest kończonych przez kobiety. Kiedy kobieta sobie uświadamia, że romans nie niesie ze sobą żadnej trwałej obietnicy uczuciowej, chce odejść. Mężczyznę zaś często uszczęśliwia związek udany jedynie pod względem fizycznym i to zajmuje całą jego uwagę. Nadal nie wiadomo, gdzie w mózgu dokładnie jest umiejscowiona miłość, ale badania wykazują, że w kobiecym mózgu istnieje siatka połączeń między ośrodkiem miłości a ośrodkiem seksu (to podwzgórze). Ponadto ośrodek miłości musi być uaktywniony, zanim można uruchomić ośrodek seksu. Wygląda na to, że mężczyźni nie mają takich połączeń i dlatego mogą się zajmować oddzielnie miłością lub seksem. Dla mężczyzny seks to seks, a miłość to miłość. Czasem się ze sobą łączą.

Pierwsze pytanie, jakie zadaje kobieta, która przyłapie swojego męża na zdradzie, brzmi: „Kochasz tę kobietę?" Mężczyzna, który wtedy odpowiada: „Nie, to chodziło tylko o zbliżenie fizyczne. Nie miało żadnego znaczenia", na ogół mówi prawdę, ponieważ on potrafi oddzielić seks od miłości. Mózg kobiety nie jest przygotowany na zrozumienie czy przyjęcie takiej odpowiedzi. Dlatego tak wiele kobiet nie potrafi uwierzyć mężczyźnie, który twierdzi, że romans był bez znaczenia. Dla niej seks równa się miłości. To nie fizyczne zbliżenie z inną kobietą tak ją przejmuje, ale pogwałcenie emocjonalnej więzi i zaufania, jakim go obdarzyła. Jeżeli kobieta miała romans i twierdzi, że nie miał dla niej znaczenia, prawdopodobnie kłamie. Jeżeli przekroczyła granicę i uprawiała seks, to już na pewno umocniła emocjonalną więź z nowym partnerem.

> *Dla kobiet miłość i seks łączą się ze sobą.*
> *Jedno równa się drugiemu.*

Kiedy kobiety uprawiają miłość, mężczyźni uprawiają seks

Stare porzekadło mówi, że kobieta się kocha, mężczyzna z nią kopuluje. To właśnie wywołuje kłótnie między kochankami na całym świecie. Mężczyzna będzie nazywał seks seksem, ale kobieta zareaguje z niechęcią na to słowo, ponieważ jej zdaniem, zgodnie z jej definicją, nie jest tak, jak on mówi. Kobieta „kocha się". To oznacza, że musi poczuć się kochana, zanim będzie chciała uprawiać seks. Większość kobiet sam „akt seksualny" widzi jako działanie pozbawione miłości i nieuzasadnione, ponieważ oprogramowanie ich mózgu nie utożsamia się z tą definicją.

> *„Spał pan z tą kobietą?", spytał sędzia.*
> *„Ależ skąd, wysoki sądzie. Nie zmrużyłem oka!"*

Kiedy mężczyzna mówi „seks", czasem ma na myśli wyłącznie seks fizyczny, ale to nie oznacza, że nie kocha swojej partnerki. Kiedy chce „się pokochać", najprawdopodobniej użyje słowa „łóżko". To może wywrzeć negatywny wpływ na kobietę, ale używanie wyrażenia „pokochać się" może sprawić, że mężczyzna poczuje, iż ją oszukuje, ponieważ czasem zależy mu wyłącznie na seksie. Kiedy kobiety i mężczyźni zrozumieją swoje podejście i zgodzą się nie osądzać użytych słów, ta przeszkoda przestanie zagrażać ich związkowi.

Dlaczego wspaniali partnerzy wyglądają atrakcyjnie

Badania przeprowadzone przez Kinsey Institute ujawniają, że podczas stosunku mężczyzna postrzega swoją partnerkę w zależności od głębi jego uczuć do niej. Oznacza to, że ceni ją wyżej na skali atrakcyjności fizycznej, jeżeli jest w niej wściekle zakochany, nawet jeśli inni uważają, że nago bardzo przypomina maskotkę Michelina. Znacznie gorzej ocenia jej atrakcyjność, kiedy mu na niej nie zależy, nawet jeśli jest oszałamiająco piękna. Jeśli kobieta podnieca mężczyznę, rozmiar jej ud traci na znaczeniu. Właściwie jest idealna. Fizyczna atrakcyjność kobiety odgrywa znaczącą rolę na samym początku znajomości, a ciepłe, serdeczne partnerstwo jest ważne w długotrwałych związkach. Zostało to potwierdzone przez ankiety opisane w rozdziale 9. Natomiast nie jest tak w przypadku, gdy kobiecie mężczyzna wyda się atrakcyjny. Zostało to ujawnione podczas badań przeprowadzonych w barach dla samotnych. Naukowcy stwierdzili, że im było później, tym bardziej samotnemu mężczyźnie atrakcyjna wydawała się wolna kobieta. Kobieta oceniona o 19.00 na pięć punktów, o 22.30 otrzymywała ich siedem, a osiem i pół o północy. Poziom alkoholu również podwyższał punktację. Natomiast u kobiet mężczyzna, który o 19.00 dostał pięć punktów, miał ich tyle samo o północy.

....

Dla kobiety mężczyzna, który o 19.00 dostał pięć punktów, ma ich tyle samo o północy, bez względu na to, ile wypiła.

....

Alkohol nie zwiększał jego atrakcyjności, a czasami nawet ją zmniejszał. Kobiety nadal oceniają odpowiedniość mężczyzny jako partnera pod kątem jego zalet osobistych, a nie fizycznej atrakcyjności, bez względu na porę czy ilość wypitego alkoholu. Kobieta uzyskuje więcej punktów u mężczyzny w zależności od szansy, że pozwoli mu odegrać jego rolę zawodowego dawcy nasienia.

Czy przeciwieństwa się przyciągają

Przełomowe badania z 1962 roku wykazały, że pociągają nas ludzie o podobnych wartościach, zainteresowaniach, postawach i poglądach. Właśnie z nimi natychmiast się dogadujemy. Dalsze odkrycia potwierdziły, że w tych warunkach kochankowie mają większe szanse na długotrwały związek. Natomiast zbyt wiele podobieństw może być nudne. Potrzebujemy pewnych różnic, aby podtrzymać zainteresowanie i aby uzupełnić naszą własną osobowość, ale nie tak wielkich, żeby to zakłócało nasz tryb życia. Na przykład domatora przyciągnie kobieta lubiąca się bawić, a kobieta, która bez przerwy się martwi, znajdzie oparcie w zrelaksowanym, beztroskim partnerze.

Przyciągają się fizyczne przeciwieństwa

Wystarczy przejrzeć wyniki ankiet lub badań dotyczących fizycznej atrakcyjności innej płci, a stwierdzimy, że wolimy przeciwieństwa. Mężczyźni wolą kobiety, które są miękkie i krągłe tam, gdzie oni są jędrni i płascy. Wybierają partnerki o szerokich biodrach, wąskich taliach, długich nogach i krągłych piersiach, czyli o cechach, których oni nigdy nie będą mieli. A także o małych podbródkach i noskach oraz o płaskim brzuchu, ponieważ sami na ogół mają zupełnie inne.

Kobiety również wolą w mężczyznach przeciwieństwo siebie, czyli szerokie ramiona, wąskie biodra, grubsze nogi i ramiona, mocno zarysowane szczęki i duże nosy. Natomiast istnieją bardzo ciekawe wyjątki. Na przykład stwierdzono, że mężczyźni, którzy nie piją alkoholu, wolą kobiety o małych piersiach, natomiast kobiety o dużych piersiach wolą mężczyzn o małych nosach, a mężczyźni o dużych nosach spotykają się z kobietami o płaskim biuście.

Kluczem jest proporcja bioder do talii

Jeśliby sprawdzić gusty mężczyzn na przestrzeni wieków, okazałoby się, że wariowali na punkcie wszystkich kobiet, od dużych pulchnych muz malarzy z XVI wieku po chude jak patyk supermodelki, które wyglądają jak szparagi. Jedno pozostało niezmienne. Proporcje bioder i talii, które zawsze zwrócą uwagę mężczyzny. Okazało się, że jeśli wymiar talii wynosi 70% w stosunku do bioder, to kobiety te są bardziej płodne i zdrowsze. Dr Devendra Singh z Uniwersytetu Cambridge przebadała mężczyzn wielu narodowości i stwierdziła, że w podświadomy sposób kiedyś w przeszłości zapoznali się z tą informacją i teraz jest ona zaprogramowana w ich mózgach.

Oto dobra wiadomość dla kobiet. Jeśli wymiar twojej talii wynosi od 67–80% bioder, zwrócisz uwagę mężczyzn, nawet jeśli masz pięć, a nawet dziesięć kilogramów nadwagi, ponieważ najważniejszym kryterium są krągłości.

Kobiety na całym świecie wolą u mężczyzny małe, jędrne pośladki, ale niewiele z nich wie dlaczego.

Kobiety nadal wolą mężczyzn o figurze w kształcie litery V, z szerokimi barkami, wąską talią i silnymi ramionami, gdyż były to kiedyś najważniejsze cechy skutecznego łowcy. Kobiety na całym świecie wybierają szczupłe, jędrne pośladki, chociaż niewiele zdaje sobie sprawę, dlaczego tak im się podobają. Jesteśmy jedynym gatunkiem naczelnych, który ma wystający tyłek, są tego dwa powody. Po pierwsze, pomaga nam w utrzymaniu postawy wyprostowanej. A po drugie, umożliwia mężczyźnie wykonanie podczas stosunku silnego ruchu biodrami ku przodowi zwiększającego szansę zapłodnienia.

Mężczyźni i romantyczność

Nie chodzi o to, że mężczyźni nie chcą uwodzić romantycznie, tylko nie rozumieją, jakie to jest dla kobiet ważne. Książki, które kupujemy, są wyraźną wskazówką co do naszych zainteresowań. Kobiety wydają miliony rocznie na powieści o miłości. Kobiece magazyny koncentrują się na miłości, romantyczności, romansach sławnych osób oraz radach, jak lepiej ćwiczyć, jeść i się ubierać, żeby było jeszcze romantyczniej.

Pewne australijskie badania wykazały, że kobiety, które czytają książki miłosne, kochają się dwa razy częściej. Odwrotnie mężczyźni. Wydają miliony na książki i czasopisma dotyczące technologii i techniki, związane z postrzeganiem przestrzennym, od komputerów i urządzeń mechanicznych po przypominające polowanie czynności, jak wędkarstwo, łowiectwo i futbol. Nic więc dziwnego, że kiedy chodzi o romantyczność, większość mężczyzn nie wie, co zrobić. To jest całkiem zrozumiałe, skoro współczesny mężczyzna nigdy nie miał odpowiedniego wzorca do naśladowania. Jego ojciec też nic o tym nie wiedział, ale też się tym nie przejmował. Pewna kobieta na jednym z naszych seminariów opowiadała, że kiedy poprosiła męża, aby okazał jej więcej uczucia, to umył i wypolerował jej samochód. To jeszcze jeden dowód na to, że mężczyźni traktują „robienie czegoś" jako sposób okazywania, że im zależy. Ten sam mąż kupił jej komplet kluczy samochodowych na urodziny, a na dziesiątą rocznicę ślubu zdobył miejsca w pierwszym rzędzie na zawody wrestlingu.

Nie zapominaj, że kobieta jest romantyczką.
Sprawia jej przyjemność wino, kwiaty i czekoladki.
Daj jej do zrozumienia, że o tym pamiętasz...
mówiąc od czasu do czasu na ten temat.

Aczkolwiek Europejczycy cieszą się niezasłużenie dobrą reputacją w kwestiach romantyczności, mężczyźni w pozostałych zakątkach świata nie mają na ten temat pojęcia. Poprzednie pokolenia mężczyzn były zbyt zajęte wiązaniem końca z końcem, żeby się przejmować takimi drobiazgami. Poza tym ich mózgi są zaprogramowane odpowiednio do spraw technicznych, a nie estetycznych. Nie chodzi o to, że mężczyzna się nie stara. Po prostu nie rozumie znaczenia otwierania drzwiczek samochodu, wysyłania kwiatów, tańca, gotowania dla kobiety czy wymiany papieru toaletowego w ubikacji. Kobieta rozpoczyna nowy związek, oczekując romantyczności i miłości. Seks jest jedynie konsekwencją. Natomiast mężczyźni wkraczają w związek poprzez seks, a dopiero potem sprawdzają, czy istnieje szansa na długotrwałe uczucie.

Kilka skutecznych rad dla mężczyzn w sprawie romantyczności

Kobiety nie mają żadnych trudności z miłością i romantycznością, za to mężczyźni zupełnie się w tym nie orientują. Dlatego upewniają się tylko, czy są gotowi do stosunku w każdym miejscu i o każdej porze. Męskie umiejętności tworzenia romantycznej atmosfery (lub ich brak) grają ważną rolę w tym, czy kobieta będzie miała ochotę na seks. Oto sześć sprawdzonych i wypróbowanych metod, które były skuteczne przed pięcioma tysiącami lat i pomagają współcześnie.

....

Skąd wiesz, że mężczyzna jest gotowy do seksu?
Oddycha.

....

1. **Przygotuj otoczenie.** Jeśli weźmiesz pod uwagę wrażliwość kobiety na otoczenie i wysoką zdolność odbierania bodźców zewnętrznych, ma sens, że mężczyzna zwróci uwagę na miejsce. Estrogeny uwrażliwiają kobietę na silne światło. W półmroku rozszerzają się źrenice, wtedy ludzie wydają się sobie bardziej pociągający, a niedoskonałości skóry i zmarszczki nie są tak widoczne. Doskonały słuch kobiet sprawia, że ważna jest odpowiednia muzyka, a czysta, bezpieczna jaskinia jest lepsza od tej, którą nieoczekiwanie mogą nawiedzić dzieci czy inni ludzie. Naleganie na uprawianie seksu na osobności wyjaśnia, dlaczego jedną z najbardziej rozpowszechnionych fantazji seksualnych kobiet jest kochanie się w publicznym miejscu. Tymczasem mężczyźni fantazjują o miłości fizycznej z nieznajomą.
2. **Nakarm ją.** Skoro podczas ewolucji mężczyzna ewoluował jako przynoszący obiad, powinno mu przyjść do głowy, że jeśli dostarczy jej pożywienia, to wywoła u kobiety pierwotne uczucia wdzięczności. Oto dlaczego zaproszenie kobiety na kolację ma tak wielkie znaczenie, nawet jeżeli nie jest głodna. W ten sposób mężczyzna okazuje troskę o jej samopoczucie i przetrwanie. Ugotowanie posiłku dla kobiety ma jeszcze głębsze znaczenie, ponieważ wydobywa pierwotne uczucia w obojgu.
3. **Rozpal ogień.** Od tysięcy lat mężczyźni zbierają drewno i rozpalają ogień, aby zapewnić kobietom ciepło i bezpieczeństwo. To działa na

romantyczną stronę kobiecej natury. Nawet jeśli jest to gazowy kominek, który potrafi rozpalić sama, on powinien to zrobić, jeśli chce stworzyć romantyczny nastrój. Najważniejsza jest troska o zaspokojenie jej potrzeb, a nie sam ogień.

4. **Przynieś kwiaty.** Większość mężczyzn nie rozumie mocy ukrytej w bukiecie ciętych kwiatów. Myślą: „Po co wydawać tyle pieniędzy na coś, co zwiędnie i za kilka dni trzeba będzie wyrzucić?" Dla logicznego umysłu mężczyzny ma sens kupno rośliny doniczkowej. Przy odrobinie opieki nie tylko przeżyje, ale może da się na niej zarobić. Natomiast kobieta tego tak nie widzi. Chce dostać bukiet ciętych kwiatów. Po kilku dniach zwiędną i trzeba będzie je wyrzucić, ale to stworzy okazję do kupienia następnego bukietu i raz jeszcze obudzenia romantycznej strony jej natury dzięki zatroszczeniu się o jej potrzeby.

5. **Idź na tańce.** Nie chodzi o to, że mężczyźni nie chcą tańczyć. Po prostu wielu z nich nie ma w prawej półkuli ośrodka potrzebnego do wyczuwania rytmu. Wystarczy popatrzeć na treningu aerobiku, jak uczestnicy próbują utrzymać tempo (o ile pokażą się jacyś mężczyźni). Kiedy mężczyzna weźmie kilka lekcji podstaw w rock'n'rollu, będzie obiektem westchnień wszystkich kobiet obecnych na zabawie. Taniec opisywany bywa jako pionowe spełnienie horyzontalnego pragnienia. Tak też wyglądała jego historia. To rytuał, który ewoluował w taki sposób, aby pozwolić na bliski kontakt ciał kobiety i mężczyzny, który miał być wprowadzeniem do zalotów tak, jak to jest u innych zwierząt.

6. **Kup czekoladki i szampana.** Ten zestaw od dawna kojarzono z romansem, chociaż niewiele osób wie dlaczego. Szampan zawiera substancję chemiczną, której nie znaleziono w innych napojach alkoholowych, podnoszącą poziom testosteronu. Natomiast czekolada zawiera fenyletylaminę, pobudzającą ośrodek miłości w mózgu kobiety. Podczas niedawnych badań Danielle Piomella z Neurosciences Institute z San Diego odkryła trzy nowe substancje chemiczne, nazywane N-acyletanolaminami, które łączą się z receptorami w mózgu kobiety, wywołując efekt podobny do tego, jaki występuje po wypaleniu marihuany. Wywołują podobne wrażenie oszołomienia. Te substancje znajdują się w zwykłej czekoladzie i w kakao, natomiast nie ma ich w białej czekoladzie ani w kawie.

Dlaczego mężczyźni przestają dotykać i mówić

„Przed ślubem trzymał mnie za rękę publicznie, głaskał po plecach i bez przerwy do mnie mówił. Teraz nigdy nie weźmie mnie za rękę ani nie chce ze mną rozmawiać, a dotyka mnie tylko wtedy, kiedy chce się kochać". Czy ta skarga wydaje się wam znajoma?

Po ślubie mężczyzna wie już o swojej partnerce wszystko, co powinien wiedzieć, i nie widzi sensu w zbędnym gadaniu.

Podczas zalotów mężczyzna dotyka swojej dziewczyny częściej niż w innym okresie ich związku. Dzieje się tak dlatego, że wprost umiera z chęci „dostania jej w swoje ręce", ale jeszcze nie otrzymał zgody na pieszczoty erotyczne, więc dotyka jej w innych miejscach. Kiedy już uzyska zezwolenie na dotyk seksualny, jego mózg nie widzi sensu w powrocie do dawnych obyczajów. Koncentruje się więc na tym, „co najlepsze". Na początku dużo mówi, bo zbiera informacje – fakty i dane o dziewczynie. Sam też przekazuje ciekawostki o sobie. Zanim się pobiorą, wie już wszystko, co powinien wiedzieć, i nie widzi sensu w zbędnych rozmowach. Kiedy jednak zrozumie, że mózg kobiety jest tak zaprogramowany, żeby porozumiewać się za pośrednictwem mowy, a jej wrażliwość na dotyk jest dziesięciokrotnie większa od jego wrażliwości, może się nauczyć pewnych umiejętności na tym polu, a wtedy radykalnie poprawi się jakość jego życia miłosnego.

Dlaczego mężczyźni miętoszą, a kobiety nie

Oksytocyna jest znana jako „hormon przytulania". Jest wydzielana podczas delikatnego głaskania skóry lub podczas uścisku. Zwiększa wrażliwość na dotyk i poczucie więzi. Jest jednym z głównych czynników w zachowaniach kobiety wobec dzieci i mężczyzn. Kiedy kobieta zaczyna karmić piersią, oksytocyna włącza odruch wydzielania mleka. Jeżeli kobieta chce sprawić mężczyźnie przyjemność pieszczotami, zazwyczaj robi to w sposób, w jaki sama chciałaby być pieszczona. Drapie go po głowie, głaszcze jego twarz, pociera plecy i ostrożnie przeczesuje palcami jego włosy. Ten typ dotyku wywiera niewielki wpływ na mężczyzn. Może być dla nich nawet denerwujący. W porównaniu z kobiecą skóra mężczyzny jest znacznie mniej wrażliwa, a to dlatego żeby nie odczuwał bólu z rany odniesionej podczas polowania. Mężczyźni wolą pieszczoty tylko jednego miejsca i to jak najczęściej. To stwarza poważne problemy. Kiedy mężczyzna postanawia zmysłowo dotykać kobiety, robi to, co sam lubi najbardziej – chwyta ją za piersi i za krocze. Takie zachowanie zajmuje pierwsze miejsce na liście rzeczy najbardziej znienawidzonych przez kobiety i wywołuje pretensje po obu stronach. Kiedy kobieta i mężczyzna nauczą się pieścić zgodnie ze swoimi potrzebami i wrażliwością skóry, ich związek będzie o wiele lepszy.

Czy istnieje miłość wiosną

Biologiczny zegar natury pilnuje, aby samice rodziły w ciepłym okresie roku, aby zapewnić przetrwanie potomstwu. Jeżeli gatunek potrzebuje, powiedzmy, trzech miesięcy na ciążę, Natura sprawia, że samce są najbardziej pobudzone wiosną, aby młode urodziły się latem. U ludzi ciąża trwa dziewięć miesięcy, dlatego poziom testosteronu u mężczyzny jest najwyższy dziewięć miesięcy wcześniej, czyli jesienią. Stare porzekadło: „Wiosną uczucia mężczyzny przeradzają się w miłość", dotyczy tylko gatunków o krótkim, trzymiesięcznym okresie ciąży.

„Miłość wiosną" dotyczy tylko zwierząt,
które krótko noszą młode.

Badania wykazują, że na półkuli południowej najwyższy poziom testosteronu u mężczyzny przypada na marzec, a na północnej półkuli na wrzesień. Ponadto w tych miesiącach lepiej sobie radzą z czytaniem map, ze względu na to, że ten hormon polepsza postrzeganie przestrzenne. (Wróć do wykresu ze strony 241 i zrozumiesz, dlaczego tak się dzieje).

Jak dzięki myśleniu nabrać ochoty na seks

Skoro umysł działa pod wpływem koktajlu reakcji chemicznych, można, myśląc, nabrać ochoty na seks. Tej techniki uczą seksuolodzy-terapeuci. Polega na skupieniu się wyłącznie na pozytywnych stronach partnera i wspominaniu podniecających erotycznych doświadczeń, które wspólnie przeżyliście. Mózg reaguje wydzielaniem substancji chemicznych, które napędzają potrzebę uprawiania seksu i doprowadzają do pobudzenia. Ta reakcja jest oczywista podczas etapu zauroczenia lub zalotów, kiedy zakochany(-a) widzi tylko zalety ukochanej(-ego), a ich popęd płciowy jest nienasycony. Można również zniechęcić się do seksu, myśląc wyłącznie o wadach partnera. To zapobiega wydzielaniu przez mózg substancji potrzebnych do pobudzenia.

Powrót do zauroczenia

Są jednak i dobre wieści. Jeśli można pod wpływem myśli nabrać ochoty na seks, to również w ten sposób udaje się powrócić do etapu zauroczenia za każdym razem, kiedy się odtworzy zachowania z początku zalotów. Oto dlaczego kolacje przy świecach, romantyczne spacery plażą i wypady na weekend mają taki dobroczynny wpływ, dając parze hormonalnego „kopa". To uczucie często opisywano jako „naturalny odlot" lub „odlot miłosny". Kochankowie, którzy się spodziewają, że wiecznie będzie trwało uczucie upojenia towarzyszące zauroczeniu, są zwykle gorzko zawiedzeni. Za to przy odpowiednim planowaniu mogą do niego powrócić za każdym razem, kiedy będą mieli na to ochotę.

Jak znaleźć odpowiedniego partnera

Miłość zaczyna się od pożądania, które może trwać kilka godzin, dni lub tygodni. Następnie przychodzi zauroczenie, które średnio trwa od 3 do 12 miesięcy, zanim pojawi się przywiązanie. Kiedy po roku przestaje działać oślepiający koktajl hormonów, nagle widzimy naszego partnera w całej okazałości. Przyzwyczajenia i nawyki, które przedtem tak nas rozczulały, teraz wywołują jedynie irytację.

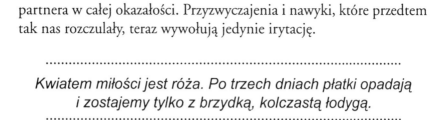

Kwiatem miłości jest róża. Po trzech dniach płatki opadają i zostajemy tylko z brzydką, kolczastą łodygą.

Kiedyś uważałaś, iż to zabawne, że on nigdy nie może niczego znaleźć w lodówce, teraz masz ochotę tylko wrzeszczeć. Dawniej uwielbiał słuchać twoich opowieści o najdrobniejszych wydarzeniach, a dziś zastanawia się nad morderstwem. Zadajesz sobie w duchu pytanie: „Czy mogę tak żyć do końca życia? Co my mamy ze sobą wspólnego?"
Istnieje taka możliwość, że zabrakło wam już tematów do rozmowy. Celem Natury jest połączenie kobiet i mężczyzn pod wpływem mocnego koktajlu hormonów, który zmusza ich do rozmnażania się, a nie do myślenia. Znalezienie właściwego partnera oznacza na ogół zdecydowanie się na kogoś, z kim będziesz miała coś wspólnego przez dłuższy okres, i trzeba to zrobić, zanim Natura zaaplikuje nam hormonalne zaślepienie. Kiedy mija zauroczenie, a na pewno minie, czy potrafisz zachować trwały związek oparty na przyjaźni i wspólnych zainteresowaniach? Sporządź listę cech i upodobań, które chciałbyś znaleźć u kandydatki do stałego związku, a wtedy będziesz dokładnie wiedzieć, czego szukasz. Mężczyzna ma sporządzoną listę cech charakteryzujących jego ideał, ale kiedy trafia na przyjęcie, jego mózg opanowuje testosteron. Wtedy szuka „ideału" zgodnie z hormonalną motywacją – ładne nogi, płaski brzuch, krągłe pośladki, spore piersi i tak dalej... wszystkie elementy związane z krótkotrwałą prokreacją. Kobiety pragną mężczyzny czułego i troskliwego, o torsie w kształcie litery V i wspaniałej osobowości, a to wszystko łączy się z wychowywaniem dzieci, zapewnianiem pożywienia i obroną. Te krótkotrwałe biologiczne potrzeby niewiele mają wspólnego z sukcesem współczesnego związku. Jeżeli spiszesz listę pożądanych cech, które mają charakteryzować idealnego kandydata do stałego związku, i będziesz mieć ją pod ręką, wówczas ona pomoże ci zachować obiektywizm przy poznaniu kogoś nowego, kiedy Natura znowu spróbuje kontrolować twoje myśli i potrzeby. Natura pragnie, abyś się rozmnażał tak często, jak to jest możliwe, i po-

sługuje się potężnymi środkami, aby cię do tego nakłonić. Jeżeli to zrozumiesz i uzbroisz w opis zakresu obowiązków idealnego kandydata, wówczas masz większe szanse uchronić się przed oszustwem i odnieść sukces w polowaniu na nieuchwytnego idealnego partnera, z którym będziesz żyć długo i szczęśliwie.

Rozdział 11

KU INNEJ PRZYSZŁOŚCI

*„Być może nigdy się nie dowiemy, co skłoniło naszych rybich przodków
do wyjścia z wody".*

David Attenborough — przyrodnik

Powiadają, że to wspaniale być mężczyzną, ponieważ możesz chodzić z gołym torsem na plaży w Tunezji, a nie ukamienują cię na śmierć, nie musisz pamiętać, gdzie zostawiłeś swoje rzeczy i możesz zjeść banana w obecności budowlańców. To wspaniale być kobietą, ponieważ sama możesz kupować sobie ubrania, zakładać nogę na nogę bez usprawiedliwienia i uderzyć mężczyznę publicznie w twarz, a wszyscy uważają, że masz rację.

....

To cudownie być mężczyzną, ponieważ bez poczucia wstydu możesz kupować ogórki i kabaczki.

....

Mężczyźni i kobiety różnią się od siebie. Nie są lepsi ani gorsi, tylko inni. Nauka o tym wie, ale poprawność polityczna robi wszystko, co może, aby temu zaprzeczyć. Istnieje socjologiczny i polityczny pogląd, że kobiety i mężczyźni powinni być traktowani jednakowo, oparty na dziwnym przekonaniu, że mężczyźni i kobiety są tacy sami. Można dowieść, że tak nie jest.

Czego mężczyźni i kobiety naprawdę chcą

Dla współczesnego mężczyzny niewiele się zmieniło od stuleci. 87% mężczyzn twierdzi, że najważniejsza jest dla nich praca, a 99% mówi, iż pragnie intensywnego życia płciowego. Natomiast współczesna kobieta ma zupełnie inne priorytety niż jej matka i babka.

Wiele kobiet wybrało karierę zawodową, ponieważ pragną podobnych rzeczy jak mężczyźni: pieniędzy, prestiżu i władzy. Badania wykazały, że pracujące kobiety doświadczają tych samych skutków ubocznych – kłopotów z sercem, wrzodów żołądka, stresu i przedwczesnej śmierci. Poza tym piją i palą o wiele więcej niż kiedykolwiek wcześniej w historii. Obecnie pali jedna trzecia kobiet pracujących zawodowo.

....

Jedna trzecia kobiet bierze dziewięć dni zwolnienia rocznie z powodu stresu.

....

44% pracujących kobiet twierdzi, że praca jest dla nich największym źródłem stresu. Ankieta przeprowadzona wśród 5000 kobiet przez brytyjskie prywatne towarzystwo ubezpieczeniowe BUPA oraz magazyn poświęcony zdrowiu „Top Sante" wykazała, iż 66% czuło, że przepracowanie szkodzi ich zdrowiu.

Większość ponadto twierdziła, że nie chodzi im o pieniądze. Wolałaby zostać w domu i w ogóle nie pracować. Jedynie 19% potwierdziło, że są zainteresowane pracą zawodową. W podobnej ankiecie przeprowadzonej w Australii praca zawodowa była najważniejsza jedynie dla 5% kobiet w wieku 18–65 lat, a macierzyństwo znalazło się na szczycie listy priorytetów. 60% w wieku 31–39 lat wybierało macierzyństwo, natomiast tylko 2% pracę zawodową. Dla 31% kobiet w wieku 18–30 lat macierzyństwo również było najważniejsze, a kariera liczyła się jedynie dla 18%.

Ponad 80% wszystkich kobiet uznało za najważniejsze wychowywanie dzieci w tradycyjnej rodzinie. To dowodzi, że naciski mediów i ruchów feministycznych nie miały tak dużego wpływu na postawy kobiet, jak wcześniej sądzono. Wartości i priorytety współczesnych kobiet są właściwie takie same jak przed stuleciami. Różnica polega na tym, że 93% kobiet uważa, iż kluczową sprawą jest dla nich niezależność finansowa, a 62% chce mieć więcej władzy politycznej. Innymi słowy, nie chcą być zależne od mężczyzn.

Jeżeli chodzi o życie prywatne, seks jest najważniejszy zaledwie dla 1% kobiet, w porównaniu z 45%, które wybrały zaufanie, i 22%, które postawiły na szacunek. Tylko 20% kobiet twierdziło, że ich życie miłosne jest fantastyczne, a 63% przyznawało, że ich partner nie jest najwspanialszym kochankiem. Chodzi o to, że macierzyństwo nadal sprawia kobietom największą satysfakcję. Wiele pracujących kobiet przyznaje, że pracuje dla pieniędzy. Mieszkają na ogół w dużych miastach, gdzie do przeżycia jest niezbędny dochód obojga partnerów. Wielu się wydaje, że zarabianie pieniędzy na wykarmienie, ubieranie i wykształcenie następnego pokolenia jest bardziej szlachetnym zajęciem niż wychowywanie go. Kobietom rodzicielstwo sprawia większą przyjemność niż mężczyznom. Niestety większość mężczyzn nigdy tego nie docenia, aż do czasu kiedy zostają dziadkami.

Wybór zawodu

Na ogół wybór zawodu niewiele się zmienił. Mężczyźni nadal się skłaniają ku zajęciom, w których konieczna jest wyobraźnia przestrzenna. Zanotowano wzrost liczby mężczyzn zajmujących się tradycyjnie kobiecymi zadaniami, ale badania na pewno by wykazały, że w większym lub mniejszym stopniu mają kobiece „oprogramowanie mózgu". To jest widoczne w takich dziedzinach jak fryzjerstwo czy sztuka, a mniej w poradnictwie czy nauczaniu.

Natomiast jeśli chodzi o kobiety, sytuacja trochę się zmieniła. Obecnie w Stanach Zjednoczonych 84% pracuje w informacji lub usługach. W świecie zachodnim od 50 do 75% nowych firm należy do kobiet. Zajmują ponad 40% stanowisk w zarządzaniu i administracji.

....

Jeżeli jesteś kobietą pracującą w tradycyjnej męskiej branży, masz dwa wyjścia: odejść lub się zmaskulinizować.

....

W tradycyjnej męskiej branży kobiety muszą walczyć, aby otrzymać wysokie stanowisko. Zresztą, jak tego dowiedliśmy, kobiety nie chcą tych stołków. W większości systemów politycznych niecałe 5% polityków to kobiety, aczkolwiek media poświęcają im 50% czasu i miejsca. Jeżeli pracujesz w tradycyjnej męskiej branży, masz jedno z dwóch wyjść, aby osiągnąć sukces. Jedno to odejść i poszukać sobie zajęcia, w którym sprawiedliwie oceni się kobiety. A drugie to zachowywać się jak mężczyzna. „Męskość" nadal otwiera drzwi. Badania wykazują, że kobieta ubierająca się po męsku ma większe szanse, że zostanie wybrana na stanowisko związane z zarządzaniem niż ta w bardziej kobiecym stroju, nawet wtedy kiedy decyzję też podejmuje kobieta. Mężczyźni prowadzący rekrutację wolą, kiedy kandydatki nie są uperfumowane.

Sfeminizowanie interesów

Męski wygląd i wartości w dużym stopniu przyczyniają się do tego, że ktoś dociera na szczyt drabiny, ale bardzo szybko kobiece cechy stają się jedyną metodą, aby na nim zostać.

Tradycyjnie większość organizacji była kontrolowana przez mężczyzn, wśród których dominował przywódca, wyznający *credo*: „Wszyscy za mną, bo jak nie..." Organizacje takie stają się coraz rzadsze, tak jak szkolny twardziel, który osiągnął szczyt w czasach, kiedy tężyzna fizyczna była bardziej szanowana od umysłu. Teraz ktoś taki powszechnie budzi pogardę. Męskie priorytety powinny być zrozumiane przez każdego, kto chce dotrzeć na samą górę, ale system wartości kobiecych jest obecnie lepiej przystosowany do tego, aby wszystko działało sprawniej, harmonijnie, a tym samym z powodzeniem.

Na samym szczycie nacisk na męskie wartości prowadzi do wewnętrznych rozgrywek o władzę. Jednostki chcą „zrobić to samodzielnie" i nie można dojść do porozumienia. Na inicjatywę czy intuicję nie ma miejsca w walce, nawet na bycie najlepszym, bez względu na to, jakie nowe strategie i podejścia mogą umożliwić wzrost i rozwój. Natomiast system wartości kobiecych wspiera pracę zespołową, współdziałanie i współzależność w grupie, a to lepiej odpowiada strategicznym celom organizacji i zatrudnionym tam ludziom. To nie oznacza, że mężczyzna musi zniewieścieć, a kobieta się zmaskulinizować. Wystarczy, że obie strony zrozumieją, iż systemy wartości obojga są ważne w różnym momencie wspinaczki na samą górę.

Czy to wszystko jest poprawne politycznie

Przeprowadziliśmy ankietę wśród 10 000 uczestników konferencji w sześciu krajach, w których poprawność polityczna jest bardzo ceniona.

Stwierdziliśmy, że 98% mężczyzn i 94% kobiet uważa, że stała się koncepcją szkodliwą, która dławi ich wolność wypowiedzenia, co naprawdę czują.

Poprawność polityczna w sprawach płci miała początkowo na celu walkę z postawami seksistowskimi, językiem, nierównością kobiet i mężczyzn oraz danie kobietom równych szans. Kobiety podobno były uciskane przez dominujących mężczyzn, ale teraz wyraźnie większość nie popiera poprawności politycznej. Zatem czy kiedyś będzie skuteczna? Naukowcy twierdzą, że to mało prawdopodobne. Ewolucja kobiet i mężczyzn trwała miliony lat, aż stali się tacy, jacy są dzisiaj. Możliwe, że zabierze im kolejny milion lat ewolucja w istoty bardziej pasujące do politycznie poprawnego otoczenia. Największym problemem, z jakim ludzkość musi się teraz zmierzyć, jest to, że ich wzniosłe ideały i koncepcje zachowania o milion lat wyprzedzają genetyczną rzeczywistość.

Nasza biologia wiele się nie zmieniła

Chłopcy chcą się bawić przedmiotami, a dziewczynki chcą się kontaktować z ludźmi. Chłopcy lubią kontrolować, dominować i docierać na szczyt, a dziewczynki bardziej się przejmują moralnością, związkami oraz innymi ludźmi. Kobiety nadal stanowią mniejszość w dużych firmach i na arenie politycznej, ale nie z powodu męskiego ucisku. Po prostu te rzeczy ich nie interesują.

....

Mimo najlepszych intencji pracodawców-zwolenników
równych szans, chłopcy nadal z uporem wybierają zawody,
w których są potrzebne wyobraźnia przestrzenna
i zdolności techniczne, a dziewczynki szukają pracy
wymagającej kontaktów z ludźmi.

....

W izraelskich kibucach od lat próbowano usunąć stereotypy płci dla chłopców i dziewcząt. Opracowywano według jednego neutralnego modelu ubranka dziecięce, buty, fryzury i tryb życia. Chłopców zachęcano do zabawy lalkami, szycia, dziergania, gotowania i sprzątania, a dziewczynki namawiano do gry w piłkę, wspinania się na drzewa i rzucania strzałkami.

Idea kibucu polegała na stworzeniu społeczeństwa neutralnego pod względem płci, w którym nie było sztywnych wzorców dla każdej z płci, a każdy z członków społeczności miał te same szanse i ponosił taką samą odpowiedzialność. Język seksistowski oraz takie wyrażenia jak „chłopcy nigdy nie płaczą" oraz „małe dziewczynki nie bawią się w ziemi", zostały usunięte z języka. Mieszkańcy kibuców twierdzili, że mogą dowieść całkowitej wymienności ról między przedstawicielami obu płci. I co się wydarzyło?

Badania wykazały, że po 90 latach istnienia kibuców chłopcy nadal zachowywali się agresywnie i nieposłusznie, zakładali wrogie grupy, walczyli między sobą, tworzyli nieformalne hierarchie i dobijali „targu", gdy tymczasem dziewczynki współpracowały ze sobą, unikały konfliktów, działały pod wpływem uczuć, przyjaźniły się ze sobą i dzieliły sekretami. Wszyscy mieli wolną rękę w wyborze przedmiotów w szkole i decydowali się na przedmioty uwarunkowane płcią. Chłopcy studiowali fizykę, inżynierię i sporty, a dziewczęta zostawały nauczycielkami, terapeutami, pielęgniarkami i kierowniczkami działu kadr. Biologia skłaniała ich do zajęć i zawodów, które odpowiadały oprogramowaniu ich mózgów.

Badania dzieci wychowywanych neutralnie dowiodły, że usunięcie więzi matka – dziecko nie likwiduje u dzieci różnic między płciami ani w wyborach. Raczej rośnie pokolenie dzieci, które czują się zaniedbane i zdezorientowane i mają spore szanse na wyrośnięcie na rozgoryczonych dorosłych.

I na koniec...

Związki między kobietami a mężczyznami udają się mimo ogromnych różnic między płciami. Spora to zasługa kobiet, ponieważ to one mają niezbędne umiejętności kierowania rodziną. Są wyposażone w zdolność wyczuwania motywów i znaczeń kryjących się za słowami i zachowaniem. Tym samym potrafią przewidzieć skutki i podjąć działanie na tyle wcześnie, aby uniknąć kłopotów. Gdyby na czele każdego państwa stanęła kobieta, ten czynnik uczyniłby świat bezpieczniejszym.

Mężczyźni są przygotowani do polowania i pościgu, odnajdywania drogi do domu, gapienia się w ogień i rozmnażania. To wszystko. Powinni się nauczyć nowych metod przetrwania we współczesnym świecie tak, jak robią to kobiety.

Związek staje się burzliwy, kiedy kobiety i mężczyźni nie uświadamiają sobie, że są biologicznie inni, oraz wtedy, kiedy się spodziewają, że partner spełni wszystkie ich oczekiwania. Stres, którego doświadczamy w związku, często jest skutkiem fałszywego przeświadczenia, że kobiety i mężczyźni są teraz tacy sami, mają te same priorytety, motywacje i pragnienia.

Po raz pierwszy w historii ludzkości wychowujemy i kształcimy chłopców i dziewczęta w ten sam sposób. Uczymy ich, że są tacy sami, a wszyscy mają takie same zdolności. Potem, już jako dorośli, biorą ślub i budzą się pewnego ranka, aby stwierdzić, że różnią się między sobą pod każdym względem. Nic więc dziwnego, że związki i małżeństwa młodych ludzi są w tak katastrofalnym stanie. Bardzo niebezpieczne są wszelkie koncepcje, które podkreślają identyczność obu płci, ponieważ wymagają takiego samego zachowania zarówno od kobiet, jak i od mężczyzn, a przecież mają oni zupełnie różne „oprogramowanie" mózgu. Czasem aż trudno zrozumieć, dlaczego Natura zaplanowała tak oczywistą niezgodność między płciami. Wygląda to w ten sposób, ponieważ nasza biologia stała się w pewien sposób sprzeczna ze współczesnym środowiskiem.

Istnieje wszakże nadzieja. Kiedy się zrozumie pochodzenie tych różnic, nie tylko łatwiej z nimi żyć, ale można je wykorzystać, docenić, a nawet polubić.

Mężczyźni pragną władzy, osiągnięć i seksu. Kobiety – związku, stabilizacji i miłości. Denerwowanie się z tego powodu daje równe skutki jak przeklinanie nieba, że deszcz pada. Zaakceptowanie deszczu pozwala na poradzenie sobie z brzydką pogodą. Wystarczy wziąć parasol lub płaszcz przeciwdeszczowy, a problem znika. W ten sam sposób, przewidując trudności i konflikty, jakie mogą się pojawić w związku w wyniku naszych różnic, można je uprzedzić i łagodzić, kiedy już wystąpią.

Codziennie badania mózgu dostarczają nowych i fascynujących informacji o jego działaniu oraz wyjaśniają wiele rzeczy, które na ogół uważamy za oczywiste. Kiedy dziewczyna cierpiąca na anoreksję patrzy w lustro, widzi siebie jako grubą lub otyłą. To, co widzi, jest w pewien sposób skrzywieniem jej rzeczywistości. W 1998 roku dr Bryan Lask z londyńskiego szpitala Great Ormond Street zbadał mózgi nastoletnich anorektyczek i stwierdził, że prawie wszystkie z nich miały osłabiony przepływ krwi w obszarze kontroli widzenia. To zaledwie jedna z wielu prac badawczych odsłaniających, co się dzieje w mózgu, kiedy nagle wszystko staje na głowie.

Naukowcy na całym świecie dostarczają spójnych i konkretnych dowodów na to, że substancje biochemiczne w macicy decydują o strukturze mózgu, a tym samym kierują naszymi wyborami. Co prawda większość nas nie potrzebuje sprzętu do badania mózgu za miliony dolarów, aby wiedzieć, że mężczyźni nie słuchają, a kobiety nie umieją czytać map. Ten sprzęt służy do wyjaśnienia rzeczy, które czasem są oczywiste.

Prawdopodobnie w tej książce przedstawiliśmy informacje, które podświadomie już znałeś, czytelniku, ale nie zastanawiałeś się nad nimi, próbując je zrozumieć.

Zadziwiające, że na początku XXI wieku nadal nie uczymy w szkołach rozumienia związków między kobietami a mężczyznami. Wolimy badać szczury biegające w labiryncie lub obserwować małpę wykonującą salta w tył po uwarunkowaniu, że dostanie za to banana. Nauka jest powolną, opieszałą dyscypliną i muszą upłynąć lata, zanim przekaże oświacie wyniki badań.

Zatem tylko od was, czytelnicy, zależy, czy będziecie pogłębiali swoją wiedzę. Tylko wtedy możecie mieć nadzieję, że wasz związek będzie tak szczęśliwy i przynoszący spełnienie, jak na to zasługują mężczyźni i kobiety.

BIBLIOGRAFIA

Antes, J. R., McBridge, R. B., Collins, J. D., *The effect of a new city route on the cognitive maps of its residents*, „Environment and Behaviour", 20, 75–91, 1988.

Baker, R., *Wojny plemników: niewierność, konflikt płci oraz inne batalie łóżkowe*, przeł. Mariusz Ferek, Dom Wydawniczy REBIS, Poznań 2001.

Barash, D., *Sociobiology*, Fontana, London 1981.

Beatty, W. W., and Truster, A. I., *Gender differences in geographical knowledge*, „Sex Roles", 16, 565–590, 1987.

Beatty, W. W., *The Fargo Map Test: A standardised method for assessing remote memory for visuospatial information*, „Journal of Clinical Psychology", 44, 61–67, 1988.

Becker, J. B., Marc Breedlove, S., Crews, D., *Behavioural Endocrinology*, The MIT Press/Bradford Books, 1992.

Benbow, C. P. and Stanley, J. C., *Sex Differences in Mathematical Reasoning Ability: more facts*, „Science", 222, 1983, 1029–31.

Biddulph, S. i Biddulph, S., *Jeszcze więcej sekretów szczęśliwego dzieciństwa*, przeł. Ewa Elandt-Jankowska, Dom Wydawniczy REBIS, Poznań 1998.

Biddulph, S., *Raising Boys*, Finch Publishing, Australia, 1997.

Blum, D., *Mózg i płeć: o biologicznych różnicach między kobietami a mężczyznami*, przeł. Elżbieta Kołodziej-Józefowicz, Prószyński i S-ka, Warszawa 2000.

Botting, K. and D., *Sex Appeal*, Boxtree Ltd., Great Britain, 1995.

Brasch, R., *How Did It Begin?*, HarperCollins, Australia, 1965.

Brasch, R., *How Did Sex Begin!*, HarperCollins, Australia, 1990.

Brown, M. A. and Broadway, M. J., *The cognitive maps of adolescents: Confusion about inter-town distances*, „Professional Geographer", 33, 315–325, 1981.

Buss, D., *Ewolucja pożądania*, przeł. Bogdan Wojciszke, Gdańskie Wydawnictwo Psychologiczne, Gdańsk 1996.

dr Cabot, S., *Don't Let Your Hormones Rule Your Life*, Women's Health Advisory Service, Sydney 1991.

Chang, K. T. and Antes, J. R., *Sex and cultural differences in map reading*, „The American Cartographer", 14, 29–42, 1987.

Coates, J., *Women, Men and Language*, Longman, 1986.

Collis, J., *Yes You Can*, HarperCollins, Australia, 1993.

Crick, F., *Zdumiewająca hipoteza, czyli Nauka w poszukiwaniu duszy*, przeł. Barbara Chacińska-Abrahamowicz i Michał Abrahamowicz, Prószyński i S-ka, Warszawa 1997.

Darwin, C., *Podróż na okręcie Beagle*, przeł. K. W. Szarski, Warszawa 1953.

Dawkins, R., *Samolubny gen*, przeł. Marek Skoneczny, Prószyński i S-ka, Warszawa 1996.

Dawkins, R., *Ślepy zegarmistrz czyli jak ewolucja dowodzi, że świat nie został zaplanowany*, przeł. i wstępem opatrzył Antoni Hoffman, Państwowy Instytut Wydawniczy, Warszawa 1997.

Deacon, T., Lane, A., *The Symbolic Species: The Co-Evolution of Language and the Human Brain.*

DeAngelis, B., *Sekrety mężczyzn, które powinna znać każda kobieta*, przeł. Jolanta Podgórska, Wacław Ziemowicz, „Książnica", Katowice 1999.

DeVries, G. J., De Bruin, J. P. C., Uylings, H. B. M., and Corner, M. A., *The relationship between Structure and Function*, Progress in Brain Research, vol 61, Elsevier, 1984.

Diamond, J., *The Rise and Fall of the Third Chimpanzee*, Vintage, London 1992.

Dixon, N., *Our Own Worst Enemy*, Futura, London 1988.

DeJong, F. H. and Van De Poll, N. E., *Relationship Between Sexual Behaviour in Male and Female Rats: Effects of Gonadal Hormone*, Progress in Brain Research, 61, DeVries, G. J. et al. (eds.), Elsevier, Amsterdam 1984, 283–302.

Dorner, G., *Prenatal Stress and Possible Aetiogenetic Factors of Homosexuality in Human Males*, „Endokrinologie", 75, 365–68, 1980.

Dubovsky, S. L., Norton, W. W., *Mind-Body Deceptions*, W. W. Norton & Co., 1997.

Edelson, E., *Francis Crick and James Watson: And the Building Blocks of Life*, Oxford University Press, 1998.

Ehrhardt, A. A. and Meyer-Bahlburg, H. F. L., *Effects of Prenatal Sex Hormones on Gender-Related Behaviour*, „Science", 211, 1312-14, 1981.

Ellis, H., *Man and Woman*, 8th Edition rev. William Heinemann, Medical Books, London 1934.

Ellis, L., *Research Methods on the Social Sciences*, Minot State University, 1994.

Farah, M. J., *Is Visual Imagery Really Visual? Overlooked Evidence From Neuropsychology*, „Psychological Review", *95*, 307–17, 1988.

dr Farrell, E. and Westmore, A., *The HRT Handbook*, Anne O'Donovan Pty Ltd., Australia,1993.

Fast, J. & Bernstein, M., *Sexual Chemistry What it is How to use it*, M. Evans and Company, Inc, New York 1983.

Fisher, H. E., *Anatomia miłości: historia naturalna monogamii, cudzołóstwa i rozwodu*, przeł. Joteł (pseud.), Zysk i S-ka, Poznań 1994.

Freud, Z., *Trzy rozprawy z teorii seksualnej*, przeł. L. Jekels, M. Albiński, Międzynarodowe Wydawnictwo Psychoanalityczne, Lipsk, Wiedeń, Zurych 1924.

Gardner H., *Niepospolite umysły: o czterech niezwykłych postaciach i naszej własnej wyjątkowości: Wolfgang Amadeusz Mozart, Virginia Woolf, Zygmunt Freud, Mahatma Gandhi*, przeł. Anna Tanalska-Dulęba, W.A.B., Warszawa 1998.

Garner, A., *Conversationally Speaking*, Second Edition, Lowell House, USA, 1997.

Glass, L., *He Says, She Says*, Bantam Books, 1992.

Gochros, H. & Fischer J., *Treat Yourself to a Better Sex Life*, Prentice Hall Press, New York 1987.

Goffman, E., *Gender Advertisements*, Harper and Row, 1976.

Goleman, D., *Inteligencja emocjonalna*, przeł. Andrzej Jankowski, Media Rodzina, Poznań 1997.

Gray, J., *What Your Mother Couldn't Tell You and Your Father Didn't Know*, Hodder & Stoughton, 1994.

Gray, J., *Marsjanie i Wenusjanki w sypialni*, przeł. Jacek Grajski, Wydawnictwo Zysk i S-ka, Poznań 1995.

Gray, J., *Mężczyźni są z Marsa, kobiety z Wenus: jak dochodzić do porozumienia i uzyskiwać to, czego się pragnie*, przeł. Katarzyna Waller-Pach, Wydawnictwo Zysk i S--ka, Poznań 1996.

Gray, J., *Naucz się rozumieć płeć przeciwną*, przeł. Danuta Golec, „Prima", Warszawa 1995.

Greenfield, S., Freeman, W. H., *Journey to the Centers of the Mind*, Basic Books, 1998.

Greenfield, S., *Mózg*, przeł. Roman Zawadzki, Cis, Warszawa 1999.

Greenfield, S., *Tajemnice mózgu*, przeł. Elżbieta Turlejska, „Diogenes", Warszawa 1998.

Grice, J., *What Makes a Woman Sexy*, Judy Piatkus Publishers, London 1988.

Hampson, E. and Kimura, F., *Reciprocal effects of hormonal fluctuations on human motor and perceptospatial skills*, „Research Bulletin", 656, Department of Psychology, University of Western Ontario, London, Canada, June, 1987.

Handy, Ch., *Wiek paradoksu: w poszukiwaniu sensu przyszłości*, przeł. Leszek Jesień, ABC, Warszawa 1996.

Harlow, H. F. and Zimmerman, R. R., *The Development of Affectional Responses in Infant Monkeys*, American Philosophical Society 102, 501–509, 1958.

Hendrix, H., Ph.D., *Getting The Love You Want – A guide for Couples*, Schwartz & Wilkinson Publishers Pty Ltd., Melbourne 1988.

Henley, N. M., *Power, Sex and Nonverbal Communication*, Prentice Hall, New Jersey 1977.

Hite, S., *The Hite Report: Women and Love*, Alfred A Knopf, New York 1987.

Hobson J. A., Little, Brown, *The Chemistry of Conscious States: How the Brain Changes Its Mind*.

Hobson, J. A., *Consciousness*, W. H. Freeman and Co., 1998.

Hoyenga, K. B. and Hoyenga, K., *Sex Differences*, Little Brown & Company, Boston 1980.

Humphries, N., *Contrast Illusions in Perspective*, „Nature" 232, 91–93, 1970.

Humphries, N., *A History of the Mind*, Simon & Schuster, 1992.

Hutchinson, J. B. (ed), *Biological Determinants of Sexual Behaviour*, John Wiley & Sons, New York 1978.

Lloyd, B. and Archer, J., *Sex and Gender*, Penguin Books, London 1982.

Huxley, A., *Drzwi percepcji; Niebo i piekło*, oprac. graf. Marek Porębowicz, „Przedświt", Warszawa 1991.

Johnson, G., *Monkey Business*, Gower Publishing, 1995.

Kagan, J., *Sex Differences in the Human Infant, Sex and Behaviour: Status and Prospectus*, McGill, T. E. et al (eds.), Plenum Press, New York 1978, 305–16.

Kahn, E. & Rudnitsky, D., *Love Codes, Understanding Men's Secret Body Language*, Judy Piatkus Publishers, London 1989.

Kimura, D., *Sex differences in the brain*, „Scientific American", 267, 118 125, 1992.

Kimura, D., *Estrogen replacement therapy may protect against intellectual decline in post-menopausal women*, „Hormones and Behaviour", 29, 312–321, 1995.

Kimura, D., *Sex, sexual orientation and sex hormones influence human cognitive function*, „Current Opinion in Neurobiology", 6, 259–263, 1996.

Kimura, D., *Are Men's and Women's Brains Really Different?*, „Canadian Psychology", 28(2) 1987,133–47.

Kimura, D., *Male Brain, Female Brain: The Hidden Difference*, „Psychology Today" (November 1985), 51–58.

Kimura, D., *How Different are the Male and Female Brains?*, „Orbit", 17 (3) October 1986,13–14.

Kimura, D., *Neuromotor Mechanisms in Human Communication*, Oxford University Press, 1993.

Kimura, D. and Hampson, E., *Cognitive pattern in men and women is influenced by fluctuations in sex hormones*, „Current Directions in Psychological Science", 3, 57–61, 1994.

dr King, R., *Good Loving, Great Sex*, Random House, Australia, 1997.

Kumler and Butterfield, *Gender Difference In Map Reading*, University of Colorado, 1998.

Lakoff, R., *Language and Woman's Place*, Harper and Row, 1976.

Lewis, D., *The Secret Language of Success*, Carroll & Graf Publishers.

Lewis, M., *Culture and Gender Roles: There is No Unisex in the Nursery*, „Psychology Today" 5:54–57, 1972.

Lewis, M. and Linda Ch., *Social Behaviour and Language Acquisition. In Interaction, Conversation, and the Development of Language*, New York 1977.

Lorenz, K., *King Solomon's Ring*, University Press, Cambridge 1964.

Lorenz, K., *Tak zwane zło*, przeł. Anna Danuta Tauszyńska, PIW, Warszawa 1996.

MacCoby E. and Jacklin C., *The Psychology of Sex Differences*, Stanford University Press, 1987.

Marcel, A. J., *Conscious and Preconscious Perception: Experiments on Visual Masking and Word Recognition*, „Cognitive Psychology" 15, 197–237, 1983.

Martin P. R., *Umysł, który szkodzi: mózg, zachowanie, odporność i choroba*, przeł. Piotr Turski, Dom Wydawniczy REBIS, Poznań 2000.

Maynard Smith, J., *Did Darwin Get It Right*, Penguin, London 1993.

McKinlay, D., *Miłosne kłamstwa: nie znane mężczyznom, a skrywane przez kobiety*, przeł. Bartosz Malwina, Wydawnictwo Zysk i S-ka, Poznań 1996.

Millard, A., *Early Man*, Pan Books, London 1981.

Moir, A. & Jessel, D., *Płeć mózgu: o prawdziwej różnicy między mężczyzną a kobietą*, przeł. Nina Kancewicz-Hoffman, PIW, Warszawa 2002 (wyd. 2 dodr.).

Montagu, A., *Touching: the Human Significance of the Skin*, Harper and Row, 1986.

Morris, D., *Animal watching*, Arrow Books, 1990.

Morris, D., *Bodywatching*, Crown, New York 1985.

Morris, D., *Zrozumieć niemowlę*, przeł. Krystyna Kozubal, „Książka i Wiedza", Warszawa 1996.

Morris, D., *The Pocket Guide To Manwatching*, Triad/ Granada, 1982:

Morris, D., *Zachowania intymne*, przeł. Paweł Pretkiel, wyd.2, „Prima", Warszawa 2000.

Morris, D., *Naga małpa*, przeł. Tadeusz Bielicki, Jan Koniarek, Jerzy Prokopiuk, „Prima", Warszawa 2000.

Moyer, K. E., *Sex Differences in Aggression, Sex Differences in Behaviour*, Friedman, R. C. et al. (eds.), John Wiley & Sons, 335–72, New York 1974.

O'Connor, D., *How to make love to the same person for the rest of your life and still love it*, Bantam Books, Great Britain, 1987.

Ornstein, R., *The Right Mind: Making Sense of the Hemispheres*, Roundhouse.

Pease, A., *Everything Men Know About Women*, Camel Publishing Company, Sydney 1986.

Pease, A., *Rude And Politically Incorrect Jokes*, Pease Training International, 1998.

Pease, A., *Talk Language*, Pease Training International, 1989.

Pease, A., *Język ciała: jak czytać myśli ludzi z ich gestów*, przeł. Ewa Wiekier, Gemini, Kraków 1998.

Pease, A. & B., *Memory Language*, Pease Learning Systems, Sydney 1993.

Pease, R. & dr Ruth, *Tap dance your way to Social Ridicule*, Pease Training International, London 1998.

Peck, S. M., *The Road Less Travelled*, Arrow Books Limited, London 1983.

dr Pertot, S., *A Commonsense Guide to Sex*, HarperCollins, Sydney 1994.

Peters, Brooks, *Terrific Sex in Fearful Times*, Sun Books, Crows Nest, 1989.

Petras, R. and K., *The 776 Stupidest Things Ever Said*, Michael O'mara Books, 1994.

Quillam, S., *Sexual Body Talk*, Headline Book Publishing, 1992.

Rabin, C., *Equal Partners, Good Friends - Empowering couples through therapy*, Routledge, London 1996.

Reinisch, J. M., Rosenblum, L. A. and Sanders, S. A., *Masculinity/Femininity*, Oxford University Press, 1987.

Reinisch, J. M. et al. (eds.,), *Masculinity and Femininity*, The Kinsey Institute Series, Oxford University Press, 1987.

Reisner, P., *Couplehood*, Bantam, USA, 1994.

Rosenblum, L. A., *Sex Differences in Mother-Infant Attachment in Monkeys, Sex Differences in Behaviour*, Friedman, R. et al. (eds.), John Wiley & Sons, New York 1974, 123–41.

Shapiro, R., *Origins*, Pelican, London 1988.

Shaywitz, S. and B., *Nature*, 373, 607–609, 1995.

Suter, W. and B., *Guilt Without Sex*, Pease Training International, London 1998.

Tannen, D., *Co to ma znaczyć: jak style konwersacyjne kobiet i mężczyzn wpływają na to, kto jest wysłuchany, kto zbiera laury i co jest zrobione w pracy*, przeł. Agnieszka Sylwanowicz, Wydawnictwo Zysk i S-ka, Poznań 1997.

Tannen, D., *Ty nic nie rozumiesz!: kobieta i mężczyzna w rozmowie*, przeł. Agnieszka Sylwanowicz, Wydawnictwo Zysk i S-ka, Poznań 1999.

Tannen, D., *To nie tak!: jak styl konwersacyjny kształtuje relacje z innymi*, przeł. Piotr Budkiewicz, Wydawnictwo Zysk i S-ka, Poznań 2002.

Thorne B., Kramarae Ch., & Henley N. (eds.), *Language, Gender and Society*, Newbury House, 1983.

dr Westheimer, R., *Ruth's Guide to Sex*, Schwartz Publishing, Melbourne 1983.

Whiteside, R., *Face Language II*, Frederick Fell Publishers, 1988.

Whiteside, R., *Face Language*, Pocket Books, New York 1974.

Wilson, E. O., *Sociobiology*, Cambridge, Massachusetts, Belknap Press of Harvard University Press, 1980.

Wilson, G. D. and Nias, D., *Loves Mysteries: The Psychology of Sexual Attraction*, Open Books, London 1976.

Winston M., Marnie, *Manspeak*, Newport House, USA, 1996.

Witleson, S. F., *The brain connection: the corpus collosum is larger in left handers*, „Science", 229 (1985), 665–68.

Wolf, N., *The Beauty Myth*, Anchor 1992.

Wright, R., *The Moral Animal*, Pantheon, New York 1994.

Young, J. Z., *An Introduction to the Study of Man*, Oxford University Press, 1979, 295.

ZAPROŚ ALLANA PEASE'A, ABY WYGŁOSIŁ WYKŁAD PODCZAS TWOJEJ NASTĘPNEJ KONFERENCJI LUB SEMINARIUM

Pease International (Australia) Pty. Ltd.
Pease International (UK) Ltd.
P.O. Box 1260
Buderim 4556
Queensland 4556
AUSTRALIA
Tel: ++61 (7) 5445 5600
Fax: ++61 (7) 5445 5688
e-mail: (Aust) info@peaseinternational.com
(UK) ukoffice@peaseinternational.com
website: www.peaseinternational.com

Tego samego autora

Programy na kasetach wideo
Body Language Series
Silent Signals
How to make Appointments by Telephone
The Interview
Why Men Don't Listen and Women Can't Read Maps

Programy na kasetach audio
The Four Personality Styles
How to Make Appointments by Telephone
How to Remember Names, Faces & Lists
Questions Are the Answers
It's Not What You Say

Książki
Body Language
Talk Language
Write Language
Questions are the Answers
Why Men Don't Listen and Women Can't Read Maps
Why Men Lie and Women Cry
The Ultimate Book of Rude and Politically Incorrect Jokes
Why Men Can Only Do One Thing At A Time and Women Never Stop Talking

Zamówienia na katalog programów na temat sprzedaży i zarządzania oraz inne materiały autorstwa Allana Pease'a prosimy kierować pod następujący adres:
183 High Street
Henley in Arden
West Midlands B95 5BA
UNITED KINGDOM
Tel: ++44 (0) 1564 795000
Fax: ++44 (0) 1564 79053